Celeste Ng

Celeste Ng vit à Cambridge dans le Massachusetts. Salué par la critique (best-seller *New York Times*), vendu à près d'un million d'exemplaires, traduit dans plus de vingt pays, *Tout ce qu'on ne s'est jamais dit* est son premier roman, paru en 2014 aux États-Unis.

TOUT CE QU'ON NE S'EST JAMAIS DIT

CELESTE NG

TOUT CE QU'ON NE S'EST JAMAIS DIT

Traduit de l'anglais (États-Unis)
par Fabrice Pointeau

Titre original :
EVERYTHING I NEVER TOLD YOU

Pocket, une marque d'Univers Poche,
est un éditeur qui s'engage pour la préservation
de son environnement et qui utilise du papier fabriqué
à partir de bois provenant de forêts
gérées de manière responsable.

ISBN : 978-2-266-26730-4

Pour ma famille

1

Lydia est morte. Mais ils ne le savent pas encore. 3 mai 1977, six heures trente du matin, personne ne sait rien hormis ce détail inoffensif : Lydia est en retard pour le petit déjeuner. Comme toujours, sa mère a placé près de son bol de céréales un crayon bien taillé et les devoirs de physique de Lydia, six problèmes, chacun coché. Sur le chemin du travail, le père de Lydia règle l'autoradio sur WXKP, la Meilleure Source d'Informations du Nord-Ouest de l'Ohio, irrité par le craquement des parasites. Dans l'escalier, le frère de Lydia bâille, toujours enveloppé dans la fin de son rêve. Et sur sa chaise dans le coin de la cuisine, la sœur de Lydia écarquille de grands yeux, voûtée au-dessus de ses corn flakes, les mâchant un à un en attendant que Lydia apparaisse. C'est elle qui déclare finalement : « Lydia prend son temps, aujourd'hui. »

À l'étage, Marilyn ouvre la porte de la chambre de sa fille et voit le lit dans lequel personne n'a dormi : le drap soigneusement plié au carré sous l'édredon, l'oreiller toujours gonflé et convexe. Tout semble à sa place. Pantalon en velours jaune moutarde gisant en tas par terre, chaussette solitaire à rayures arc-en-ciel.

Une rangée de prix d'excellence à des concours de sciences sur le mur, une carte postale d'Einstein. Le sac en toile de Lydia bouchonné sur le sol de la penderie. Le cartable vert de Lydia avachi contre son bureau. Un flacon de parfum Baby Soft sur la commode, une douce odeur poudrée de bébé flottant toujours dans l'air. Mais pas de Lydia.

Marilyn ferme les yeux. Peut-être que quand elle les rouvrira Lydia sera là, l'édredon comme toujours tiré par-dessus sa tête, des mèches de cheveux s'échappant d'en dessous. Une masse ronchonne recroquevillée sous le couvre-lit qu'elle n'aurait curieusement pas vue jusqu'alors. *J'étais dans la salle de bains, maman. J'étais descendue chercher de l'eau. J'étais allongée ici pendant tout ce temps.* Évidemment, quand elle regarde, rien n'a changé. Les rideaux tirés brillent comme un écran de télévision vierge.

Au rez-de-chaussée, elle s'arrête dans l'entrebâillement de la porte de la cuisine, une main posée sur chaque côté du montant. Son silence dit tout.

« Je vais aller vérifier dehors, déclare-t-elle finalement. Peut-être que pour une raison ou pour une autre… »

Elle garde les yeux rivés sur le sol tandis qu'elle se dirige vers la porte d'entrée, comme si les pas de Lydia avaient pu creuser leur empreinte dans le tapis du couloir.

Nath dit à Hannah : « Elle était dans sa chambre, hier soir. J'ai entendu sa radio. À onze heures et demie. »

Il s'interrompt, se rappelant qu'il ne lui a pas dit bonne nuit.

« Est-ce qu'on peut être kidnappé à seize ans ? » demande Hannah.

Nath donne des petits coups de cuiller dans son bol. Les corn flakes se ratatinent et s'enfoncent dans le lait trouble.

Leur mère revient dans la cuisine, et l'espace d'une magnifique fraction de seconde, Nath pousse un soupir de soulagement : la voici, Lydia, saine et sauve. Ça se produit parfois – leurs visages sont si semblables que lorsqu'on en aperçoit une du coin de l'œil on la prend pour l'autre : même menton de lutin, pommettes hautes, fossette dans la joue gauche, même ossature aux épaules frêles. Seule la couleur des cheveux diffère, ceux de Lydia étant d'un noir d'encre au lieu du blond vénitien de leur mère. Nath et Hannah tiennent de leur père – un jour, une femme les a arrêtés à l'épicerie et leur a demandé : « Chinois ? » Et quand, ne voulant pas rentrer dans les détails, ils ont répondu oui, elle a acquiescé d'un air sage. « Je le savais. À vos yeux. » Puis, du bout du doigt, elle a tiré le coin de ses paupières vers l'extérieur. Mais Lydia, défiant les lois de la génétique, a les yeux bleus de sa mère, et ils savent que c'est une des raisons qui font d'elle sa fille préférée. Et aussi la préférée de leur père.

Lydia porte alors une main à son front, et elle redevient leur mère.

« La voiture est toujours là », dit-elle.

Mais Nath le savait déjà. Lydia ne sait pas conduire ; elle n'a même pas encore de permis provisoire. La semaine dernière, elle les a tous surpris en ratant l'examen, et leur père refuse de la laisser s'asseoir à la place du conducteur tant qu'elle ne l'aura pas réussi. Nath remue ses céréales, qui se sont transformées en bouillie au fond de son bol. L'horloge du couloir fait tic-tac, puis sonne sept heures trente. Personne ne bouge.

« Est-ce qu'on va quand même à l'école aujourd'hui ? » demande Hannah.

Marilyn hésite. Puis elle va chercher son sac à main et en sort un porte-clés d'un geste résolu.

« Vous avez déjà raté le bus. Nath, prends ma voiture et dépose Hannah en chemin. » Puis : « Ne vous en faites pas. On va découvrir ce qui se passe. »

Elle ne les regarde pas. Ils ne la regardent pas.

Une fois les enfants partis, elle prend une tasse dans le placard, tentant de contrôler les tremblements de ses mains. Il y a longtemps de cela, quand Lydia était bébé, Marilyn l'a un jour laissée dans le salon en train de jouer sur un édredon pour aller se chercher une tasse de thé dans la cuisine. Elle n'avait que onze mois. Marilyn a ôté la bouilloire de la gazinière, et en se retournant a découvert Lydia qui se tenait à la porte. Sa surprise a été telle qu'elle a posé la main sur la plaque brûlante. Une spirale rouge est apparue sur sa paume, et elle l'a portée à ses lèvres tout en regardant sa fille à travers les larmes qui lui montaient aux yeux. Debout sur le seuil de la pièce, Lydia était étrangement alerte, comme si elle observait la cuisine pour la première fois. Marilyn n'a pas songé au fait qu'elle avait raté les premiers pas de sa fille, ni au fait qu'elle avait grandi si vite. La pensée qui lui a traversé l'esprit n'a pas été : *Comment ai-je pu rater ça ?* mais : *Qu'est-ce que tu me caches d'autre ?* Nath avait fait ses premiers pas devant elle, se dressant, se dandinant, retombant, mais elle ne se rappelait même pas Lydia commençant à se tenir debout. Pourtant, elle semblait si stable sur ses pieds nus, ses doigts minuscules ressortant juste des manches bouffantes de sa grenouillère. Marilyn avait souvent le dos tourné tandis qu'elle ouvrait le réfrigérateur ou faisait la lessive. Lydia avait pu commencer à marcher des semaines plus tôt, pendant qu'elle était penchée au-dessus d'une casserole, sans qu'elle en ait rien su.

Elle a soulevé Lydia, lui a lissé les cheveux tout en lui disant combien elle était intelligente, combien son père serait fier d'elle quand il rentrerait à la maison. Mais elle avait l'impression d'être tombée sur une porte fermée à clé dans une pièce familière : Lydia, toujours suffisamment petite pour qu'elle la porte dans ses bras, avait des secrets. Marilyn avait beau la nourrir, la baigner, lui glisser les jambes dans son pyjama, il y avait déjà des zones de sa vie qui lui étaient cachées. Elle a embrassé Lydia sur la joue et l'a serrée contre elle, tentant de se réchauffer contre le petit corps de sa fille.

Maintenant, Marilyn boit une gorgée de thé en se rappelant sa surprise.

Le numéro du lycée est punaisé au tableau de liège à côté du réfrigérateur. Marilyn saisit la carte et le compose, entortillant le fil autour de son doigt tandis que le téléphone sonne.

« Lycée de Middlewood, dit la secrétaire à la quatrième sonnerie. Dottie à l'appareil. »

Elle se souvient de Dottie : une femme trapue qui porte encore en choucroute ses cheveux d'un roux délavé.

« Bonjour », commence-t-elle. Elle hésite. « Est-ce que ma fille est en cours ce matin ? »

Dottie fait un petit claquement de langue impatient.

« À qui ai-je l'honneur, s'il vous plaît ? »

Elle met un moment à se souvenir de son propre nom.

« Marilyn. Marilyn Lee. Ma fille est Lydia Lee. En classe de seconde.

— Laissez-moi consulter son emploi du temps. Première heure de cours… »

Une pause.

« Physique niveau première ?

— Oui, c'est exact. Avec M. Kelly.

— Je vais envoyer quelqu'un vérifier dans la salle de classe. »

Un bruit sourd retentit tandis que la secrétaire pose le combiné sur son bureau.

Marilyn examine sa tasse, la mare d'eau qu'elle a formée sur la paillasse. Il y a quelques années, une petite fille a rampé dans une remise et elle est morte étouffée. Après ça, le département de police a envoyé un prospectus à chaque famille : *Si votre enfant disparaît, lancez-vous aussitôt à sa recherche. Vérifiez les machines à laver et les sèche-linge, le coffre des voitures, les remises à outils, tous les endroits où il pourrait se cacher. Appelez immédiatement la police si votre enfant demeure introuvable.*

« Madame Lee ? dit la secrétaire. Votre fille n'est pas à son premier cours. Appelez-vous pour justifier son absence ? »

Marilyn raccroche sans répondre. Elle replace le numéro de téléphone sur le tableau, ses doigts humides étalant l'encre si bien que les chiffres deviennent flous, comme s'ils étaient vus à travers un vent violent, ou sous l'eau.

Elle vérifie chaque pièce, ouvre chaque placard. Elle

jette un coup d'œil dans le garage vide : rien qu'une tache d'huile sur le béton et l'odeur faible et entêtante de l'essence. Elle ne sait pas trop ce qu'elle cherche : des traces de pas compromettantes ? Une traînée de miettes de pain ? Quand elle avait douze ans, une fille plus âgée de son école a disparu et a été retrouvée morte. Ginny Baron. Elle portait des chaussures plates bicolores que Marilyn convoitait désespérément. Elle était allée à la boutique pour acheter des cigarettes à son père, et on l'a découverte deux jours plus tard au bord de la route, à mi-chemin de Charlottesville, étranglée et nue.

L'esprit de Marilyn commence désormais à s'agiter. L'été du « Fils de Sam » débute à peine – les journaux viennent seulement de le baptiser ainsi –, et même dans l'Ohio ses derniers meurtres font les gros titres. Dans quelques mois, la police arrêtera David Berkowitz, et le pays passera de nouveau à autre chose : la mort d'Elvis, le nouvel Atari, Fonzie s'envolant au-dessus d'un requin. Pour le moment, cependant, tandis que les New-Yorkaises aux cheveux sombres s'achètent des perruques blondes, Marilyn voit le monde comme un endroit terrifiant et imprévisible. De telles choses n'arrivent pas ici, se rappelle-t-elle. Pas à Middlewood, qui se considère comme une grande ville mais qui n'est réellement qu'une minuscule bourgade étudiante de trois mille habitants, où rouler pendant une heure ne vous mènera qu'à Toledo, où sortir le samedi soir signifie aller à la patinoire ou au bowling ou au drive-in, où même le lac de Middlewood, situé en plein cœur de la ville, n'est guère plus qu'un vulgaire étang. (Dans ce cas, elle se trompe : il fait trois cents mètres de large, et il est profond.) Pourtant, elle ressent des fourmillements dans la nuque, comme si des scarabées descendaient le long de sa colonne vertébrale.

Dans la maison, Marilyn écarte le rideau de douche, les anneaux grinçant sur la tringle, et elle observe la courbure blanche de la baignoire. Elle fouille tous les placards de la cuisine. Elle regarde dans le garde-manger, la penderie, le four. Puis elle ouvre le réfrigérateur et jette un coup d'œil à l'intérieur. Olives. Lait. Une barquette de poulet en mousse rose, une salade iceberg, une grappe de raisin couleur de jade. Elle touche le verre froid du pot de beurre de cacahuète et referme la porte en secouant la tête. Comme si Lydia avait pu être à l'intérieur.

Le soleil du matin inonde la maison, aussi crémeux qu'un gâteau au citron, illuminant l'intérieur des placards et des penderies vides ainsi que les sols nus et propres. Marilyn baisse les yeux vers ses mains, elles aussi vides et presque rayonnantes dans la lueur du soleil. Elle décroche le téléphone et compose le numéro de son mari.

Pour James, qui est dans son bureau, c'est encore juste un mardi ordinaire. Il fait cliqueter son stylo contre ses dents. Une phrase dactylographiée dont l'encre a coulé penche légèrement sur la page : *La Serbie était l'une des plus puissantes nations baltes*. Il raye *baltes*, écrit *balkaniques*, tourne la page. *L'archiduc François-Ferdinand a été assassiné par des membres de l'Amant noir*. François, songe-t-il. La Main noire. Ces étudiants ont-ils ouvert leur livre ? Il se voit face à l'amphithéâtre, baguette à la main, une carte de l'Europe déroulée derrière lui. C'est un cours d'introduction,

« L'Amérique et les guerres mondiales » ; il ne s'attend pas à des connaissances approfondies ni à un point de vue critique. Juste à une compréhension rudimentaire des faits, et à ce qu'un élève soit capable d'orthographier correctement *Tchécoslovaquie*.

Il replie le devoir, inscrit la note sur la première page – 65 sur 100 – et l'encercle. Chaque année, à l'approche de l'été, les étudiants traînent des pieds et s'agitent ; des étincelles de ressentiment jaillissent comme des fusées éclairantes pour aller s'éteindre contre les murs sans fenêtres de l'amphithéâtre. Leurs devoirs manquent d'enthousiasme, les paragraphes ne sont pas achevés, s'interrompant parfois même en milieu de phrase, comme si les élèves n'arrivaient plus à retenir une pensée suffisamment longtemps. Quel gâchis, songe-t-il. Tous les polycopiés qu'il a peaufinés, toutes les diapos en couleur de MacArthur et de Truman et les cartes de Guadalcanal. Rien de plus que des noms rigolos, ce cours n'étant pour eux qu'une obligation de plus à rayer de la liste afin d'obtenir leur diplôme. Mais qu'aurait-il pu attendre d'autre de cet endroit ? Il place la composition sur les autres, et pose son stylo sur la pile. À travers la fenêtre, il voit le petit carré vert de la pelouse et trois jeunes étudiants en jean en train de lancer un Frisbee.

Quand il était plus jeune, encore professeur débutant, on prenait souvent James pour un étudiant. Mais ça fait des années que ça ne lui arrive plus. Il aura quarante-six ans au printemps prochain ; il est désormais titularisé, et quelques mèches argentées se mêlent au noir de ses cheveux. Parfois, cependant, on le prend encore pour quelqu'un d'autre. Un jour, une réceptionniste du bureau du doyen a cru qu'il était un diplomate japonais en visite et lui a demandé comment s'était passé son vol depuis Tokyo. Il aime la surprise sur le visage des gens quand il leur dit qu'il est professeur d'histoire américaine. « D'ailleurs, je *suis* américain », ajoute-t-il, légèrement sur la défensive, quand les gens clignent des yeux d'un air étonné.

Quelqu'un frappe à la porte : son assistante, Louisa, avec une pile de devoirs.

« Professeur Lee. Je ne voulais pas vous déranger, mais votre porte était ouverte. » Elle pose les dissertations sur son bureau et marque une pause.

« Elles n'étaient pas très bonnes.

— Non. Et ma moitié non plus. J'espérais que toutes les bonnes notes étaient dans votre pile. »

Louisa éclate de rire. La première fois qu'il l'a vue, lors de son séminaire pour étudiants en licence au semestre précédent, elle l'a surpris. De dos, elle aurait pu être sa fille : elles avaient presque les mêmes cheveux sombres et brillants qui leur descendaient jusqu'aux omoplates, la même façon de s'asseoir avec les coudes ramenés contre le corps. Mais lorsqu'elle s'est retournée, son visage n'appartenait qu'à elle. Il était étroit là où celui de Lydia était large, ses yeux étaient marron et francs.

« Professeur Lee, avait-elle dit en tendant la main. Mon nom est Louisa Chen. »

Dix-huit ans à l'université de Middlewood, avait-il songé, et c'était sa toute première étudiante orientale. Sans s'en rendre compte, il s'était retrouvé à sourire.

Puis, une semaine plus tard, elle était venue dans sa permanence.

« C'est votre famille ? » avait-elle demandé en inclinant vers elle la photo sur son bureau.

Il y avait eu un silence tandis qu'elle l'examinait. Tout le monde faisait la même chose, et c'était la raison pour laquelle il la gardait bien en évidence. Il avait regardé les yeux de Louisa passer de son visage sur la photo à celui de sa femme, puis de ses enfants, puis de nouveau au sien.

« Oh », avait-elle lâché après un moment. Il devinait qu'elle essayait de dissimuler sa confusion. « Votre femme n'est… pas chinoise. »

C'était ce que tout le monde disait. Mais de la part de Louisa, il se serait attendu à autre chose.

« Non », avait-il répondu. Il avait redressé le cadre pour qu'il soit un peu plus face à elle, le positionnant à un angle parfait de quarante-cinq degrés vers l'avant du bureau. « Non, elle n'est pas chinoise. »

Pourtant, à la fin du semestre d'automne, il lui avait demandé si elle accepterait de corriger les copies de ses premières années. Et en avril, il lui avait proposé d'être professeur assistante pour son cours d'été.

« J'espère que les élèves seront meilleurs, déclare maintenant Louisa. Certains ont affirmé que la voie de chemin de fer Le Cap-Le Caire se trouvait en Europe. Pour des étudiants d'université, ils sont étonnamment nuls en géographie.

— Eh bien, on n'est pas à Harvard, ça, c'est sûr », répond James.

Il joint les deux piles en une seule et égalise les bords, comme un paquet de cartes, en la tapotant sur le bureau.

« Parfois, je me demande si tout ça n'est pas du gâchis.

— Vous ne pouvez pas vous en vouloir s'ils ne

font pas d'efforts. Et ils ne sont pas tous si mauvais que ça. Quelques-uns ont eu un A. »

Louisa le regarde en clignant des yeux, avec une expression soudain sérieuse.

« Votre vie n'est pas un gâchis. »

James ne parlait que du cours d'introduction, du fait d'avoir affaire à ces élèves qui, année après année, ne prenaient même pas la peine d'apprendre la chronologie de base. Elle a vingt-trois ans, songe-t-il ; elle ne connaît rien de la vie, gâchée ou non. Mais c'est agréable d'entendre ça.

« Ne bougez pas, dit-il. Vous avez quelque chose dans les cheveux. »

Ses cheveux sont encore frais et un peu humides après sa douche de ce matin. Louisa reste parfaitement immobile, ses yeux ouverts fixés sur le visage de James. Ce n'est pas un pétale de fleur comme il l'a tout d'abord cru. C'est une coccinelle, et tandis qu'il la retire, l'insecte cherche à s'échapper sur la pointe de ses pattes jaunes aussi fines que du fil et finit suspendu à l'envers à son ongle.

« Ces satanées bestioles sont partout en cette saison », lance une voix à la porte.

James lève les yeux et voit Stanley Hewitt qui a passé la tête dans la pièce. Il n'aime pas Stan – un gros porc rougeaud qui lui parle fort et lentement comme s'il était dur d'oreille, et qui raconte des blagues stupides commençant par *George Washington, Buffalo Bill et Spiro Agnew entrent dans un bar…*

« Vous voulez quelque chose, Stan ? » demande James.

Il a vivement conscience de sa main, dont l'index et le pouce sont étirés comme s'il pointait un pistolet à bouchon sur l'épaule de Louisa, et il l'ôte.

« J'avais juste une question à vous poser sur le dernier mémo du doyen, répond Stanley en levant un ronéo. Je ne voulais pas vous interrompre.

— Je dois y aller, de toute manière, dit Louisa. Passez une bonne journée, professeur Lee. Je vous verrai demain. Vous aussi, professeur Hewitt. »

Tandis qu'elle se glisse devant Stanley et regagne le couloir, James voit qu'elle rougit, et son propre visage devient chaud. Lorsqu'elle est partie, Stanley s'assied sur le coin du bureau.

« Jolie fille, déclare-t-il. Elle sera aussi votre assistante cet été, non ?

— Oui. »

James déplie sa main tandis que la coccinelle s'avance sur le bout de son doigt, suivant son empreinte digitale, tournant en rond en décrivant des spirales et des boucles. Il voudrait écraser son poing au milieu du sourire de Stanley, sentir ses incisives légèrement tordues entailler ses articulations. À la place, il écrase la coccinelle avec son pouce. La carapace craque sous la pression comme un grain de pop-corn, et l'insecte se transforme en une poudre couleur soufre. Stanley n'arrête pas de faire courir son doigt sur la tranche des livres de James. Plus tard, celui-ci regrettera l'ignorance sereine de cet instant, cette ultime seconde durant laquelle le regard concupiscent de Stan était le pire de ses problèmes. Mais pour le moment, quand le téléphone se met à sonner, il est tellement soulagé par cette interruption qu'il ne remarque tout d'abord pas l'anxiété dans la voix de Marilyn.

« James ? Tu pourrais rentrer à la maison ? »

Les policiers leur expliquent que de nombreux adolescents partent de chez eux sans prévenir. Souvent, disent-ils, les filles sont furieuses contre leurs parents et les parents ne s'en doutent même pas. Nath les regarde faire le tour de la chambre de sa sœur. Il s'attend à voir du talc et des plumeaux, des chiens renifleurs, des loupes. À la place, les policiers se contentent d'*observer* : les affiches punaisées au-dessus du bureau, les chaussures par terre, le cartable à moitié ouvert. Puis le plus jeune place la main sur le bouchon rose et arrondi du flacon de parfum de Lydia, comme s'il tenait la tête d'un enfant dans sa main.

La plupart des disparitions de filles, leur explique le plus âgé des deux, sont résolues en moins de vingt-quatre heures. Elles rentrent à la maison d'elles-mêmes.

« Qu'est-ce que ça veut dire ? demande Nath. *La plupart* ? Qu'est-ce que ça veut dire ? »

Le policier jette un coup d'œil par-dessus ses doubles foyers.

« Dans l'immense majorité des cas, répond-il.

— Quatre-vingts pour cent ? insiste Nath. Quatre-vingt-dix ? Quatre-vingt-quinze ?

— Nathan, dit James. Ça suffit. Laisse l'agent Fiske faire son travail. »

Le plus jeune agent note les détails dans son calepin : Lydia Elizabeth Lee, vue pour la dernière fois le lundi 2 mai, robe à fleurs à dos nu, parents James et Marilyn Lee. À cet instant, l'agent Fiske observe attentivement James, un souvenir refaisant surface dans son esprit.

« Votre femme a également disparu par le passé ?

dit-il. Je me souviens de cette affaire. En 1966, n'est-ce pas ? »

Une sensation de chaleur parcourt la nuque de James, comme de la sueur dégoulinant derrière ses oreilles. Il est heureux que Marilyn soit au rez-de-chaussée, en train d'attendre près du téléphone.

« C'était un malentendu, rétorque-t-il d'un ton brusque. Une mauvaise communication entre ma femme et moi. Une histoire de famille.

— Je vois. »

Fiske tire son propre calepin et prend des notes, tandis que James tapote du doigt le coin du bureau de Lydia.

« Autre chose ? »

Dans la cuisine, les policiers feuillettent l'album de famille, cherchant un portrait net.

« Celui-ci », indique Hannah en pointant le doigt.

C'est un cliché de Noël dernier. Lydia était maussade, et Nath avait tenté de l'égayer, de lui arracher un sourire au moyen de son appareil photo. Ça n'avait pas fonctionné. Elle est assise près du sapin, dos au mur, seule. Son visage est un défi. La franchise de son regard, qui jaillit du cliché sans une once de profil, semble demander : *Qu'est-ce que tu regardes ?* Sur la photo, Nath ne distingue pas le bleu de son iris du noir de ses pupilles, ses yeux sont comme des trous noirs sur le papier brillant. Quand il est allé chercher les tirages au drugstore, il a regretté d'avoir capturé ce moment, cette expression dure sur le visage de sa sœur. Mais maintenant, tandis qu'il regarde la photo dans la main de Hannah, il doit bien avouer que ça ressemble à Lydia – du moins, telle qu'il l'a vue pour la dernière fois.

« Pas celle-là, proteste James. Pas avec Lydia qui fait une telle tête. Les gens vont croire qu'elle est tout le temps comme ça. Choisis-en une jolie. » Il tourne quelques pages et sort le dernier cliché. « Celle-ci est mieux. »

Lors de son seizième anniversaire, la semaine précédente, Lydia est assise à table, ses lèvres couvertes de rouge dessinant un sourire. Bien que son visage soit tourné vers l'appareil, ses yeux regardent quelque chose en dehors de la marge blanche de la photo. Qu'est-ce qu'il y a de si drôle ? se demande Nath. Il ne se rappelle pas si c'était lui, ou quelque chose que son père avait dit, ou si Lydia s'amusait intérieurement d'une chose que les autres ignoraient. Elle ressemble à un mannequin dans une pub de magazine. Ses lèvres sont sombres et bien définies, une assiette avec un gâteau au glaçage parfait est posée en équilibre sur sa main délicate, elle paraît étonnamment heureuse.

James pousse la photo d'anniversaire en travers de la table en direction des policiers, et le plus jeune la glisse dans une enveloppe en papier kraft et se lève.

« Ce sera parfait. Nous allons faire une affiche au cas où elle ne serait pas réapparue demain. Mais ne vous inquiétez pas. Je suis sûr qu'elle va revenir. »

Il laisse un postillon sur la page de l'album, que Hannah essuie du doigt.

« Elle ne serait pas partie sans rien dire, déclare Marilyn. Et si c'était un fou ? Un cinglé qui kidnappait les jeunes filles ? »

Ses mains s'approchent doucement du journal du matin, qui est toujours posé au centre de la table.

« Essayez de ne pas vous en faire, madame, répond l'agent Fiske. Ce genre de chose n'arrive presque jamais. Dans la grande majorité des cas… » Il jette un coup d'œil à Nath, puis s'éclaircit la voix. « … les filles rentrent presque toujours. »

Une fois les policiers repartis, Marilyn et James s'assoient face à un bout de papier. La police leur a suggéré d'appeler tous les amis de Lydia, toutes les personnes qui pourraient savoir où elle est allée. Ensemble, ils dressent une liste : Pam Saunders. Jenn Pittman. Shelley Brierley. Nath ne les reprend pas, mais il sait qu'aucune de ces filles n'a jamais été l'amie de Lydia. Elles vont à l'école ensemble depuis la maternelle, elles se téléphonent de temps à autre, des coups de fil pleins de gloussements et de sons stridents, et Lydia crie au bout du fil : « J'ai compris ! » Certains soirs, elle reste assise pendant des heures sur la chaise près de la fenêtre du palier, le téléphone posé sur ses genoux, le combiné coincé entre son oreille et son épaule. Et quand leurs parents passent, sa voix devient un murmure confidentiel, et elle entortille le cordon autour de son petit doigt jusqu'à ce qu'ils soient partis. C'est pour ça, Nath le sait, que ses parents notent leurs noms sur la liste avec une telle confiance.

Mais Nath a vu Lydia à l'école, assise en silence dans la cafétéria pendant que les autres discutent, ou, après que les autres ont fini de recopier les devoirs de sa sœur, rangeant calmement son cahier dans son cartable. Après l'école, elle marche seule jusqu'au bus et s'assied à côté de lui en silence. Un jour, il est resté au téléphone après que Lydia eut décroché, et il a entendu non pas des ragots, mais la voix de sa sœur débitant les devoirs à faire – *lire l'acte I d'*Othello, *faire les problèmes aux numéros impairs* *de la section 5* –, puis devenir silencieuse après que la personne au bout du fil eut raccroché. Le lendemain, pendant que Lydia était recroquevillée sur la chaise près de la fenêtre, téléphone collé à l'oreille, il a décroché le combiné de la cuisine et n'a entendu que le bourdonnement sourd de la tonalité. Lydia n'a jamais vraiment eu d'amis, mais ses parents n'en savent rien. Si leur père demande : « Lydia, comment va Pam ? » Lydia répond : « Oh, très bien, elle vient de rejoindre l'équipe des pom-pom girls », et Nath ne la contredit pas. Il est stupéfait par l'immobilité du visage de sa sœur, par son habileté à mentir sans même un haussement de sourcils qui la trahirait.

Mais il ne peut pas dire ça à ses parents maintenant. Il regarde sa mère griffonner des noms au dos d'un vieux reçu, et lorsqu'elle demande, s'adressant à Hannah et à lui : « Vous pensez à quelqu'un d'autre ? », il pense à Jack et répond non.

Durant tout le printemps, Lydia a fréquenté Jack – ou l'inverse. Pratiquement tous les après-midi, ils se sont baladés dans la Coccinelle de ce dernier, rentrant juste à temps pour le dîner, Lydia prétendant qu'elle était restée à l'école pendant tout ce temps. Cette amitié – Nath refusait d'utiliser un autre mot – avait débuté de façon soudaine. Jack et sa mère étaient venus vivre au coin de la rue quand il était au CP, et Nath avait un temps cru qu'ils seraient amis. Mais les choses ne s'étaient pas passées ainsi. Jack l'avait humilié devant les autres enfants, il s'était moqué de lui quand sa mère était partie et que Nath avait cru qu'elle ne reviendrait jamais. Comme si, songe-t-il désormais, comme si Jack avait le moindre droit de dire quoi que ce soit, alors que lui-même n'avait pas de père. Quand les Wolff avaient emménagé, tous les voisins avaient parlé à voix basse du fait que Janet Wolff était *divorcée* et que Jack n'en faisait qu'à sa tête quand elle travaillait tard à l'hôpital. Cet été-là, on avait aussi parlé à voix basse des parents de Nath – mais sa mère était revenue. Alors que Jack continuait de n'en faire qu'à sa tête.

Et maintenant ? Rien que la semaine dernière, comme il rentrait en voiture après avoir fait une course, il a vu Jack en train de promener son chien. Il venait de contourner le lac et était sur le point de s'engager dans leur petite impasse quand il l'a vu sur le trottoir près de la rive, grand et dégingandé, le chien gambadant devant lui en direction d'un arbre. Il portait un vieux tee-shirt délavé, et ses boucles d'un blond-roux qui n'avaient pas été peignées se dressaient sur sa tête. Lorsque Nath est passé devant lui, Jack a levé les yeux et lui a adressé un infime hochement de tête, une cigarette coincée au coin de sa bouche. Ce geste, a songé Nath, était moins un salut qu'un simple signe de reconnaissance. Près de Jack, le chien l'a fixé dans les yeux et a levé nonchalamment la patte. Et dire que Lydia avait passé tout le printemps avec lui.

S'il révèle quoi que ce soit maintenant, songe Nath, ses parents demanderont : *Pourquoi n'avons-nous pas été prévenus plus tôt ?* Et il devra expliquer que tous ces après-midi où il a dit : « Lydia révise avec une amie », ou : « Lydia est restée au lycée pour travailler ses maths », il voulait en fait dire : *Elle est avec Jack*, ou : *Elle se balade dans la voiture de Jack*, ou : *Elle est partie Dieu sait où avec lui*. Plus encore : le simple fait de prononcer le nom de Jack reviendrait à admettre une chose qu'il ne veut pas admettre.

Que Jack fait partie de la vie de Lydia, et ce depuis des mois.

De l'autre côté de la table, Marilyn cherche les numéros dans l'annuaire et les lit à voix haute ; c'est James qui les compose, prudemment et lentement, tournant le cadran d'un doigt. À chaque coup de fil, sa voix se fait plus confuse. *Non ? Elle ne vous a parlé de rien, aucun projet ? Oh ! Je vois. Bon. Merci tout de même.* Nath examine le grain de la table de la cuisine, l'album ouvert devant lui. La photo manquante laisse un vide sur la page, une fenêtre de plastique transparent qui dévoile la doublure blanche de la couverture. Leur mère fait courir sa main le long de la colonne de numéros dans l'annuaire, maculant de gris le bout de son doigt. Sous la table, Hannah tend les jambes et touche de l'orteil le pied de Nath. Un orteil réconfortant. Mais il ne lève pas les yeux. À la place, il referme l'album, et, de l'autre côté de la table, sa mère raye un autre nom de la liste.

Quand ils ont appelé le dernier numéro, James repose le téléphone. Il prend le morceau de papier des mains de Marilyn et raye *Karen Adler*, coupant le K en deux V nets. Sous le trait, il distingue encore le nom. Karen Adler. Marilyn ne laissait jamais Lydia sortir le week-end tant qu'elle n'avait pas fait tous ses devoirs – et alors c'était généralement le dimanche après-midi. Parfois, ces jours-là, Lydia retrouvait ses amies au centre commercial, amadouant ses parents pour qu'ils l'emmènent : « Quelques copines vont au ciné. *Annie Hall*. Karen *meurt d'envie* de le voir. » Il tirait un billet de dix dollars de son portefeuille et le poussait vers elle à travers la table, ce qui signifiait : *D'accord, vas-y, amuse-toi.* Il se rend désormais compte qu'il n'a jamais vu un talon de billet de cinéma, que d'aussi loin qu'il se souvienne Lydia se tenait toujours seule au bord du trottoir quand il allait la récupérer. Des douzaines de soirs, il a marqué une pause au pied de l'escalier et souri en écoutant la conversation téléphonique de Lydia flotter depuis le palier du dessus : « Oh, mon Dieu, je *sais*, d'accord ? Alors, qu'est-ce qu'elle a dit ? » Mais maintenant, il sait qu'elle n'a appelé ni Karen, ni Pam, ni Jenn depuis des années. Il songe à ces longs après-midi où ils croyaient qu'elle était restée après les cours pour étudier. De vastes laps de temps où elle avait pu être n'importe où, faire n'importe quoi. Bientôt, James s'aperçoit qu'il a totalement fait disparaître le nom de Karen Adler sous des hachures à l'encre noire.

Il soulève de nouveau le combiné et compose un numéro.

« Agent Fiske, s'il vous plaît. Oui, James Lee à l'appareil. Nous avons appelé toutes ses… » Il hésite. «… toutes ses camarades de classe. Non, rien. D'accord, merci. Oui, nous n'y manquerons pas. »

« Ils envoient un agent à sa recherche, déclare-t-il en raccrochant. Ils disent de laisser la ligne libre au cas où elle appellerait. »

Le moment de dîner arrive, mais aucun d'entre eux ne songe à manger. C'est comme si porter une fourchette à sa bouche était une chose que seuls les personnages de film faisaient, un geste raffiné et joli à voir. Une sorte de cérémonie sans but. Le téléphone ne sonne pas. À minuit, James envoie les enfants se coucher, et, bien qu'ils ne discutent pas, il se tient au pied des marches jusqu'à ce qu'ils soient montés.

« Vingt billets que Lydia appelle avant demain matin ! » lance-t-il, un peu trop joyeusement.

Personne ne rit. Le téléphone ne sonne toujours pas.

À l'étage, Nath ferme la porte de sa chambre et hésite. Ce qu'il veut, c'est trouver Jack – qui, il en est certain, sait où est Lydia. Mais il ne peut pas se glisser hors de la maison tant que ses parents sont toujours éveillés. Sa mère est déjà à cran, elle sursaute chaque fois que le moteur du réfrigérateur se met en route ou s'éteint. En tout cas, depuis sa fenêtre, il voit que la maison des Wolff est plongée dans l'obscurité. L'allée, où la VW gris métallisé de Jack est normalement garée, est vide. Comme d'habitude, la mère de Jack a oublié de laisser la lumière de la porte d'entrée allumée.

Il essaie de réfléchir : Lydia lui a-t-elle paru étrange hier soir ? Il était parti quatre jours, seul pour la première fois de sa vie, pour visiter Harvard – Harvard ! – où il doit aller à l'automne. Durant ces quelques jours précédant la période des révisions – « quinze jours pour bûcher et faire la fête avant les examens », avait expliqué Andy, l'étudiant qui l'avait accueilli –, le campus était agité, presque festif. Il avait déambulé pendant tout le week-end, émerveillé, tentant de tout absorber : les colonnes cannelées de l'énorme bibliothèque, la brique rouge des bâtiments se détachant sur les feuilles vertes des arbres, la douce odeur de craie qui flottait dans chaque amphithéâtre. Tous les étudiants lui semblaient marcher d'un pas résolu, comme s'ils savaient qu'ils étaient destinés à un grand avenir. Vendredi, il avait passé la nuit dans un sac de couchage à même le sol chez Andy, et s'était réveillé quand l'un des colocataires de celui-ci,

Wes, était rentré avec sa petite amie. La lumière s'était allumée et Nath s'était figé, clignant des yeux en direction de la porte, où un grand barbu et la fille qui lui tenait la main étaient lentement apparus dans la lueur aveuglante. Elle avait de longs cheveux roux détachés qui descendaient en cascade autour de son visage. « Désolé », avait dit Wes avant d'éteindre la lumière, et Nath avait entendu leur pas prudent tandis qu'ils traversaient la pièce commune en direction de la chambre de Wes. Il avait gardé les yeux ouverts, le temps qu'ils s'accoutument une fois de plus à l'obscurité, en songeant : *Alors, c'est comme ça à l'université ?*

Maintenant, il repense à hier soir, quand il est arrivé à la maison juste avant le dîner. Lydia était terrée dans sa chambre, et quand ils se sont assis à table, il lui a demandé comment s'étaient passés les derniers jours. Elle a haussé les épaules et à peine levé les yeux de son assiette, et il a supposé que ça signifiait : *Rien de neuf*. Maintenant, il ne se rappelle pas si elle lui a même dit bonjour.

Dans sa chambre qui occupe le grenier, Hannah se penche par-dessus le bord de son lit et tire son livre de derrière le cache-sommier. À vrai dire, c'est celui de Lydia : *Le Bruit et la Fureur*. Anglais niveau avancé. Pas pour les élèves de CM2. Elle l'a chipé dans la chambre de Lydia il y a quelques semaines, et celle-ci ne l'a même pas remarqué. Depuis quinze jours, elle le lit lentement, un petit peu tous les soirs, savourant chaque mot comme si c'était un bonbon à la cerise coincé à l'intérieur de sa joue. Ce soir, cependant, le livre semble différent. Ce n'est que quand elle revient à l'endroit où elle s'est arrêtée hier qu'elle comprend.

Pendant toute la première partie du texte, Lydia a souligné des mots ici et là, griffonnant occasionnellement une note tirée de ses cours. *Ordre* v. *chaos. Corruption des valeurs aristocratiques du Sud.* Mais après cette page, le livre est intact. Hannah feuillette le reste : pas de notes, pas de griffonnages, pas de bleu pour rompre le flot de noir. Elle s'aperçoit qu'elle a atteint le point où Lydia a cessé de lire, et elle n'a pas envie de continuer.

Hier soir, étendue dans son lit, elle a regardé la lune traverser lentement le ciel comme un ballon. Elle ne la voyait pas bouger, mais si elle détournait les yeux puis regardait de nouveau par la fenêtre, elle voyait qu'elle avait progressé. Bientôt, songeait-elle, elle allait s'empaler sur l'ombre du gros épicéa du jardin. Elle est restée longtemps ainsi, et elle dormait presque quand elle a entendu un petit bruit. L'espace d'un instant, elle a réellement cru que la lune avait heurté l'arbre. Mais quand elle a regardé dehors, celle-ci avait disparu, presque cachée derrière un nuage. Son réveil fluorescent indiquait qu'il était deux heures du matin.

Elle est restée immobile, sans même agiter les orteils, et a écouté. Le bruit avait ressemblé à celui de la porte d'entrée se refermant, car la porte se coinçait et il fallait la pousser de la hanche pour que le loquet s'enclenche. *Des cambrioleurs !* a-t-elle pensé. Par la fenêtre, elle a vu une ombre solitaire traverser la pelouse. Pas un cambrioleur, juste une silhouette fine qui se détachait sur la nuit plus sombre encore et s'éloignait de la maison. Lydia ? Une vision de la vie sans sa sœur lui a traversé l'esprit. Elle aurait la bonne chaise à table, celle qui faisait face à la fenêtre et aux lilas dans le jardin, et aussi la grande chambre au premier étage, à côté du reste de la famille. Pendant le dîner, on lui passerait les pommes de terre en premier. Son père lui raconterait ses plaisanteries, son frère ses secrets, sa mère lui adresserait ses plus beaux sourires. Puis la silhouette a atteint la rue et a disparu, et elle s'est demandé si elle l'avait vraiment vue.

Maintenant, dans sa chambre, elle regarde les lignes du texte qui s'emmêlent. C'était Lydia, elle en est certaine. Devait-elle en parler ? Sa mère lui en voudrait d'avoir laissé Lydia, sa fille préférée, partir comme ça. Et Nath ? Elle songe à la façon dont il a froncé les sourcils toute la soirée, à la manière dont il s'est mordu la lèvre sans s'en rendre compte, si fort qu'elle a commencé à se fendre et à saigner. Lui aussi serait en colère. Il dirait : *Pourquoi tu ne lui as pas couru après pour la rattraper ?* Mais je ne savais pas où elle allait, murmure Hannah dans l'obscurité. Je ne savais pas qu'elle partait vraiment.

Mercredi matin, James rappelle la police. Y avait-il des pistes ? Ils vérifiaient toutes les possibilités. L'agent pouvait-il leur dire quelque chose, quoi que ce soit ? Ils s'attendaient toujours à ce que Lydia rentre d'elle-même. Ils continuaient d'enquêter et tiendraient, naturellement, la famille informée.

James écoute tout ça et acquiesce de la tête, même s'il sait que l'agent Fiske ne le voit pas. Il raccroche et se rassied à la table sans regarder ni Marilyn, ni Nath, ni Hannah. Inutile de donner des explications : ils devinent à son expression qu'il n'y a rien de neuf.

Ça semble aberrant de ne rien faire qu'attendre. Les enfants ne vont pas à l'école. Télévision, magazines, radio : tout semble trivial comparé à leur peur. Dehors, il y a du soleil, l'air est sec et froid, mais personne ne suggère d'aller sur le porche ou dans le jardin. Même faire le ménage semble aberrant : un indice pourrait être avalé par l'aspirateur, un signe effacé en replaçant droit sur l'étagère le livre qui est tombé. Alors, la famille attend. Elle se rassemble dans la cuisine, chacun craignant de croiser le regard des autres, chacun fixant le grain du bois de la table comme si c'était une gigantesque empreinte digitale, ou une carte qui leur indiquerait où se trouve ce qu'ils cherchent.

Ce n'est que mercredi après-midi qu'un passant remarque la barque sur le lac, à la dérive par cette journée sans vent. Il y a des années, le lac était le réservoir de Middlewood, avant que le château d'eau ne soit construit. Aujourd'hui, avec ses berges bordées d'herbe, c'est l'endroit où vont nager les enfants ; ils plongent du ponton en bois, et lors des fêtes d'anniversaire et des pique-niques, un employé du service des parcs détache la barque qui est amarrée là. Personne n'en pense grand-chose : une corde détachée, une blague inoffensive. Ce n'est pas une priorité. Une note est rédigée pour qu'un agent vienne vérifier ; une note est rédigée à l'intention du directeur du service des parcs. Ce n'est que tard mercredi soir, à presque minuit, qu'un lieutenant occupé à régler les derniers problèmes de la journée fait le lien et appelle les Lee pour savoir s'il arrivait à Lydia de s'amuser avec la barque sur le lac.

« Bien sûr que non », répond James.

Lydia avait refusé, absolument refusé, de prendre des cours de natation à la YMCA. Lui-même était bon nageur quand il était adolescent, et il avait appris à

Nath à nager à l'âge de trois ans. Mais a
il s'y était pris trop tard, et elle avait déjà
quand il l'avait emmenée à la piscine pou
mière fois. Il avait pataugé dans la partie la
profonde, l'eau lui montant à peine jusqu'à la
et avait attendu. Mais Lydia n'avait même pas
s'approcher. Elle s'était allongée en maillot de b
côté de la piscine et avait pleuré, et James était f
lement ressorti, son maillot dégoulinant mais le to
sec, et il avait promis de ne pas la forcer à saut
dans l'eau. Encore maintenant, bien que le lac so
si près, Lydia ne s'y enfonce que jusqu'aux chevilles
en été, pour ôter la poussière de ses pieds.

« Bien sûr que non, répète-t-il. Lydia ne sait pas nager. »

Ce n'est qu'en entendant ces mots dans le téléphone qu'il comprend pourquoi le policier lui pose cette question. Tandis qu'il parle, toute la famille se met à frissonner, comme si chacun savait ce que la police s'apprête à trouver.

Ce n'est que jeudi matin de bonne heure, juste après l'aube, que la police drague le lac et la découvre.

ec Lydia,
cinq ans
la pre-
moins
taille,
voulu
in à
ina-
rse
er
t

2

Comment est-ce que ça a commencé ? Comme toujours : avec les mères et les pères. À cause de la mère et du père de Lydia, à cause de la mère et du père de sa mère et de son père. Parce qu'il y a longtemps sa mère avait disparu, et son père l'avait ramenée à la maison. Parce que, plus que tout, sa mère avait voulu se distinguer ; parce que, plus que tout, son père avait voulu se fondre dans la masse. Parce que tout ça avait été impossible.

Lors de sa première année à Radcliffe, en 1955, Marilyn s'était inscrite à un cours d'introduction à la physique, et son conseiller avait jeté un coup d'œil à son emploi du temps et marqué une pause. C'était un homme grassouillet avec un costume en tweed et un nœud papillon cramoisi, un borsalino gris posé sur la table à côté de lui.

« Pourquoi voulez-vous faire de la physique ? » demanda-t-il.

Elle expliqua timidement qu'elle espérait devenir médecin.

« Pas infirmière ? » dit-il en lâchant un petit ricanement.

D'une chemise, il tira son dossier scolaire et l'examina.

« Bon, je vois que vous avez eu de très bonnes notes à votre cours de physique, au lycée. »

Elle avait été la meilleure de sa classe, avait réussi brillamment chaque test. Elle adorait la physique, mais il ne pouvait pas le savoir. Sur son relevé de notes, il n'y avait que des A. Elle retint son souffle, craignant qu'il ne lui dise que la science, c'était trop compliqué, qu'à la place elle ferait mieux d'essayer quelque chose comme l'anglais ou l'histoire. Mais il ajouta : « Bon, très bien, pourquoi n'essayez-vous pas la chimie, si vous pensez pouvoir y arriver ? » Puis il signa son bordereau de cours et le lui tendit, comme ça.

Cependant, en arrivant au laboratoire, elle s'aperçut qu'elle était la seule fille dans la pièce parmi quinze hommes. Le professeur émit un petit son désapprobateur : « Mademoiselle Walker, vous feriez mieux d'attacher ces foutues boucles dorées. » « Je peux t'allumer ton brûleur ? » demanda quelqu'un. « Laisse-moi t'ouvrir ce bocal. » Quand elle brisa un vase à bec le deuxième jour de cours, trois hommes se précipitèrent auprès d'elle. « Attention, qu'ils disaient. Tu ferais bien de nous laisser t'aider. » Elle s'aperçut bientôt que tout commençait par *tu ferais bien* : « Tu ferais bien de me laisser verser cet acide à ta place. » « Tu ferais bien de reculer – ça va provoquer une explosion. » Le troisième jour, elle décida de leur montrer de quel bois elle était faite. Elle répondit non, merci, quand quelqu'un offrit de lui préparer ses pipettes, puis réprima un sourire quand ils la regardèrent faire fondre des tubes de verre au-dessus du bec Bunsen puis les étirer, comme du caramel, pour former des compte-gouttes parfaitement effilés. Tandis que ses camarades de classe éclaboussaient parfois leur blouse, faisant des trous qui transperçaient jusqu'à leur costume, elle dosait les acides d'une main ferme. Ses solutions, lorsqu'elles bouillaient, ne débordaient jamais sur la paillasse comme des volcans de bicarbonate de soude. Ses résultats étaient les plus précis ; ses rapports, les plus complets. À la moitié du trimestre, elle avait les meilleures notes à chaque examen, et le professeur avait cessé de ricaner.

Elle avait toujours aimé surprendre les gens ainsi. Au lycée, elle était allée voir son principal avec une requête : choisir le cours de technologie au lieu de celui d'éducation ménagère. C'était en 1952, et à Boston des chercheurs commençaient tout juste à développer une pilule qui changerait à jamais la vie des femmes – mais les jeunes filles allaient toujours à l'école en jupe, et, en Virginie, sa requête avait semblé radicale. L'éducation ménagère était obligatoire pour toutes les élèves de seconde, en plus, la mère de Marilyn, Doris Walker, était la seule enseignante de cette discipline du lycée Patrick-Henry. Marilyn avait demandé d'étudier la technologie avec les garçons. Les cours avaient lieu à la même heure, avait-elle fait remarquer. Son emploi du temps ne serait pas bouleversé. M. Tolliver, le principal, la connaissait bien ; elle avait été la meilleure de sa classe – filles et garçons confondus – depuis la sixième, et sa mère enseignait au lycée depuis des années. Il avait donc acquiescé et souri pendant qu'elle faisait valoir ses arguments. Puis il avait fait non de la tête.

« Désolé. Nous ne pouvons faire d'exception pour personne, sinon tout le monde en demandera. »

En voyant l'expression sur le visage de Marilyn, il tendit le bras par-dessus son bureau et lui tapota la main. « Vous auriez du mal à utiliser certaines machines de l'atelier. Et, pour être honnête, mademoiselle Walker, une jeune fille comme vous dans la classe distrairait trop les garçons. »

C'était censé être un compliment, elle le savait. Mais elle savait aussi que ce n'en était pas un. Elle sourit et le remercia de lui avoir accordé du temps. Mais ce n'était pas un sourire sincère, et ses fossettes ne se creusèrent pas.

Alors elle resta avachie au dernier rang de la salle de classe d'éducation ménagère, attendant la fin du discours de bienvenue que sa mère donnait depuis une douzaine d'années, tambourinant sur la table de ses doigts tandis que Doris promettait de leur enseigner tout ce dont une *jeune dame* avait besoin pour tenir une maison. Comme si, avait songé Marilyn, elle risquait de vous échapper si vous détourniez le regard. Elle avait observé les autres filles de son cours, notant celles qui se mordaient les ongles, celles dont le pull était râpé, celles qui sentaient légèrement la cigarette fumée en douce pendant l'heure du déjeuner. De l'autre côté du couloir, elle voyait M. Landis, le professeur de technologie, qui montrait comment tenir correctement un marteau.

Tenir une maison, pensait-elle. Chaque jour, elle regardait ses camarades de classe, maladroites avec le dé au bout de leur doigt, suçant l'extrémité d'un fil, cherchant en plissant les yeux le chas de l'aiguille. Elle songeait au fait que sa mère insistait pour se changer avant le dîner, même s'il n'y avait plus de mari à impressionner avec son visage propre et sa robe d'intérieur immaculée. C'était après son départ que sa mère avait commencé à enseigner. Marilyn avait trois ans. Son souvenir le plus vif de son père était une sensation et une odeur : sa joue râpeuse contre la sienne quand il la soulevait, et le picotement du parfum Old Spice dans ses narines. Elle ne se souvenait pas de son départ, mais savait qu'il s'était produit. Tout le monde le savait. Et maintenant, tout le monde l'avait plus ou moins oublié. Les nouveaux arrivants à l'école supposaient que Mme Walker était veuve. Sa mère elle-même n'évoquait jamais la question. Elle se poudrait toujours le nez après avoir fait la cuisine et avant de manger ; elle mettait toujours du rouge à lèvres avant de descendre pour préparer le petit déjeuner. Donc, on disait *tenir une maison* pour une raison précise, songeait Marilyn. Parce que, parfois, elle vous échappait vraiment. Et dans un examen d'anglais, elle avait écrit : *Ironie : issue contradictoire d'événements comme un pied de nez à la promesse et à la convenance des choses*, et elle avait eu un A.

Elle se mit à entortiller le fil sur sa machine à coudre. Elle découpait des patrons sans les déplier, transformant les couches de papier en dentelle. Ses fermetures Éclair s'arrachaient des robes. Elle mélangeait des fragments de coquilles d'œuf à la pâte à pancake ; elle mettait du sel à la place du sucre dans la génoise. Un jour, elle laissa son fer à repasser sur la planche, provoquant non seulement une brûlure noire sur le revêtement, mais également tellement de fumée que les arroseurs anti-incendie se déclenchèrent. Ce soir-là, pendant le dîner, sa mère termina sa dernière bouchée de pommes de terre et reposa son couteau et sa fourchette, minutieusement croisés, sur son assiette.

« Je sais ce que tu essaies de prouver, dit-elle. Mais crois-moi, tu échoueras si tu continues ainsi. »

Puis elle rassembla la vaisselle sale et la porta à l'évier.

Marilyn ne bougea pas pour l'aider comme elle le faisait d'ordinaire. Elle regarda sa mère attacher un tablier fripé autour de sa taille, ses doigts nouant la ficelle d'un geste rapide. Une fois la vaisselle terminée, sa mère se rinça les mains et appliqua un peu de lotion tirée d'une bouteille posée sur la paillasse. Puis elle revint à la table, écarta les cheveux de Marilyn de son visage, et embrassa son front. Ses mains sentaient le citron. Ses lèvres étaient sèches et chaudes.

Pour le restant de sa vie, ce moment serait la première chose qui viendrait à l'esprit de Marilyn chaque fois qu'elle repenserait à sa mère. Sa mère qui n'avait jamais quitté sa ville natale située à cent trente kilomètres de Charlottesville, qui portait toujours des gants quand elle sortait de chez elle, et qui, d'aussi loin qu'elle se souvînt, n'avait jamais envoyé Marilyn à l'école sans un petit déjeuner chaud. Qui n'avait jamais mentionné son père après son départ et qui avait élevé sa fille seule. Qui, quand celle-ci avait obtenu une bourse pour Radcliffe, avait longuement étreint Marilyn et murmuré : « Comme je suis fière de toi. Tu n'imagines pas. » Et alors, elle avait desserré les bras, scruté le visage de Marilyn, repoussé ses cheveux derrière ses oreilles et ajouté : « Tu sais, tu rencontreras de nombreux merveilleux hommes de Harvard. »

Le fait que sa mère avait eu raison ennuierait Marilyn pour le reste de sa vie. Elle étudia la chimie, se spécialisa en physique, suivit tous les cours nécessaires pour aller en école de médecine. Tard le soir, penchée sur ses manuels pendant que sa colocataire s'enroulait des bigoudis dans les cheveux et s'appliquait de la crème de beauté sur les joues puis allait se coucher, Marilyn sirotait du thé extrafort et se maintenait éveillée en s'imaginant en blouse de médecin, posant une main fraîche sur un front fiévreux, plaçant un stéthoscope sur la poitrine d'un patient. Elle ne pouvait rien concevoir qui fût plus éloigné de la vie de sa mère, où coudre un beau revers était un accomplissement louable, et ôter les taches de betterave était un motif de célébration. À la place, elle soulagerait les douleurs, étancherait les saignements et redresserait les os. Elle sauverait des vies. Pourtant, au bout du compte, les choses se passèrent exactement comme sa mère l'avait prédit : elle rencontra un homme.

C'était en septembre 1957, lors de sa troisième année d'études, au fond d'un amphithéâtre bondé. Cambridge était toujours écrasée par une chaleur étouffante et poisseuse, et les habitants attendaient que la fraîcheur sèche de l'automne nettoie la ville. Il y avait un nouveau cours, cette année-là – « Le cow-boy dans la culture américaine » –, et tous les étudiants voulaient le suivre : la rumeur disait que les devoirs se limiteraient à regarder *The Lone Ranger* et *Police des plaines* à la télévision. Marilyn était en train de sortir une feuille de son classeur et, alors qu'elle avait la tête baissée, le silence s'abattit sur la pièce comme de la neige. Elle leva les yeux vers le professeur qui s'approchait de l'estrade, et comprit pourquoi tout le monde s'était tu.

Le programme des cours indiquait que l'enseignant était un certain *James P. Lee*. C'était un doctorant, et personne ne savait rien de lui. Pour Marilyn, qui avait passé toute sa vie en Virginie, le nom *Lee* évoquait un certain type d'hommes : un Richard Henry, ou un Robert E[1]. Elle s'apercevait désormais qu'elle et tous les autres s'étaient attendus à quelqu'un portant un blazer couleur sable, quelqu'un avec un accent traînant et des origines sudistes. L'homme qui posait ses papiers sur le pupitre était plutôt jeune et maigre, mais c'était à peu près tout ce qu'il avait de ce qu'ils s'étaient imaginé. *Un Oriental*, pensa-t-elle. Elle n'en avait jamais vu. Il était habillé comme un croque-mort : costume noir, cravate noire fermement nouée, chemise si blanche qu'elle brillait. Ses cheveux étaient peignés en arrière et séparés par une parfaite raie pâle, mais une mèche rebelle se dressait comme une plume de chef indien. Quand il commença à parler, il leva la main pour aplatir son épi, et quelqu'un ricana.

Si le professeur Lee l'entendit, il n'en montra rien.

« Bonjour », dit-il.

Marilyn retint son souffle lorsqu'il écrivit son nom au tableau. Elle le voyait à travers les yeux de ses camarades de classe, et elle savait ce qu'ils pensaient. C'était ça, leur professeur ? Ce petit homme d'un mètre soixante-quinze au plus, même pas *américain*, allait leur donner un cours sur les cow-boys ? En l'observant de nouveau, elle remarqua combien son cou était élancé, combien ses joues étaient lisses. Il ressemblait à un petit garçon déguisé, et elle ferma les yeux et pria pour que le cours se passe bien. Le silence s'étira, aussi tendu que la surface d'une bulle,

---

1. Richard Henry Lee, homme politique américain du XVIIIe siècle partisan de l'indépendance des États-Unis. Robert E. Lee, militaire confédéré durant la guerre de Sécession. *(N.d.T.)*

prêt à éclater. Quelqu'un passa une liasse de ronéos par-dessus son épaule, et elle fit un bond.

Quand elle eut pris la copie du dessus et passé le reste aux autres étudiants, le professeur Lee se remit à parler.

« L'image du cow-boy, disait-il, existe depuis plus longtemps qu'on ne l'imagine. »

Il n'y avait aucune trace d'accent dans sa voix, et elle expira lentement. D'où venait-il ? se demandait-elle. Il ne parlait absolument pas comme on lui avait dit que les Chinois parlaient. *Dessolé, pas lessive.* Avait-il grandi aux États-Unis ? Au bout de dix minutes, des bruissements et des murmures commencèrent à emplir la pièce. Marilyn regarda ses notes : des phrases comme « connut de multiples évolutions à chaque ère de l'histoire américaine », ou « dichotomie apparente entre le rebelle social et l'incarnation des valeurs typiquement américaines ». Elle parcourut le programme. Dix livres à lire, un examen en milieu de semestre, trois dissertations. Ce n'était pas ce que ses camarades avaient à l'esprit. Une fille assise sur le côté de la salle cala son livre sous son bras et sortit discrètement. Deux autres de la rangée de derrière la suivirent. Après ça, la pièce se vida au compte-gouttes. À chaque minute, un ou deux étudiants s'en allaient. Un garçon au premier rang se leva et passa juste devant l'estrade en sortant. Les derniers à partir furent trois garçons assis au fond. Ils se faufilèrent entre les sièges qui venaient de se libérer, murmurant et ricanant, leurs cuisses butant contre chaque accoudoir et produisant un doux boum, boum, boum. Alors que la porte se refermait derrière eux, Marilyn en entendit un hurler : « Yippee-ki-yay-ay ! », si fort que sa voix recouvrit celle du professeur.

Il ne restait que neuf étudiants, tous studieusement penchés sur leur cahier, mais chacun commençait à avoir les joues et le bord des oreilles rouges. Lydia aussi sentait que son visage était brûlant, et elle n'osait pas regarder le professeur Lee. À la place, elle se tourna vers ses notes et porta une main à son front, comme pour protéger ses yeux du soleil.

Lorsqu'elle regarda finalement de nouveau l'estrade, le professeur Lee parcourait la classe du regard comme si de rien n'était. Il ne semblait pas remarquer que sa voix résonnait désormais dans l'amphithéâtre presque vide. Il acheva son cours avec cinq minutes d'avance et annonça : « J'assurerai ma permanence dans mon bureau jusqu'à trois heures. » L'espace de quelques secondes, il regarda droit devant lui, vers un horizon lointain, et elle se tortilla sur son siège comme si c'était elle qu'il fixait.

Ce fut ce dernier instant, ce picotement qu'elle ressentit sur sa nuque tandis qu'il empilait ses notes et quittait la salle, qui la poussa à aller le voir après le cours. Le département d'histoire était aussi paisible qu'une bibliothèque. L'air était immobile et frais, et légèrement poussiéreux. Elle le trouva à son bureau, la tête appuyée contre le mur, en train de lire le *Crimson*[1] du matin. La raie de ses cheveux était moins nette, et son épi se dressait de nouveau.

« Professeur Lee ? Mon nom est Marilyn Walker. Je viens d'assister à votre cours ? »

Malgré elle, son intonation monta à la fin de sa phrase, la transformant en une question, et elle songea :

---

1. *The Harvard Crimson*, journal quotidien des étudiants de Harvard. *(N.d.T.)*

Je dois avoir l'air d'une adolescente, une stupide adolescente superficielle.

« Oui ? » fit-il sans lever les yeux.

Marilyn tritura le bouton du haut de son gilet.

« Je voulais juste m'assurer, reprit-elle, que vous pensiez que je serais capable de suivre le cours. »

Il ne leva toujours pas les yeux.

« Vous êtes étudiante en histoire ?

— Non. En physique.

— En dernière année ?

— Non. Troisième. Je vais faire médecine. Donc l'histoire… n'est pas mon domaine.

— Eh bien, pour être honnête, je crois que vous n'aurez aucun problème. Si vous choisissez d'assister au cours, naturellement. »

Il replia à moitié son journal, laissant apparaître une tasse de café, but une gorgée, puis le déplia de nouveau. Marilyn pinça les lèvres. Elle comprenait que son audience était terminée, qu'elle était censée pivoter sur ses talons, retourner dans le couloir et le laisser tranquille. Mais elle était venue pour une raison précise, même si elle ignorait laquelle, et elle projeta sa mâchoire en avant et tira une chaise jusqu'au bureau.

« Est-ce que l'histoire était votre matière préférée, à l'école ?

— Mademoiselle Walker, demanda-t-il, levant finalement les yeux, pourquoi êtes-vous ici ? »

Lorsqu'elle vit son visage de près, juste de l'autre côté du bureau, elle remarqua une fois de plus à quel point il était jeune. Il devait avoir seulement quelques années de plus qu'elle, même pas trente ans, songea-t-elle. Ses mains étaient larges, ses doigts longs. Pas de bague.

« Je voulais juste m'excuser pour ces garçons », dit-elle soudain, s'apercevant que c'était la raison de sa venue.

Il se figea, les sourcils légèrement arqués, et elle entendit alors ce qu'il venait d'entendre : « les garçons », un mot dévalorisant. *Tous les mêmes, ces garçons.*

« Des amis à vous ?

— Non, répondit Marilyn, piquée. Non. Juste des idiots. »

Il éclata de rire, et elle fit de même. Elle vit de minuscules rides se former au coin des yeux du professeur, et son visage fut alors différent, plus doux, le visage d'une personne réelle. À cet instant, elle s'aperçut que ses yeux étaient marron, pas noirs comme il lui avait semblé dans l'amphithéâtre. Elle songea qu'il était très maigre, mais que ses épaules étaient larges, comme celles d'un nageur. Sa peau avait la couleur du thé, des feuilles d'automne brûlées par le soleil. Elle n'avait jamais vu quelqu'un comme lui.

« Je suppose que ce genre de chose doit arriver tout le temps, poursuivit-elle doucement.

— Je ne sais pas. C'était mon premier cours. Le département m'a autorisé à le prendre à l'essai.

— Je suis désolée.

— C'est bon, répondit-il. Vous êtes restée jusqu'au bout. »

Ils baissèrent tous deux les yeux – lui vers sa tasse désormais vide, elle vers la machine à écrire et la pile bien nette de papier carbone posée en équilibre au bout du bureau.

« La paléontologie, déclara-t-il après un moment.

— Je vous demande pardon ?

— La paléontologie, répéta-t-il. Ma matière préférée, c'était la paléontologie. Je voulais déterrer des fossiles.

— Mais c'est une forme d'histoire, observa-t-elle.

— Je suppose. »

Il sourit dans sa tasse, et Marilyn se pencha par-dessus le bureau et l'embrassa.

Le jeudi, au cours suivant, Marilyn s'assit sur le côté. Lorsque le professeur Lee entra dans la salle, elle ne leva pas la tête. À la place, elle nota soigneusement la date dans le coin de son cahier, traçant un *s* discrètement arrondi à septembre, barrant le *t* d'un trait parfaitement horizontal. Lorsqu'il commença à parler, ses joues se mirent à la brûler, comme si elle venait de sortir au soleil. Elle était sûre d'être rouge comme une pivoine, aussi flamboyante qu'un phare, mais lorsqu'elle regarda finalement du coin de l'œil autour d'elle, tout le monde était concentré sur le cours. Il y avait une poignée d'autres étudiants dans la pièce, mais soit ils griffonnaient dans leur cahier, soit ils regardaient l'estrade devant eux. Personne ne faisait attention à elle. Quand elle l'avait embrassé, elle s'était surprise. Ça avait été un geste impulsif – comme quand elle essayait parfois d'attraper une feuille charriée par le vent, ou quand elle sautait à pieds joints dans une flaque les jours de pluie –, une chose qu'elle avait faite sans réfléchir ni chercher à se retenir, une chose insignifiante et inoffensive. Elle n'avait jamais agi de la sorte et ne recommencerait jamais, et en y repensant, elle serait éternellement surprise par son geste, et quelque peu choquée.

Mais sur le coup, elle avait su, avec une certitude qu'elle n'aurait plus jamais de sa vie, que c'était ce qu'il fallait faire, qu'elle voulait cet homme dans sa vie. Quelque chose en elle disait : *Il comprend ce que c'est qu'être différent.*

Le contact de ses lèvres sur les siennes l'avait étonnée. Il avait un goût de café, chaud et légèrement amer, et il lui avait retourné son baiser. Ça aussi, ça l'avait surprise. Comme s'il avait été prêt pour ça, comme si ça avait été autant son idée que celle de Marilyn. Quand ils s'étaient finalement écartés l'un de l'autre, elle avait été trop embarrassée pour croiser son regard. À la place, elle avait baissé les yeux vers ses jambes, examinant la douce flanelle à motif écossais de sa jupe. La transpiration avait fait bouchonner son jupon au niveau de ses cuisses. Bientôt, elle avait retrouvé son courage et lui avait lancé un coup d'œil à travers le rideau de ses cheveux. Il la regardait timidement, à travers ses cils, et elle avait vu qu'il n'était pas en colère, que ses joues étaient roses.

« Nous ferions peut-être bien d'aller ailleurs », avait-il suggéré, et elle avait acquiescé et saisi son sac.

Ils avaient marché le long de la rivière, passant en silence devant les dortoirs en brique rouge. L'équipe d'aviron s'entraînait, les rameurs se pliant et se dépliant au-dessus de leur rame dans un unisson parfait, l'embarcation glissant sans un bruit sur l'eau. Marilyn connaissait ces hommes : ils l'avaient invitée à des soirées, au cinéma, à des matchs de football ; ils se ressemblaient tous, avaient tous le même mélange de cheveux blond-roux et de peau rougeaude qu'elle avait vu tout au long de ses années de lycée, toute sa vie – aussi familier que les pommes de terre à l'eau.

Quand elle avait décliné les invitations en prétextant une dissertation à terminer ou des lectures à rattraper, ils étaient allés courtiser d'autres filles plus loin dans le couloir. Depuis l'endroit où elle se tenait au bord de la rivière, la distance les rendait anonymes, aussi dénués d'expression que des poupées. Puis elle et James – comme elle n'osait même pas encore penser à lui – avaient atteint la passerelle qui enjambait la rivière, et elle s'était tournée vers lui. Il ne ressemblait pas à un professeur, mais à un adolescent, timide et ardent, tendant le bras pour lui saisir la main.

Et James ? Qu'avait-il pensé d'elle ? Il ne lui dirait jamais ceci, ne se l'avouerait jamais à lui-même : il ne l'avait absolument pas remarquée durant ce premier cours. Son regard s'était posé sur elle, encore et encore, tandis qu'il discourait sur Roy Rogers, sur Gene Autry et John Wayne, mais quand elle était entrée dans son bureau, il ne l'avait même pas reconnue. Son visage avait été l'un de ces jolis minois pâles impossibles à distinguer d'un autre, et même s'il ne s'en rendrait jamais pleinement compte, c'était précisément ça qui l'avait tout d'abord fait tomber amoureux d'elle : parce qu'elle se fondait parfaitement dans la masse, parce qu'elle semblait si totalement à sa place.

Durant tout le deuxième cours, Marilyn se rappela l'odeur de sa peau – propre et vive, comme l'air après une tempête – et la sensation de ses mains sur ses hanches, et elle sentit ses paumes se réchauffer. À travers ses doigts, elle l'observait : la pointe de son stylo-bille tapotant le pupitre, le geste résolu quand il tournait les pages de ses notes. Elle s'aperçut qu'il regardait partout sauf dans sa direction.

À la fin de l'heure, elle s'attarda à sa place, glissant lentement ses feuilles dans une chemise, enfonçant son stylo dans sa poche. Ses camarades de classe, qui se hâtaient vers d'autres cours, se faufilaient à côté d'elle dans l'allée, la bousculant avec leur sac. Au pupitre, James classa ses notes, s'épousseta les mains, replaça la craie sur le rebord du tableau. Il ne leva pas les yeux lorsqu'elle empila ses livres, ni lorsqu'elle les cala dans le creux de son bras et se dirigea vers la porte. Puis, à l'instant où sa main toucha la poignée, il lança : « Un instant, mademoiselle Walker », et quelque chose sursauta en elle.

La salle était désormais vide, et elle s'appuya contre le mur, tremblante, pendant qu'il fermait sa serviette et descendait de l'estrade. Elle enroula ses doigts autour de la poignée derrière elle pour se soutenir. Mais quand il arriva à son niveau, il ne souriait pas.

« Mademoiselle Walker », répéta-t-il, prenant une profonde inspiration, et elle s'aperçut qu'elle ne souriait pas non plus.

Il lui rappela qu'il était son professeur. Qu'elle était son élève. Et qu'en tant qu'enseignant il aurait le sentiment de profiter de la situation s'ils devaient – il baissa les yeux, triturant l'anse de sa serviette –, s'ils devaient développer une liaison quelle qu'elle soit. Il ne regardait pas Marilyn, mais elle ne le savait pas, car elle avait les yeux rivés sur ses pieds, sur le bout râpé de ses chaussures.

Marilyn tenta de ravaler sa salive et n'y parvint pas. Elle se concentrait sur les éraflures grises qui striaient le cuir noir, et s'armait de courage en pensant à sa mère, à toutes ses allusions au fait qu'elle rencontrerait un *homme de Harvard. Tu n'es pas ici pour te trouver un homme*, se disait-elle. *Tu es ici pour quelque chose de mieux.* Mais au lieu de la colère qu'elle espérait réveiller, une douleur brûlante monta à la base de sa gorge.

« Je comprends », répondit-elle en levant finalement les yeux.

Le lendemain, Marilyn vint durant sa permanence l'informer qu'elle laissait tomber son cours. Moins d'une semaine plus tard, ils étaient amants.

Ils passèrent tout l'automne ensemble. James avait un côté sérieux et une réserve qu'elle n'avait jamais vus chez quiconque jusqu'alors. Il semblait regarder les choses de plus près, réfléchir plus attentivement, se tenir légèrement à l'écart. Ce n'est que quand ils étaient ensemble dans son minuscule appartement de Cambridge que sa réserve retombait, avec une violence qui coupait le souffle à Marilyn. Après coup, elle ébouriffait ses cheveux pleins d'épis et de sueur. Ces après-midi-là, il semblait bien dans sa peau, et elle aimait être la seule chose qui le faisait se sentir ainsi. Ils restaient allongés ensemble, somnolant et rêvant, jusqu'à six heures. Puis Marilyn passait sa robe par-dessus sa tête, et James boutonnait sa chemise et se repeignait. Son épi se dressait à l'arrière de sa tête, mais elle ne lui disait jamais, car elle aimait le fait qu'elle était la seule à le voir. Elle se contentait de l'embrasser, puis allait à la hâte signer la feuille de présence du soir au dortoir. James lui-même commençait à oublier sa mèche rebelle ; il pensait rarement à se regarder dans le miroir. Chaque fois qu'elle l'embrassait, chaque fois qu'il écartait les bras et qu'elle se glissait contre lui, c'était comme un miracle. Avec elle, il se sentait parfaitement le bienvenu, parfaitement à l'aise, comme jamais auparavant.

Il n'avait jamais eu le sentiment d'être à sa place, même s'il était né sur le sol américain, même s'il n'avait jamais posé le pied ailleurs. Son père était arrivé en Californie sous un faux nom, prétendant être le fils d'un voisin qui avait émigré en Amérique quelques années auparavant. L'Amérique était un melting-pot, mais le Congrès, terrifié à l'idée que le mélange soit en train de devenir un peu trop jaune, avait banni tous les immigrants de Chine. Seuls les enfants de ceux qui étaient déjà aux États-Unis pouvaient entrer. Alors le père de James avait pris le nom du fils de son voisin, qui s'était noyé dans la rivière l'année précédente, et il était venu rejoindre son « père » à San Francisco. Ça avait été l'histoire de presque chaque immigré chinois depuis l'époque de Chester A. Arthur jusqu'à la fin de la Seconde Guerre mondiale. Alors que les Irlandais, les Allemands et les Suédois s'entassaient sur le pont de bateaux à vapeur ondoyant tandis que la torche vert pâle de la statue de la Liberté apparaissait, les coolies devaient trouver un autre moyen d'atteindre la terre où tous les hommes avaient été créés égaux. Ceux qui y parvenaient rendaient visite à leur femme en Chine et revenaient chaque fois en célébrant la naissance d'un nouveau fils. Et ceux qui, chez eux dans les villages, aspiraient à faire fortune prenaient le nom de ces fils mythiques et effectuaient la grande traversée. Pendant que les Norvégiens, les Italiens et les Juifs russes se rendaient en ferry d'Ellis Island à Manhattan, puis se dispersaient par la route et les voies ferrées vers le Kansas, le Nebraska et le Minnesota, les Chinois qui atteignaient à l'esbroufe la Californie avaient tendance à s'y établir. Dans les *Chinatowns*, la vie de tous ces *fils de papier* était fragile et facile à anéantir. Tout le monde avait un faux nom. Tout le monde espérait ne pas être démasqué et renvoyé. Tout le monde restait groupé pour ne pas se faire remarquer.

Les parents de James, cependant, n'étaient pas restés sur place. En 1938, quand James avait six ans, son père avait reçu une lettre d'un « frère de papier » qui était parti vers l'est pour chercher du travail au début de la Grande Dépression. Il s'était trouvé une place dans un petit internat de l'Iowa, écrivait le « frère », où il s'occupait du jardinage et de l'entretien. Mais maintenant que sa mère (la vraie, pas celle de papier) était malade, il devait rentrer en Chine, et ses employeurs se demandaient s'il avait des amis fiables qui pourraient travailler aussi bien. Ils aiment les Chinois, disait la lettre ; ils nous trouvent paisibles, travailleurs et propres. C'était une bonne place, une école très chic. Il pourrait y avoir du travail pour sa femme dans les cuisines de l'école. Serait-il intéressé ?

James ne savait pas lire le chinois, mais toute sa vie il avait conservé le souvenir du dernier paragraphe de la lettre, un gribouillis de calligraphie à la plume qui avait retenu l'attention de ses parents. Il y avait une politique spéciale, expliquait le frère, pour les enfants des employés. S'ils réussissaient un examen d'entrée, ils pouvaient aller en cours gratuitement.

Les emplois étaient rares et tout le monde avait faim, mais c'était à cause de ce paragraphe que les Lee avaient vendu leurs meubles et traversé le pays avec en tout et pour tout deux valises. Il leur avait fallu cinq bus Greyhound différents et quatre jours.

À leur arrivée dans l'Iowa, l'« oncle » de James les avait amenés à leur appartement. James se souvenait uniquement des dents de l'homme, qui étaient encore plus tordues que celles de son père, l'une d'entre elles étant carrément perpendiculaire aux autres, tel un grain de riz qui attendrait d'être ôté au cure-dents. Le lendemain, son père avait mis sa plus belle chemise, boutonnée jusqu'au col, et s'était rendu avec son ami à la Lloyd Academy. Une fois l'après-midi venu, l'affaire était réglée : il commencerait la semaine suivante. Le lendemain matin, sa mère avait revêtu sa plus belle robe et s'était rendue à l'école avec son père. Et ce soir-là, chacun avait rapporté à la maison un uniforme bleu marine sur lequel était cousu un nouveau prénom anglais : *Henry. Wendy.*

Quelques semaines plus tard, les parents de James l'avaient emmené à la Lloyd Academy pour passer l'examen d'entrée. Un homme à la grosse moustache aussi blanche que du coton l'avait conduit à une salle de classe vide et lui avait donné un livret et un crayon. En y repensant, James se rendait compte que c'était une idée géniale : quel gamin de six ans aurait été capable de lire, sans parler de réussir, un tel examen ? Un fils d'enseignante, peut-être, s'il avait étudié avec sa mère. Mais sûrement pas un fils de concierge, ou d'employée de cafétéria, ou de jardinier. *Si un terrain de jeu carré mesure douze mètres de côté, quelle est la longueur de la clôture qui l'entoure ? Quand l'Amérique a-t-elle été découverte ? Lequel de ces mots est un nom ? Voici une série de formes ; laquelle complète le motif ?* Nous sommes désolés, pourrait dire le principal. Votre fils a raté son test. Il n'est pas au niveau pour la Lloyd Academy. Et il n'y aurait aucuns frais de scolarité.

James, cependant, connaissait toutes les réponses. Il avait lu tous les journaux sur lesquels il avait pu mettre la main ; il avait lu tous les livres que son père avait achetés pour cinq *cents* le sac lors d'une braderie dans une bibliothèque. *Quarante-huit mètres*, écrivit-il. *1492. Automobile. Le cercle.* Il termina le test et posa le crayon dans la rainure en haut du bureau. L'homme à la moustache ne releva les yeux que vingt minutes plus tard.

« Déjà fini ? dit-il. Tu étais si silencieux, petit. »

Il prit le livret et le crayon et ramena James aux cuisines, où sa mère travaillait.

« Je vais noter le test et je vous donnerai le résultat la semaine prochaine », leur expliqua-t-il, mais James savait déjà qu'il l'avait réussi.

Quand le trimestre débuta en septembre, il se rendit à l'école avec son père dans la camionnette Ford qui lui avait été prêtée pour ses travaux d'entretien.

« Tu es le premier garçon oriental à aller à la Lloyd, lui rappela son père. Montre l'exemple. »

Ce premier matin, James se glissa sur sa chaise, et la fille à côté de lui demanda : « C'est quoi, le problème avec tes yeux ? » Ce ne fut que lorsqu'il entendit l'horreur dans la voix du professeur – « Shirley Byron ! » – qu'il comprit qu'il était censé être embarrassé ; quand ça se produisit de nouveau, il avait appris sa leçon et rougit immédiatement. Durant chaque cours, chaque jour de cette première semaine, les autres élèves l'observèrent : d'où venait-il, ce garçon ? Il avait un cartable, un uniforme de la Lloyd. Pourtant, il ne logeait pas à l'école comme les autres ;

il ne ressemblait à personne qu'ils aient déjà vu. De temps à autre, son père était appelé pour réparer une fenêtre qui grinçait, pour changer une ampoule, pour nettoyer quelque chose qui avait été renversé. James, désormais recroquevillé au dernier rang, voyait ses camarades regarder son père, puis lui, et il savait qu'ils soupçonnaient quelque chose. Il baissait alors la tête au-dessus de son livre, si près que son nez touchait presque la page, jusqu'à ce que son père ait quitté la pièce. Le deuxième mois, il demanda la permission de faire le trajet jusqu'à l'école seul, car seul, il pouvait faire semblant d'être un élève comme les autres. Il pouvait faire semblant, vêtu de son uniforme, de ressembler à tout le monde.

Il passa douze ans à la Lloyd et ne se sentit jamais à sa place. Là-bas, tout le monde semblait descendre d'un Père pèlerin ou d'un sénateur ou d'un Rockefeller, et quand ils travaillaient sur les arbres généalogiques en classe, il préférait faire mine d'oublier l'exercice plutôt qu'avoir à tracer son propre diagramme complexe. *Ne posez pas de questions*, priait-il en silence quand l'enseignant traçait un zéro rouge à côté de son nom. Il se concocta un programme pour étudier la culture américaine – écouter la radio, lire des bandes dessinées, économiser son argent pour aller au cinéma, apprendre les règles du dernier jeu de société – au cas où quiconque demanderait : *Hé, t'as entendu Red Skelton, hier ?* ou : *Tu veux jouer au Monopoly ?* même si personne ne le faisait jamais. En grandissant, il n'alla ni aux fêtes, ni aux rassemblements d'avant-match, ni aux bals de dernière année. Au mieux, les filles lui souriaient en silence dans le couloir ; au pire, elles le toisaient quand il passait, et il les entendait ricaner quand il tournait à l'angle. Lors de la remise des diplômes, l'album de sa promotion comportait, outre le portrait obligatoire de dernière année, une photo de lui qui avait été prise alors qu'ils étaient réunis pour accueillir le président Truman, sa tête visible au-dessus de l'épaule du trésorier de l'école et de celle d'une fille qui finirait par épouser un prince belge. Ses oreilles, qui avaient tendance à virer au rose dans la vraie vie, étaient sur le cliché d'un gris profond et étrange, sa bouche légèrement entrouverte, comme s'il venait de se faire prendre la main dans le sac. Il espérait qu'à l'université les choses seraient différentes. Pourtant, après plusieurs années à Harvard – quatre en tant qu'étudiant de premier cycle, trois en tant qu'étudiant de second cycle –, rien n'avait changé. Sans comprendre pourquoi, il avait étudié le sujet le plus fondamentalement américain qu'il ait pu trouver – les cow-boys –, mais il ne parlait jamais de ses parents ni de sa famille. Il avait quelques connaissances, mais pas d'amis. Il se sentait toujours mal à l'aise, comme si à tout moment quelqu'un risquait de le remarquer et de lui demander de partir.

Donc, cet automne de 1957, quand Marilyn se pencha par-dessus son bureau et l'embrassa, quand cette splendide fille aux cheveux blond vénitien se glissa entre ses bras puis dans son lit, James eut du mal à y croire. Le premier après-midi qu'ils passèrent ensemble dans son minuscule studio aux murs blanchis à la chaux, il fut émerveillé que leurs corps s'accordent si parfaitement : le nez de Marilyn se nichait exactement dans le creux entre ses omoplates ; la courbure de sa joue coïncidait avec le côté de son cou. Comme s'ils étaient deux moitiés d'un même moule. Il l'étudia tel un sculpteur, traçant le contour de ses hanches et de ses mollets, le bout de ses doigts effleurant sa peau. Quand ils firent l'amour, les cheveux de Marilyn prirent vie. Ils s'assombrirent, passant du blé doré à l'ambre. Ils s'enroulèrent comme des crosses de fougères. Il fut stupéfait de produire un tel effet sur quelqu'un. Lorsqu'elle s'assoupit entre ses bras, ses cheveux se détendirent lentement, et, à son réveil, ils avaient retrouvé leur ondulation naturelle. Son rire décontracté étincela dans la pièce blanche et vide ; puis, lorsqu'elle se mit à parler, à bout de souffle, ses mains s'agitèrent jusqu'à ce qu'il les saisisse dans les siennes, où elles reposèrent, chaudes et immobiles, comme des oiseaux paisibles, et alors elle l'attira de nouveau vers elle. C'était comme si l'Amérique elle-même l'acceptait. C'était trop de chance. Il craignait le jour où l'univers remarquerait qu'il n'était pas censé l'avoir et la lui reprendrait. Ou bien le jour où elle prendrait soudain conscience de son erreur et disparaîtrait de sa vie aussi brusquement qu'elle y était entrée. Et, au bout de quelque temps, la peur devint une habitude.

Il commença à apporter quelques petits changements dont il pensait qu'ils lui plairaient : il se coupa les cheveux ; il acheta une chemise Oxford à rayures bleues après qu'elle eut admiré la même sur un passant. (L'épi, persistant, se dressait toujours à l'arrière de sa tête ; des années plus tard, Nath et Hannah en hériteraient également.) Un samedi, sur la suggestion de Marilyn, il acheta deux pots de peinture jaune pâle, poussa le mobilier au milieu de son appartement, et étendit des bâches sur le parquet. À mesure qu'ils peignaient une section, puis une autre, la pièce s'éclaircissait, comme si des pans de soleil s'étiraient sur les murs. Lorsque tout fut peint, ils ouvrirent les fenêtres et se recroquevillèrent dans le lit au centre de la pièce. L'appartement était si petit que les murs n'étaient jamais bien loin, mais avec son bureau, ses chaises et la commode qui les entouraient de si près, il avait l'impression qu'ils étaient sur une île, ou flottant sur la mer. Tandis que Marilyn était lovée dans le creux de son épaule, il l'embrassa et elle passa les bras autour de son cou, et son corps s'éleva pour rencontrer le sien. Un petit miracle, à chaque fois.

Plus tard cet après-midi-là, il remarqua une minuscule tache jaune à la pointe de l'orteil de Marilyn. Après avoir cherché un moment, il trouva une bavure sur le mur, à l'endroit où son pied l'avait touché quand ils faisaient l'amour : une trace grosse comme une pièce de dix *cents* où la peinture avait été effacée. Il ne dit rien à Marilyn, et lorsqu'ils remirent les meubles en place ce soir-là, la commode dissimula la tache. Chaque fois qu'il regardait cette commode, il était content, comme s'il pouvait voir à travers les tiroirs en pin et ses habits pliés la marque que le corps de sa maîtresse avait laissée.

À Thanksgiving, Marilyn décida de ne pas rentrer chez elle en Virginie. Elle se disait, et le dit à James, que c'était trop loin pour des vacances aussi courtes. Mais en réalité, elle savait que sa mère lui demanderait encore si elle avait des *prospects*, et cette fois elle ne savait que répondre. À la place, dans la minuscule cuisine de James, elle fit rôtir un poulet et cuire des pommes de terre coupées en cubes et des patates douces dans une petite cocotte : un dîner de Thanksgiving miniature. James, qui ne s'était jamais cuisiné un repas et qui se nourrissait exclusivement de hamburgers de chez Charlie's Kitchen et de muffins anglais de chez Hayes-Bickford, la regarda avec émerveillement. Après avoir arrosé le poulet, Marilyn leva les yeux d'un air de défi, referma le four, et ôta les maniques.

« Ma mère est professeur d'éducation ménagère, expliqua-t-elle. Betty Crocker[1] est son idole. ».

C'était la première fois qu'elle lui révélait quoi que ce soit sur sa mère. Et elle avait dit ça comme si c'était un secret, une information qu'elle lui avait cachée mais lui confiait désormais intentionnellement.

James songea qu'il devait lui rendre la pareille, lui faire un cadeau intime. Il avait mentionné un jour, en passant, que ses parents avaient travaillé dans une école, et il en était resté là, espérant qu'elle penserait *enseignants*. Mais il ne lui avait jamais dit que la cuisine de l'école avait été comme un pays de géants où tout était démesuré : des rouleaux d'aluminium d'un demi-kilomètre de long, des pots de mayonnaise assez grands pour qu'il pût y mettre la tête. Sa mère avait pour mission de ramener le monde à son échelle, coupant les melons en cubes gros comme des dés, taillant dans les mottes de beurre des portions qu'elle plaçait sur des soucoupes pour accompagner les petits pains. Il n'avait jamais révélé à personne que les autres femmes de la cuisine se moquaient de sa mère sous prétexte qu'elle enveloppait les restes au lieu de les jeter, qu'à la maison ses parents les réchauffaient au four pendant qu'ils l'interrogeaient. Qu'as-tu fait en géographie ? Qu'as-tu fait en maths ? Et il

1. Personnage publicitaire fictif dont le nom est associé à des produits et des ustensiles alimentaires, des livres de cuisine, etc. *(N.d.T.)*

récitait : *Montgomery est la capitale de l'Alabama. Les nombres premiers n'ont que deux diviseurs.* Ils ne comprenaient pas ses réponses, mais acquiesçaient, ravis que James apprenne des choses qu'ils ignoraient. Pendant qu'ils parlaient, il émiettait des crackers dans un bol de soupe au céleri, ou alors il ôtait le papier paraffiné qui emballait un morceau de sandwich au fromage, puis il s'interrompait, confus, en proie à un sentiment de déjà-vu, se demandant s'il passait en revue ce qu'il avait appris ou sa journée dans sa totalité. En CM2, il avait cessé de parler chinois à ses parents, craignant de contaminer son anglais avec un accent ; bien avant ça, il y avait déjà longtemps qu'il ne parlait plus à ses parents à l'école. Il avait peur de raconter à Marilyn ces choses, peur qu'une fois qu'il les aurait avouées elle ne le considère comme il s'était toujours considéré : un paria maigrichon qui se nourrissait des restes et récitait ses leçons en espérant réussir. Un imposteur. Il craignait qu'elle ne le voie jamais autrement.

« Mes parents sont tous les deux morts, dit-il. Ils sont morts alors que je venais de commencer la fac. »

Sa mère était décédée durant sa deuxième année d'une tumeur au cerveau. Son père était parti six mois plus tard. Des complications d'une pneumonie, avaient affirmé les médecins, mais James connaissait la vérité : son père n'avait tout simplement pas voulu vivre seul.

Marilyn ne répondit rien, mais elle tendit les bras, prit son visage entre ses mains, et James sentit les vestiges de la chaleur du four dans ses paumes douces. Ils restèrent ainsi un bref instant avant que le minuteur se mette à sonner et qu'elle retourne à la gazinière, mais ses mains l'avaient totalement réchauffé. Il se rappelait celles de sa mère – couvertes de cicatrices à cause des brûlures provoquées par la vapeur, calleuses à force de récurer des casseroles –, et il aurait voulu poser les lèvres dans le creux tendre où se croisaient la ligne de vie et la ligne d'amour de Marilyn. Il se promit de ne jamais laisser ces mains s'abîmer. Lorsque Marilyn sortit du four le poulet aux reflets couleur bronze, il fut ébahi par son habileté. C'était magnifique de voir le jus s'épaissir et devenir une sauce sous sa supervision, de voir les pommes de terre se gonfler comme du coton sous sa fourchette. De tout ce qu'il avait vu, c'était ce qui s'approchait le plus de la magie. Quelques mois plus tard, lorsqu'ils furent mariés, ils se promirent une chose : de laisser le passé s'évanouir, de cesser de poser des questions, de désormais toujours regarder en avant, jamais en arrière.

Ce printemps-là, Marilyn faisait des plans pour sa quatrième année ; James achevait son doctorat et attendait toujours de savoir s'il serait accepté dans le département d'histoire. Il y avait un poste vacant auquel il avait postulé, et le professeur Carlson, le directeur du département, avait laissé entendre qu'il était de loin le plus compétent de sa classe. De temps à autre, il passait des entretiens pour des postes ailleurs – à New Haven, à Providence – juste au cas où. Mais au plus profond de lui, il était certain qu'il serait pris à Harvard.

« Carlson me l'a quasiment avoué », répétait-il à Marilyn chaque fois que le sujet était évoqué.

Marilyn acquiesçait, l'embrassait et refusait de penser à ce qui se passerait quand elle aurait son diplôme l'année suivante, quand elle irait en école de médecine Dieu sait où. Harvard, songeait-elle en comptant sur ses doigts. Columbia. Johns-Hopkins. Stanford. Chaque doigt l'éloignant un peu plus.

Puis, en avril, deux choses auxquelles ni l'un ni l'autre ne s'attendaient : le professeur Carlson informa James qu'il était vraiment, vraiment désolé de le décevoir, mais qu'ils avaient décidé d'embaucher son camarade William McPherson à la place, et que, naturellement, ils savaient que James trouverait de nombreuses autres opportunités ailleurs.

« Est-ce qu'ils t'ont dit pourquoi ? » demanda Marilyn.

James répondit : « Je ne *correspondais* pas au département, apparemment », et elle n'évoqua plus jamais le sujet.

Quatre jours plus tard, une surprise encore plus grande : Marilyn était enceinte.

Donc, au lieu de Harvard, finalement, une offre de la modeste université de Middlewood, acceptée avec soulagement. Et au lieu d'une école de médecine, un mariage. Pas vraiment ce qui était prévu.

« Un bébé, ne cessait de répéter Marilyn à James, encore et encore. Notre bébé. Encore mieux. »

Quand ils se marièrent, Marilyn n'en était qu'à trois mois de grossesse, et ça ne se voyait pas. Elle se disait : *Tu pourras retourner achever cette dernière année quand le bébé aura grandi.* Huit années s'écouleraient avant que les études redeviennent une réelle possibilité tangible, mais Marilyn l'ignorait alors. En quittant le bureau du doyen, après s'être assuré un congé à durée indéterminée, elle était certaine que tout ce dont elle avait rêvé – étudier, devenir médecin, cette vie nouvelle et importante – attendrait son retour, comme un chien bien dressé attendant son maître. Pourtant, lorsqu'elle s'assit à la table du téléphone dans le hall du dortoir et donna à l'opératrice le numéro longue distance de sa mère, sa voix tremblait à chaque chiffre. Lorsque celle-ci fut finalement au bout du fil, elle oublia de dire bonjour, et annonça brusquement à la place :

« Je vais me marier. En juin.

— Avec qui ? demanda sa mère après un silence.

— Son nom est James Lee.

— Un étudiant ? »

Le visage de Marilyn devint chaud.

« Il termine son doctorat. En histoire américaine. » Elle hésita et opta pour une demi-vérité. « Harvard envisageait de l'embaucher. À l'automne.

— Donc, il est professeur. » La voix de sa mère se fit soudain plus vive. « Ma chérie. Je suis si heureuse pour toi. J'ai hâte de le rencontrer. »

Le soulagement envahit Marilyn. Elle ne lui en voulait pas d'abandonner les études trop tôt ; d'ailleurs, pourquoi est-ce que ça l'aurait dérangée ? Ne faisait-elle pas précisément ce que sa mère avait espéré : rencontrer un magnifique homme de Harvard ? Elle lui lut les détails notés sur un bout de papier : vendredi 13 juin, onze heures trente, devant le juge de paix ; puis déjeuner à la Parker House.

« Ce ne sera pas une grosse fête. Juste nous, toi et quelques amis. Les parents de James sont morts.

— Lee, prononça sa mère d'un air songeur. A-t-il des liens avec qui que ce soit que nous connaissons ? »

Marilyn comprit soudain ce qu'elle s'imaginait. On était en 1958 ; en Virginie, dans la moitié du pays, leur mariage enfreindrait la loi. Même à Boston, elle lisait parfois de la désapprobation dans le regard d'un passant. Ses cheveux n'avaient plus la teinte blond pâle de son enfance, mais ils demeuraient suffisamment clairs pour attirer l'attention quand elle était penchée vers la tête d'un noir d'encre de James au cinéma, ou sur un banc, ou au comptoir de la cafétéria Waldorf. Un groupe d'étudiantes de Radcliffe descendit l'escalier, l'une restant à proximité dans l'attente du téléphone, les autres se massant autour du miroir de l'entrée pour se poudrer le nez. L'une d'elles, une semaine auparavant, avait appris que Marilyn allait se marier, et elle lui avait rendu visite dans sa chambre pour « voir si c'était vraiment vrai ».

Marilyn serra le combiné, posa une main sur son ventre et continua de parler d'un ton doux.

« Je ne sais pas, maman. Pourquoi ne pas lui demander quand tu le verras ? »

Sa mère vint donc de Virginie, la première fois de sa vie qu'elle quittait l'État. Tandis qu'elle était à la gare avec James, quelques heures après que celui-ci eut reçu son diplôme, en attendant le train, Marilyn songeait : elle serait tout de même venue, même si je lui avais dit. Sa mère posa le pied sur le quai, repéra Marilyn, et un sourire – spontané, fier – apparut sur son visage. À cet instant, Marilyn fut convaincue qu'elle avait eu raison. *Évidemment qu'elle serait venue.* Puis le sourire tremblota brièvement, comme agité par un courant d'électricité statique. Son regard allait et venait entre la blonde robuste à la gauche de Marilyn et l'Oriental maigrichon à sa droite, cherchant en vain le James dont on lui avait vanté les mérites. Puis elle comprit finalement. Après quelques secondes, elle lui serra la main, lui dit qu'elle était très, très heureuse de le rencontrer, et l'autorisa à porter son sac.

Marilyn et sa mère dînèrent seules ce soir-là, et sa mère n'évoqua pas James jusqu'au dessert. Marilyn savait ce qu'elle demanderait – *Pourquoi es-tu amoureuse de lui ?* – et se prépara à la question. Mais elle ne lui demanda pas ça, ne prononça pas le mot *amoureuse*. À la place, elle avala une bouchée de gâteau et observa sa fille par-dessus la table.

« Tu es sûre qu'il ne veut pas simplement une carte verte ? »

Marilyn fut incapable de la regarder. Elle se contenta de fixer les mains de sa mère, tachetées malgré les gants et la lotion parfumée au citron, la fourchette pincée entre les doigts, une miette accrochée aux dents de la fourchette. Une minuscule ride sillonnait ses sourcils, comme si quelqu'un lui avait écorché le front avec un couteau. Des années plus tard, Hannah observerait la même marque de profonde inquiétude sur le visage de sa mère, mais elle n'en connaîtrait pas l'origine, et Marilyn n'aurait jamais admis la ressemblance.

« Il est né en Californie, mère », répondit-elle, et celle-ci détourna le regard et se tapota la bouche avec sa serviette, laissant deux taches rouges dessus.

Le matin du mariage, alors qu'ils attendaient au palais de justice, la mère de Marilyn n'arrêtait pas de triturer le fermoir de son sac à main. Ils étaient arrivés avec une heure d'avance, craignant que la circulation ne soit dense, qu'il n'y ait pas de place de parking, de manquer leur rendez-vous avec le juge de paix. James portait un costume neuf et ne cessait de tapoter sa poche de poitrine, vérifiant à travers la laine bleu marine que les alliances étaient bien à leur place. Ce geste timide et nerveux donnait à Marilyn envie de l'embrasser devant tout le monde. Dans vingt-cinq minutes, elle serait sa femme. Mais sa mère s'approcha alors et agrippa son coude comme un étau.

« Allons retoucher ton rouge à lèvres », dit-elle en poussant doucement Marilyn vers les toilettes des femmes.

Elle aurait dû s'y attendre. Toute la matinée, sa mère n'avait pas cessé de se plaindre. La robe de Marilyn n'était pas blanche, mais crème. Elle ne ressemblait pas à une robe de mariée ; elle était trop quelconque, comme une robe qu'aurait pu porter une *infirmière*. Elle ne comprenait pas pourquoi Marilyn n'avait pas voulu se marier à l'église. Il y en avait plein, à proximité. Elle n'aimait pas le temps à Boston ; pourquoi le ciel était-il si gris en juin ? Les pâquerettes n'étaient pas des fleurs de mariage ; pourquoi pas des roses à la place ? Et pourquoi était-elle si *pressée*, pourquoi se marier maintenant, pourquoi ne pas attendre un peu ?

Ça aurait été plus simple si sa mère l'avait affrontée. Ça aurait été plus simple si elle avait directement insulté James, si elle avait dit qu'il était trop petit, ou trop pauvre, ou pas assez accompli. Mais tout ce qu'elle répétait, encore et encore, c'était : « Ça n'est pas bien, Marilyn. Ça n'est pas bien. » Laissant flotter entre elles ce *ça* auquel elle ne donnait pas de nom.

Marilyn fit comme si elle n'entendait pas et tira son rouge à lèvres de son sac à main.

« Tu changeras d'avis, dit sa mère. Tu le regretteras plus tard. »

Marilyn tourna le tube pour faire sortir le rouge, se pencha vers le miroir, et sa mère l'attrapa par les deux épaules d'un geste soudain, désespéré. Il y avait de l'angoisse dans ses yeux, comme si Marilyn courait au bord d'une falaise.

« Pense à tes enfants. Où vas-tu vivre ? Tu ne seras acceptée nulle part. Tu le regretteras pour le restant de tes jours.

— Arrête ! cria Marilyn, cognant du poing sur le bord du lavabo. C'est ma vie, mère ! La mienne ! »

Elle se dégagea brusquement et le rouge à lèvres s'envola, puis roula sur le carrelage avant de s'immobiliser. Sans le vouloir, elle avait tracé une longue traînée rouge sur la manche de sa mère. Elle ne prononça pas un mot de plus, poussa la porte des toilettes, et la laissa seule.

Dehors, James jeta un coup d'œil anxieux à sa future femme.

« Qu'est-ce qui se passe ? » demanda-t-il à voix basse en se penchant près d'elle.

Elle secoua la tête et murmura rapidement, d'un ton amusé :

« Oh, ma mère pense juste que je devrais épouser quelqu'un qui me ressemble plus. »

Puis elle saisit le revers de sa veste dans sa main, attira son visage contre le sien et l'embrassa. Ridicule, songea-t-elle. Si évident qu'elle n'avait même pas besoin de le dire.

Quelques jours auparavant, à quelques centaines de kilomètres de là, un autre couple s'était également marié – un homme blanc et une femme noire qui partageaient un nom des plus appropriés : Loving. Quatre mois plus tard, ils seraient arrêtés en Virginie, la loi leur rappelant que le Seigneur tout-puissant n'avait jamais eu l'intention que les Blancs, les Noirs, les

Jaunes et les Rouges se mélangent, qu'il ne devait pas y avoir de *citoyens bâtards*, aucun *effacement de la fierté raciale*. Quatre ans s'écouleraient avant qu'ils ne protestent, et quatre ans de plus avant que le tribunal ne leur donne raison, mais de nombreuses années passeraient avant que les gens autour d'eux ne fassent de même. Certains, comme la mère de Marilyn, ne le feraient jamais.

Quand Marilyn et James s'écartèrent l'un de l'autre, sa mère était revenue des toilettes et les observait en silence à quelque distance. Elle avait frotté à plusieurs reprises sa veste avec une serviette, mais la marque rouge était toujours visible sous la trace d'humidité, comme une vieille tache de sang. Marilyn essuya une trace de rouge sur la lèvre supérieure de James et sourit. Il tapota une fois de plus sa poche de poitrine pour s'assurer que les alliances étaient toujours là. Aux yeux de sa mère, c'était comme s'il se congratulait.

Par la suite, le mariage se réduirait à une succession d'images dans le souvenir de Marilyn : la fine ligne blanche, comme un cheveu, dans les doubles foyers du juge de paix ; les nœuds de gypsophile dans son bouquet ; la brume d'humidité sur le verre à vin que son ancienne colocataire, Sandra, levait pour porter un toast. Sous la table, la main de James dans la sienne, la fraîcheur de l'étrange nouvel anneau doré sur sa peau. Et de l'autre côté de la table, les cheveux soigneusement bouclés de sa mère, son visage poudré, ses lèvres fermées pour dissimuler l'incisive tordue.

Ce fut la dernière fois que Marilyn vit sa mère.

3

Jusqu'au jour de l'enterrement, Marilyn n'avait jamais pensé à la dernière fois qu'elle verrait sa fille. Elle se serait imaginé une scène touchante dans une chambre, comme dans les films : elle-même en cheveux blancs, âgée et heureuse, vêtue d'une liseuse en satin, prête à faire ses adieux ; Lydia adulte, confiante et posée, tenant la main de sa mère ; un médecin à proximité, impassible face au grand cycle de la vie et de la mort. Et le visage de Lydia, même si Marilyn ne l'admet pas, est celui qu'elle aurait voulu voir en dernier – pas celui de Nath ou de Hannah, pas même celui de James, mais celui de sa fille à qui elle pense toujours en premier. Maintenant, son ultime regard posé sur Lydia est déjà derrière elle : James, à sa grande perplexité, a insisté pour que le cercueil soit fermé. Elle n'aura pas l'occasion de voir sa fille une dernière fois, et depuis trois jours elle ne cesse de le lui répéter, parfois furieuse, parfois les larmes aux yeux. James, pour sa part, ne trouve pas les mots pour lui décrire ce qu'il a découvert en allant identifier le cadavre de Lydia : il ne reste qu'une moitié de son visage, à peine conservée par l'eau froide du lac ;

l'autre moitié a déjà été dévorée. Il ignore sa femme et fixe le rétroviseur du regard tandis qu'il s'engage dans la rue en marche arrière.

Le cimetière n'est qu'à un quart d'heure à pied de leur maison, mais ils y vont en voiture. Tandis qu'ils tournent dans la rue principale qui encercle le lac, Marilyn regarde vivement sur la gauche, comme si elle avait aperçu quelque chose sur l'épaule de la veste de son mari. Elle ne veut pas voir le ponton, la barque de nouveau amarrée, le lac lui-même s'étirant au loin. Les vitres de la voiture sont fermées, mais la brise agite les feuilles des arbres sur la berge et fait onduler la surface de l'eau. Il sera à jamais là, le lac : chaque fois qu'ils quitteront la maison, ils le verront. Sur la banquette arrière, Nath et Hannah se demandent à l'unisson si leur mère tournera la tête pour le restant de ses jours chaque fois qu'elle passera par là. Le lac scintille au soleil comme un toit en étain brillant, et les yeux de Nath commencent à s'emplir de larmes. Ça semble inapproprié qu'il soit si lumineux, que le ciel soit si bleu, et il est soulagé quand un nuage vient cacher le soleil et que l'eau passe de l'argenté au gris.

Au cimetière, ils pénètrent sur le parking. Middlewood est fière de son cimetière, qui est également une sorte de jardin botanique, avec des allées sinueuses et de petites plaques en cuivre pour identifier la flore. Nath se rappelle les sorties de cours de sciences à l'époque du collège, avec les carnets à croquis et les manuels ; un jour, le professeur avait promis un crédit de dix points supplémentaires à celui qui réunirait le plus d'espèces de feuilles différentes. Il y avait également un enterrement ce jour-là, et

Tommy Reed s'était faufilé sur la pointe des pieds entre les rangées de chaises pliantes jusqu'à un sassafras, au beau milieu de l'éloge funèbre, et avait arraché une feuille sur une branche basse. M. Rochford n'avait rien vu et avait félicité Tommy car il était le seul à avoir trouvé un *Sassafras albidum*, et toute la classe avait ricané et tapé dans la main de Tommy pendant le retour en bus. Maintenant, tandis qu'ils marchent en file indienne vers la grappe de chaises disposées au loin, Nath voudrait remonter le temps et donner un coup de poing à Tommy Reed.

En l'honneur de Lydia, l'école a fermé pour la journée, et ses camarades de classe viennent en grand nombre. En les regardant, James et Marilyn s'aperçoivent que ça fait une éternité qu'ils n'ont pas vu ces filles : des années. Pendant un moment, ils ne reconnaissent pas Karen Adler avec ses cheveux longs, ni Pam Saunders sans son appareil dentaire. James, songeant à la liste de noms rayés, se retrouve à les fixer du regard, puis il détourne la tête. Lentement, certains camarades de classe de Nath prennent place sur les chaises, ainsi que des élèves de seconde et de première qui lui semblent vaguement familiers mais qu'il ne connaît pas vraiment. Même les voisins, lorsqu'ils arrivent à la queue leu leu, lui semblent des étrangers. Ses parents ne sortent ni ne reçoivent jamais ; ils ne vont pas à des dîners, n'appartiennent pas à un club de bridge, n'ont pas de compagnons de chasse ni de copains de déjeuner. Comme Lydia, pas de vrais amis. Hannah et Nath reconnaissent quelques professeurs de l'université, la prof assistante de leur père, mais la plupart des personnes assises sur les chaises sont des inconnus. Pourquoi sont-ils même là ?

se demande Nath. Et quand le service commence et que tous tendent la tête vers le cercueil posé devant eux, sous le sassafras, il comprend. Ils sont attirés par le spectacle de la mort soudaine. Depuis une semaine, depuis que la police a dragué le lac, les gros titres du *Middlewood Monitor* ont tous concerné Lydia. *Jeune fille orientale retrouvée noyée dans le lac.*

Le pasteur ressemble au président Ford : front plat, dents blanches, propre sur lui et solide. Les Lee ne vont pas à l'église, mais l'entreprise de pompes funèbres l'a recommandé, et James a accepté sans poser de questions. Maintenant, James est assis droit, la chaise lui rentrant entre les omoplates, et il tente d'écouter le service. Le pasteur lit le psaume 23, mais dans la version révisée : *J'ai tout ce dont j'ai besoin* à la place de *Je ne manquerai de rien ; Si je devais marcher dans une vallée très sombre* au lieu de *Si je devais marcher dans la vallée de l'ombre de la mort.* Ça semble irrespectueux, pingre. Comme enterrer sa fille dans une boîte en contreplaqué. *Tu t'attendais à quoi de la part de cette ville ?* songe-t-il. Sur sa droite, le parfum du lis lorsqu'il heurte le cercueil frappe Marilyn comme une grenouille chaude et humide, et elle a presque un haut-le-cœur. Pour la première fois, elle regrette de ne pas être le genre de femme qui, comme sa mère, porte un mouchoir sur elle. Elle l'aurait plaqué contre son visage pour filtrer l'air, et quand elle l'aurait abaissé, le tissu aurait été d'un rose sale, de la couleur des vieilles briques. À côté d'elle, Hannah croise les doigts. Elle aimerait glisser sa main sur les cuisses de sa mère mais n'ose pas. Elle n'ose pas non plus regarder le cercueil. Lydia n'est pas à l'intérieur, se rappelle-t-elle en prenant une profonde inspiration, juste son corps – mais alors, où est Lydia ? Tout le monde est si immobile qu'aux yeux des oiseaux qui flottent au-dessus d'eux, pense-t-elle, ils doivent ressembler à un amas de statues.

Du coin de l'œil, Nath repère Jack assis à la limite de l'assistance, à côté de sa mère. Il s'imagine l'attrapant par son col de chemise pour savoir ce qu'il sait. Depuis une semaine, son père appelle la police chaque matin pour demander de nouvelles informations, mais l'agent Fiske se contente de dire, encore et encore, qu'ils continuent d'enquêter. Si seulement la police était ici en ce moment, songe Nath. Ferait-il bien d'en toucher un mot à son père ? Jack fixe le sol devant lui, comme s'il avait trop honte pour lever les yeux. Et lorsque Nath se tourne de nouveau vers l'avant, le cercueil a déjà été abaissé dans le sol. Le bois verni recouvert de lis – disparu, comme ça : plus rien qu'un espace vide à l'endroit où il se trouvait. Il a tout raté. Sa sœur est partie.

Quelque chose d'humide lui touche le cou. Il lève la main pour s'essuyer et découvre que tout son visage est humide, qu'il pleurait en silence. De l'autre côté de l'assistance, les yeux bleus de Jack sont soudain fixés sur lui, et Nath s'essuie la joue dans le creux de son bras.

La foule commence à partir, un alignement fin de dos se dirigeant vers le parking et la rue. Quelques camarades de classe de Nath, comme Miles Fuller, lui lancent un regard compatissant, mais la plupart – embarrassés par ses larmes – décident de ne pas lui parler et s'éloignent. Ils n'auront pas d'autre occasion de le faire ; au vu des bonnes notes de Nath et de la situation tragique, le principal l'exemptera d'assister aux trois dernières semaines de cours, et Nath décidera de lui-même de ne pas aller à la remise des diplômes. Certains voisins encerclent les Lee, leur serrant le bras et murmurant des condoléances ; quelques-uns tapotent la tête de Hannah, comme si c'était une petite fille, ou un chien. Hormis Janet Wolff, dont l'habituelle blouse blanche de médecin a été remplacée par un tailleur noir soigné, James et Marilyn ne reconnaissent pas la plupart d'entre eux. Quand Janet arrive face à elle, Marilyn a l'impression d'avoir les paumes crasseuses, tout le corps sale, comme un chiffon passé de main souillée en main souillée, et elle trouve presque insupportable que Janet lui touche le coude.

De l'autre côté de la tombe, Jack se tient à l'écart, attendant sa mère, à moitié dissimulé dans l'ombre d'un grand orme. Nath se faufile vers lui, l'acculant contre le tronc de l'arbre, et Hannah, coincée auprès de ses parents par un groupe d'adultes, observe nerveusement son frère.

« Qu'est-ce que tu fais ici ? » demande Nath.

De près, il voit que la chemise de Jack est bleu foncé, pas noire, et que bien qu'il porte un pantalon habillé, il a toujours ses vieilles tennis noires et blanches avec un trou au niveau de l'orteil.

« Salut, dit Jack, les yeux toujours rivés sur le sol. Nath. Comment ça va ?

— Comment tu crois que ça va ? fait celui-ci d'une voix brisée, et il se déteste de laisser paraître ses émotions.

— Faut que j'y aille, dit Jack. Ma mère m'attend. » Une pause. « Je suis vraiment désolé pour ta sœur. »

Il se retourne, et Nath l'attrape par le bras.

« Vraiment ? » Il n'a jamais agrippé personne,

et il a l'impression d'être un dur, comme un détective dans un film. « Tu sais, la police veut te parler. » On commence à les regarder – James et Marilyn entendent leur fils hausser le ton et regardent autour d'eux –, mais il s'en fiche. Il se penche plus près, touchant presque le nez de Jack. « Écoute, je sais qu'elle était avec toi le lundi où c'est arrivé. »

Pour la première fois, Jack regarde Nath en face : un éclat d'yeux bleus étonnés.

« Elle te l'a dit ? »

Nath s'avance brusquement, de sorte que Jack et lui sont torse contre torse. Le sang cogne dans sa tempe droite.

« Elle n'a pas eu besoin de me le dire. Tu me prends pour un idiot ?

— Écoute, Nath, marmonne Jack. Si Lydia t'a dit que je… »

Il se tait soudain tandis que les parents de Nath et le Dr Wolff s'approchent et sont désormais à portée de voix. Nath recule de quelques pas chancelants, lançant un regard noir à Jack, à son père parce qu'il les interrompt, à l'orme parce qu'il n'est pas assez loin.

« Jack ! lance sèchement le Dr Wolff. Tout va bien ?

— Oui. »

Jack jette un coup d'œil à Nath, puis aux adultes.

« Monsieur Lee. Madame Lee. Toutes mes condoléances.

— Merci d'être venu », répond James. Il attend que les Wolff soient repartis sur le sentier sinueux en direction de la sortie du cimetière pour agripper Nath par les épaules. « Qu'est-ce qui te prend ? dit-il d'une voix sifflante. Chercher la bagarre pendant l'enterrement de ta sœur ! »

Jack, qui marche derrière sa mère, lance un rapide coup d'œil en arrière, et quand son regard croise celui de Nath, ça ne fait aucun doute : il a peur. Puis il suit la courbe du sentier et disparaît.

Nath pousse un soupir.

« Ce salaud sait quelque chose sur Lydia.

— Ne va pas causer de problèmes ! Laisse la police faire son travail !

— James, intervient Marilyn, ne crie pas. »

Elle porte les doigts à sa tempe, comme si elle avait mal à la tête, et ferme les yeux. Avec horreur, Nath voit une goutte de sang sombre couler sur le côté du visage de sa mère – non, c'est juste une larme, noircie par le mascara, qui laisse une traînée grise et sale sur sa joue. Hannah, son petit cœur submergé par la pitié, lève le bras pour saisir la main de sa mère, mais celle-ci ne remarque rien. Quelques instants plus tard, Hannah se contente d'entrelacer ses propres doigts dans son dos.

James cherche ses clés dans sa poche de veste.

« Je ramène ta mère et ta sœur à la maison. Quand tu te seras calmé, tu pourras rentrer à pied. »

Alors même que ces paroles franchissent ses lèvres, il grimace. Au fond de lui, il voudrait plus que tout apaiser Nath, poser une main réconfortante et grave sur son épaule, l'envelopper dans ses bras, aujourd'hui plus que n'importe quel autre jour. Mais il doit déjà faire tous les efforts du monde pour empêcher son visage de se défaire, pour empêcher ses genoux de se défiler sous lui. Il se retourne et saisit le bras de Hannah. Elle, au moins, fait toujours ce qu'on lui dit.

Nath se laisse tomber sur les racines de l'orme et regarde ses parents retourner vers la voiture, Hannah fermant la marche et lançant un coup d'œil mélancolique par-dessus son épaule. Son père ne sait rien de Jack. Il vit dans la même rue qu'eux depuis onze ans, depuis que Nath et lui étaient au CP, et pour ses parents, c'est juste un voisin, le garçon débraillé avec le chien et cette vieille voiture d'occasion. À l'école, cependant, tout le monde sait. Toujours une fille différente. Avec chaque fille, la même histoire. Jack ne sort pas avec elles ; il n'y a pas de dîners au restaurant, pas de fleurs, pas de boîtes de chocolats dans des emballages en Cellophane. Il emmène simplement la fille en voiture à la Pointe ou au drive-in ou sur un quelconque parking, et il étale une couverture sur la banquette arrière de sa voiture. Après une ou deux semaines, il cesse d'appeler et passe à une autre. On sait que sa spécialité est de déflorer les vierges. À l'école, les filles en sont fières, comme si elles venaient de rejoindre un club fermé ; réunies devant leurs casiers, elles murmurent en ricanant le récit salace de leurs aventures. Jack lui-même ne parle à personne. Il est de notoriété publique qu'il est la plupart du temps seul : sa mère travaille de nuit à l'hôpital, six nuits par semaine. Il ne mange pas à la cafétéria de l'école ; il ne va pas aux bals. En classe, il s'assied au dernier rang, choisissant la prochaine fille qu'il emmènera pour une virée. Ce printemps, il a choisi Lydia.

Nath reste recroquevillé sur lui-même pendant une heure, deux heures, trois, regardant les employés du cimetière empiler les chaises pliantes, rassembler les fleurs, ramasser les journaux et les mouchoirs en papier roulés en boule dans l'herbe. Il essaie de se rappeler tout ce qu'il a entendu sur Jack, chaque fait, chaque rumeur. Les deux commencent à se mêler, et quand il est prêt à rentrer à la maison, une rage terrible bouillonne en lui. Il tente de s'imaginer Lydia avec Jack, tente désespérément de ne pas se les représenter ensemble. Jack lui a-t-il fait du mal ? Il ne sait pas. Il sait seulement que Jack est au cœur de tout, et il se promet de découvrir comment. Ce n'est que quand les fossoyeurs ramassent leurs pelles et s'approchent de la tombe ouverte que Nath se relève difficilement et s'éloigne.

Tandis qu'il longe la rive du lac et tourne dans leur rue, il repère une voiture de police garée devant la maison de Jack. *Pas trop tôt*, songe-t-il. Il s'approche discrètement, voûtant le dos sous la rangée de fenêtres. Derrière la porte-écran, celle de l'entrée est ouverte. Il gravit les marches, posant la pointe de ses pieds sur le bord des planches usées pour s'assurer qu'elles ne craquent pas. C'est de sa sœur qu'ils parlent, se dit-il à chaque pas ; il a le droit d'être là. En haut des marches, il se penche vers la porte-écran. Il ne voit rien hormis l'entrée, mais il entend Jack dans le salon, qui explique lentement, d'une voix sonore, comme si c'était la deuxième ou la troisième fois.

« Elle a sauté une classe en physique. Sa mère voulait qu'elle soit avec les premières.

— Mais tu étais dans cette classe. Tu n'es pas en terminale ?

— Je vous l'ai dit, réplique Jack, impatient. J'ai dû redoubler. J'ai raté l'examen. »

Maintenant, la voix du Dr Wolff : « Il a un B+ dans cette matière cette année. Je t'avais bien dit que tu y arriverais si tu travaillais, Jack. »

Dehors, Nath cligne des yeux. Jack ? Un B+?

Un bruissement, comme si le policier avait tourné la page de son carnet.

Puis : « Quelle était la nature de ta relation avec Lydia ? »

Le son du nom de sa sœur dans la voix du policier, si sec et officiel, comme si ce n'était rien de plus qu'une étiquette, surprend Nath. Il semble également étonner Jack, car il y a dans sa réponse une brusquerie qui n'était pas là auparavant.

« Nous étions amis. C'est tout.

— Plusieurs personnes ont affirmé vous avoir vus ensemble après les cours, dans ta voiture.

— Je lui apprenais à conduire. »

Nath voudrait voir le visage de Jack. Ne savent-ils pas qu'il ment sûrement ? Mais le policier semble accepter cette version.

« Quand as-tu vu Lydia pour la dernière fois ? demande maintenant l'agent.

— Lundi après-midi. Avant qu'elle disparaisse.

— Qu'est-ce que tu faisais ?

— On était dans ma voiture et on fumait. »

Une pause tandis que le policier prend des notes.

« Et vous étiez à l'hôpital, madame Wolff ?

— Docteur. »

Le policier tousse doucement.

« Pardonnez-moi. Docteur Wolff. Vous étiez au travail ?

— Je prends d'ordinaire le service du soir. Tous les jours sauf le dimanche.

— Lydia semblait-elle contrariée lundi ? »

Une nouvelle pause avant que Jack ne réponde.

« Lydia était toujours contrariée. »

À cause de toi, songe Nath. Il a la gorge si serrée

que les mots ne sortent pas. Les bords de la porte tremblotent et deviennent flous, comme un mirage de chaleur. Il enfonce ses ongles dans sa paume, fort, jusqu'à ce que la porte redevienne nette.

« Contrariée par quoi ?

— Contrariée par tout. » La voix de Jack est désormais plus basse, presque un soupir. « Par ses notes. Par ses parents. Par son frère qui devait partir à l'université. Par beaucoup de choses. » Il soupire alors pour de bon, et quand il parle de nouveau, sa voix est cassante, prête à se briser. « Qu'est-ce que vous voulez que j'en sache ? »

Nath s'écarte de la porte et redescend doucement les marches. Il en a assez entendu. À la maison, comme il ne veut voir personne, il se glisse dans sa chambre à l'étage pour ruminer ce qu'il vient d'entendre.

Il n'y a personne à voir, de toute manière. Pendant que Nath broyait du noir sous l'orme, sa famille s'est dispersée. Durant le trajet du retour, Marilyn ne regarde pas une seule fois James, se concentrant à la place sur ses doigts, s'arrachant les cuticules, triturant la lanière de son sac à main. Dès qu'ils rentrent, Marilyn annonce qu'elle veut s'allonger, et Hannah disparaît également dans sa chambre sans un mot. Pendant un moment, James songe à rejoindre Marilyn. Il est empli d'un désir profond de se blottir contre elle, de sentir son poids et sa chaleur l'envelopper, le protéger de tout le reste. De s'accrocher à elle et de la sentir s'accrocher à lui et de laisser leurs corps se réconforter mutuellement. Mais quelque chose turlupine James, et il finit par reprendre ses clés sur la table. Il a quelque chose à faire au bureau, de toute urgence. Ça ne peut pas attendre une minute de plus.

Quand la police lui a demandé s'il voulait une copie du rapport d'autopsie, il a donné l'adresse de son bureau. Et hier, quand une épaisse enveloppe en papier kraft est apparue dans son casier de courrier, il a décidé que c'était une erreur : il ne voulait pas le voir, jamais. En même temps, il n'a pas pu se résoudre à le jeter. À la place, il l'a glissé dans le tiroir du bas de son bureau, qu'il a fermé à clé. Il serait là, songeait-il, si jamais il changeait d'avis. Il ne pensait pas que ça arriverait.

C'est l'heure du déjeuner et le bureau est presque vide ; seule Myrna, la secrétaire du département, est toujours assise à son poste, occupée à changer le ruban de sa machine à écrire. Toutes les autres portes sont fermées, leurs vitres en verre dépoli sont ternes. James déverrouille désormais le tiroir, prend une profonde inspiration, et déchire l'enveloppe avec son doigt.

Il n'a jamais vu de rapport d'autopsie jusqu'alors et s'attend à des graphiques et à des diagrammes, mais il débute comme un dossier scolaire : *Le sujet est une jeune femme orientale normalement développée et bien alimentée.* Il lui dit des choses qu'il savait déjà : qu'elle avait seize ans, qu'elle mesurait un mètre soixante-cinq ; que ses cheveux étaient noirs, que ses yeux étaient bleus. Et il lui dit des choses qu'il ignorait : la circonférence de sa tête, la longueur de chacun de ses membres, qu'elle avait une petite cicatrice en forme de croissant de lune sur le genou gauche. Il lui dit qu'il n'y avait pas de stupéfiant dans son sang, qu'il n'y avait aucun signe de violence ni de traumatisme sexuel, mais qu'il était encore impossible de déterminer s'il s'agissait d'un suicide, d'un meurtre ou d'un accident. La cause de la mort était l'*asphyxie par noyade.*

Puis il commence pour de bon : *Le torse est ouvert au moyen d'une incision en Y.*

Il apprend la couleur et la taille de chacun de ses organes, le poids de son cerveau. Qu'une mousse blanche est remontée dans sa trachée et a recouvert ses narines et sa bouche comme un mouchoir de dentelle. Que ses alvéoles pulmonaires renfermaient une couche de vase aussi fine que du sucre. Que ses poumons se sont marbrés de rouge sombre et de gris jaunâtre tandis qu'elle suffoquait ; que, comme de la pâte, ils ont conservé l'empreinte d'un doigt ; que, quand ils ont été sectionnés au scalpel, de l'eau s'en est écoulée. Que dans son estomac se trouvaient de petits morceaux d'algues provenant du fond du lac, du sable, et cent quatre-vingts millilitres d'eau qu'elle a avalée en coulant. Que le côté droit de son cœur était gonflé, comme s'il était trop plein. Qu'à force d'avoir flotté tête en bas dans l'eau, la peau de sa tête et de son cou avait rougi jusqu'aux épaules. Qu'à cause de la température basse de l'eau, elle ne s'était pas encore décomposée, mais que la peau du bout de ses doigts commençait juste à peler, comme un gant.

La climatisation du bureau se met en route, et une brise fraîche s'élève du sol. Tout son corps frissonne, comme s'il avait attrapé un coup de froid soudain et durable. Avec la pointe de sa chaussure, il ferme l'aération, mais il ne peut empêcher ses mains de trembler. Il serre les poings, et il serre les dents pour les empêcher de claquer. Sur ses cuisses, le rapport d'autopsie frémit comme s'il était vivant.

Il ne peut s'imaginer disant à Marilyn que ces

choses ont pu arriver à quelqu'un qu'ils aimaient. Il ne veut pas qu'elle le sache, jamais. Mieux vaut s'en tenir au résumé de la police : noyade. Aucun détail pour la hanter. La climatisation s'arrête, le silence croissant emplit la pièce, puis tout le département. Le poids de tout ce qu'il vient de lire l'accable, l'écrasant sur sa chaise. C'est trop lourd. Il ne peut même pas relever la tête.

« Professeur Lee ? »

C'est Louisa, à la porte, toujours vêtue de la robe noire qu'elle portait à l'enterrement ce matin.

« Oh. Je suis tellement désolée. Je ne pensais pas que vous viendriez après… »

Elle s'interrompt.

« C'est bon. »

La voix de James grince légèrement, comme du vieux cuir.

Louisa se glisse dans la pièce, laissant la porte entrouverte.

« Ça va ? »

Elle remarque ses yeux bordés de rouge, ses épaules voûtées, l'enveloppe en papier kraft sur ses cuisses. Puis elle vient se tenir à son côté et lui prend doucement les papiers des mains.

« Vous ne devriez pas être ici », dit-elle en les posant sur le bureau.

James secoue la tête. D'une main, il désigne le rapport.

Louisa baisse les yeux vers la liasse de papiers et hésite.

Lisez, dit James – ou plutôt tente de dire. Aucun son ne sort, mais il a l'impression que Louisa l'entend tout de même. Elle acquiesce, s'appuie contre le bord du bureau et incline la tête au-dessus des pages. Son expression ne change pas à mesure qu'elle lit, mais elle est de plus en plus immobile, jusqu'au moment où, à la fin du rapport, elle se redresse et saisit la main de James.

« Vous ne devriez pas être ici », répète Louisa. Ce n'est pas une question. De son autre main, elle lui touche le creux des reins, et il sent sa chaleur à travers sa chemise. Puis elle ajoute : « Pourquoi vous ne venez pas chez moi ? Je vous préparerai quelque chose à déjeuner. »

Et il acquiesce.

Son appartement est situé au troisième étage d'une petite maison, à seulement six rues du campus. Devant l'appartement 3A, Louisa hésite pendant un bref instant. Puis elle déverrouille la porte, ils entrent, et elle le mène directement à la chambre.

Tout en elle est différent : la souplesse de ses membres, la texture de sa peau. Elle a même un goût différent, légèrement acidulé, comme un agrume. Quand elle s'agenouille au-dessus de lui pour défaire les boutons de sa chemise, ses cheveux masquent son visage. James ferme alors les yeux, lâche un long soupir frémissant. Après coup, il s'endort avec Louisa toujours sur lui. Depuis que Lydia a été *retrouvée* – le seul mot qu'il supporte d'utiliser pour décrire ce qui s'est passé –, le peu de sommeil qu'il a eu a été agité. Dans ses rêves, personne sauf lui ne se rappelle ce qui est arrivé à Lydia ; lui seul est totalement conscient, et il doit sans cesse persuader Marilyn, Nath et de parfaits inconnus que sa fille est morte. *J'ai vu son corps. L'un de ses yeux bleus avait disparu.* Maintenant, toujours collé à Louisa par la transpiration, il dort profondément pour la première fois depuis des jours, d'un sommeil sans rêves : son esprit, pour l'instant, est merveilleusement vide.

À la maison, dans leur chambre, Marilyn aussi voudrait que son esprit se vide, mais rien ne se passe. Des heures durant, cherchant le sommeil, elle a compté les fleurs de sa taie d'oreiller : pas les gros coquelicots rouges qui s'étalent sur le coton, mais les myosotis bleus de l'arrière-plan, le chœur de danseuses derrière les divas. Elle n'arrête pas de perdre le fil, retombant de quatre-vingt-neuf à quatre-vingts, franchissant un pli dans le tissu et oubliant lesquels elle a compté ou non. Quand elle arrive à deux cents, elle sait que dormir est impossible. Elle ne peut pas garder les yeux fermés ; même battre des paupières la rend nerveuse. Chaque fois qu'elle essaie de rester immobile, son esprit s'anime comme un jouet trop remonté. À l'étage supérieur, il n'y a pas un bruit dans la chambre de Hannah ; au rez-de-chaussée, aucun signe de Nath. Finalement, alors que James sombre dans le sommeil à l'autre bout de la ville, elle se lève et se rend là où ont été ses pensées pendant tout ce temps : dans la chambre de Lydia.

Il y flotte toujours l'odeur de sa fille. Pas simplement les fleurs poudreuses de son parfum, ni l'effluve de shampooing sur sa taie d'oreiller, ni le relent de fumée de cigarette – *Karen fume*, avait expliqué Lydia quand Marilyn avait un jour reniflé l'air avec une moue soupçonneuse. *Ça imprègne mes vêtements et mes livres et tout.* Non, quand Marilyn inspire profondément, elle sent Lydia elle-même sous toutes ces couches superficielles, le parfum aigre-doux de sa peau. Elle pourrait passer des heures ici, inspirant l'air et le retenant contre son palais comme le bouquet d'un bon vin. Le buvant.

Dans cette pièce, une profonde douleur se diffuse en elle, comme si ses os avaient des bleus. Pourtant, c'est également agréable. Tout ici lui rappelle qui Lydia était. Des affiches représentant l'*Homme de Vitruve*, de Léonard de Vinci, Marie Curie levant une fiole – tous les posters qu'elle a donnés à Lydia depuis qu'elle était enfant –, encore fièrement accrochées au mur. Lydia a toujours voulu devenir médecin, comme sa mère avant elle. L'été dernier, elle a même suivi un cours de biologie à l'université afin de pouvoir sauter une classe en physique. Au panneau de liège sont accrochés des prix d'excellence à des concours de sciences, un tableau périodique illustré, un authentique stéthoscope que Marilyn lui avait spécialement commandé pour son treizième anniversaire. La bibliothèque est si pleine de livres que certains sont rangés à plat au-dessus des autres : *Brève histoire de la médecine*, lit-elle à l'envers. *Rosalind Franklin et l'ADN*. Tous les livres que Marilyn lui a donnés au fil des années pour l'inspirer, pour lui montrer ce qu'elle pouvait accomplir. Partout, les signes du talent et de l'ambition de sa fille. Une fine pellicule de poussière a déjà commencé à tout recouvrir. Longtemps, Lydia l'a chassée de sa chambre quand elle venait passer l'aspirateur et épousseter et ranger. « Je suis occupée, maman », disait-elle, tapotant la pointe de son stylo sur son manuel, et Marilyn acquiesçait, l'embrassait sur la tête et refermait la porte derrière elle. Maintenant, il n'y a plus personne pour la mettre à la porte, mais elle regarde la botte de Lydia, couchée sur le flanc sur la moquette, elle s'imagine sa fille l'ôtant, et elle ne la relève pas.

Quelque part dans cette pièce, elle en est certaine, se trouve la réponse à ce qui est arrivé. Et là, sur l'étagère inférieure de la bibliothèque, elle voit la rangée de journaux intimes soigneusement classés par années. Marilyn avait offert son premier journal à Lydia pour ses cinq ans ; il avait une couverture à fleurs, des bords dorés, et une clé plus légère qu'un trombone. Sa fille l'avait déballé et retourné encore et encore entre ses mains, touchant le minuscule trou de serrure, comme si elle ne savait pas à quoi ça servait. « Pour noter tes secrets », avait expliqué Marilyn avec un sourire. Et Lydia lui avait retourné son sourire et dit : « Mais maman, je n'ai pas de secrets. »

À l'époque, Marilyn avait ri. Que pouvait bien cacher une fille à sa mère, de toute manière ? Pourtant, chaque année, elle offrait un nouveau journal intime à Lydia. Maintenant, elle songe à tous ces numéros de téléphone rayés, à cette longue liste de jeunes filles qui ont expliqué qu'elles connaissaient à peine Lydia. Aux garçons de l'école. À des hommes inconnus qui pourraient jaillir de l'ombre. D'un doigt, elle tire le dernier en date : 1977. Il lui dira, songe-t-elle. Tout ce que Lydia ne peut plus dire. Qui elle voyait. Pourquoi elle leur a menti. Pourquoi elle est allée au lac.

Il n'y a pas la clé, mais Marilyn enfonce la pointe d'un stylo-bille dans le fermoir et le force. La première page qu'elle voit, 10 avril, est vierge. Elle vérifie le 2 mai, la nuit où Lydia a disparu. Rien. Rien pour le 1er mai, et rien en avril, ni en mars. Chaque page est vierge. Elle sort 1976. 1975. 1974. Des pages et des pages de silence obstiné et manifeste.

Elle remonte jusqu'au tout premier journal, 1966 : pas un mot. Toutes ces années de la vie de sa fille qui n'ont laissé aucune trace. Pas la moindre explication.

À l'autre bout de la ville, James se réveille dans une brume floue. C'est presque le soir, et l'appartement de Louisa a sombré dans l'obscurité.

« Je dois y aller », dit-il, étourdi en songeant à ce qu'il a fait.

Louisa s'enroule dans les draps et l'observe tandis qu'il se rhabille. Sous son regard, ses doigts deviennent malhabiles : il boutonne sa chemise de travers, pas une fois, mais deux, et même quand il l'a mise correctement, ça ne semble pas aller. Elle tombe étrangement, le pince sous les aisselles, gonfle au niveau de son ventre. Comment dit-on au revoir, après une telle chose ?

« Bonne soirée », décide-t-il finalement en soulevant son sac, et Louisa répond simplement : « Bonne soirée. » Comme s'ils quittaient le bureau, comme si rien ne s'était passé. Ce n'est qu'une fois dans la voiture, quand son ventre se met à gronder, qu'il s'aperçoit qu'il n'y a pas eu de déjeuner chez Louisa, qu'il ne s'était jamais vraiment attendu à ce qu'il y en ait un.

Et pendant que James allume ses phares et se met à rouler lentement, abasourdi par tout ce qui s'est passé en une journée, son fils scrute par la fenêtre de sa chambre, dans l'obscurité croissante, la maison de Jack, où la lumière du porche vient de s'allumer – la voiture de police est depuis longtemps repartie. Dans le grenier, Hannah se recroqueville dans son lit, passant en revue chaque détail de la journée : la tache blanche sur la jointure des doigts de son père tandis qu'il agrippait le volant ; les minuscules gouttes de sueur accrochées à la lèvre supérieure du pasteur, comme de la rosée ; le doux bruit sourd produit par le cercueil lorsqu'il a touché le fond de la tombe. La petite silhouette de son frère – observée par la fenêtre de sa chambre qui est orientée vers l'ouest – se redressant lentement sur les marches de la maison de Jack, puis revenant d'un pas lourd, tête baissée. Et le léger grincement interrogateur de la porte de la chambre de sa mère en train de s'ouvrir, auquel a répondu le doux cliquètement de la porte de Lydia en train de se fermer. Ça fait des heures qu'elle y est. Hannah enroule ses bras autour de son torse et serre, elle s'imagine réconfortant sa mère, et les bras de sa mère la réconfortant en retour.

Marilyn, qui ignore que sa plus jeune fille écoute si attentivement, si mélancoliquement, s'essuie les yeux, replace les journaux intimes sur l'étagère, et se fait une promesse. Elle découvrira ce qui est arrivé à Lydia. Elle découvrira qui est responsable. Elle découvrira ce qui est allé de travers.

4

Juste avant que Marilyn ne donne à Lydia ce premier journal intime, l'université avait organisé sa fête de Noël annuelle.

Marilyn ne voulait pas y aller. Pendant tout l'automne, elle avait été en proie à un vague mécontentement. Nath venait de commencer le CP, Lydia était entrée en maternelle, Hannah n'avait même pas encore été imaginée. Pour la première fois depuis son mariage, Marilyn se retrouvait désœuvrée. Elle avait vingt-neuf ans, était toujours jeune, toujours svelte. Toujours intelligente, pensait-elle. Elle pouvait au moins reprendre ses études et passer son diplôme. Faire tout ce qu'elle avait prévu de faire avant que les enfants n'arrivent. Seulement, elle ne se souvenait plus comment rédiger un essai, comment prendre des notes ; tout ça lui semblait vague, comme quelque chose qu'elle avait fait en rêve. Comment étudier quand il fallait préparer le dîner, quand Nath avait besoin d'être bordé, quand Lydia voulait jouer ? Elle avait parcouru les annonces d'emploi dans le journal, mais elles étaient toutes pour des postes de serveuse, de comptable, de rédactrice. Rien qu'elle sût faire.

Elle songeait à sa mère, à la vie que Doris avait voulue pour elle, à la vie que Doris elle-même avait souhaité avoir : mari, enfants, maison, avec pour seule mission de maintenir le tout en ordre. Malgré elle, c'était ce qui lui était arrivé. Sa mère n'aurait rien pu lui souhaiter de plus. Et cette idée ne la mettait pas d'humeur festive.

James, cependant, avait insisté pour qu'ils *préservent les apparences* à la fête de Noël ; il devait être titularisé au printemps, et les *apparences* comptaient. Alors ils avaient demandé à Vivian Allen, la voisine d'en face, de garder Nath et Lydia, Marilyn avait mis une robe de soirée couleur pêche et ses perles, et ils avaient pris la direction du gymnase décoré de papier crépon, où un sapin de Noël avait été érigé au beau milieu du terrain de sport. Puis, après la tournée obligatoire de bonjour-comment-ça-va, elle s'était retirée dans un coin, sirotant un verre de punch. C'était alors qu'elle était tombée sur Tom Lawson.

Tom lui apporta une tranche de cake aux fruits et se présenta – il était professeur dans le département de chimie ; James et lui avaient fait partie du même jury lors de la soutenance d'un étudiant en double cursus qui avait écrit une thèse sur la guerre chimique durant la Première Guerre mondiale. Marilyn se crispa, attendant la question inévitable – *Et vous, que faites-vous, Marilyn ?* –, mais à la place, ils échangèrent les politesses habituelles : quel âge avaient les enfants, comme le sapin de Noël était beau cette année. Quand il se mit à lui parler de ses recherches – quelque chose en relation avec le pancréas et l'insuline artificielle –, elle l'interrompit pour lui demander s'il avait besoin d'une assistante, et il la dévisagea par-dessus son assiette de feuilletés à la saucisse. Marilyn, craignant de paraître incompétente, le noya sous un flot d'informations : elle avait étudié la chimie à Radcliffe et prévu de faire médecine et elle n'avait pas tout à fait achevé son cursus – pas encore – mais maintenant que ses enfants étaient un peu plus grands…

De fait, Tom fut un peu surpris par le ton de sa requête : elle avait été murmurée dans un souffle, comme une demande en mariage. Marilyn leva les yeux vers lui et sourit, ses fossettes se creusant et conférant à son visage une expression de petite fille sérieuse.

« S'il vous plaît, dit-elle, posant la main sur son coude. J'aimerais vraiment travailler de nouveau dans la recherche. »

Tom Lawson fit un grand sourire.

« Je suppose que je pourrais avoir besoin d'aide, répondit-il. Enfin, si ça n'ennuie pas votre mari. Peut-être que nous pourrions nous rencontrer et en reparler après le Nouvel An, quand le semestre commencera. »

Et Marilyn dit oui, oui, ce serait magnifique.

James fut moins enthousiaste. Il savait ce que les gens raconteraient : *Il ne gagnait pas assez – sa femme était obligée de chercher du travail*. Des années s'étaient écoulées, mais il revoyait encore sa mère se levant tôt chaque matin et enfilant son uniforme. Il se rappelait qu'un hiver, quand elle était restée cloîtrée à la maison pendant deux semaines à cause d'une grippe, ils avaient dû couper le chauffage et l'envelopper dans une double épaisseur de couvertures. Et il se rappelait que le soir sa mère appliquait de l'huile sur ses mains calleuses pour les adoucir, et que son père, honteux, quittait la pièce.

« Non, dit-il à Marilyn. Quand je serai titularisé, nous aurons tout l'argent dont nous aurons besoin. » Il lui saisit la main, lui déplia les doigts, embrassa sa paume douce. « Promets-moi que tu ne songeras plus à travailler », demanda-t-il, et elle finit par accepter.

Mais elle conserva le numéro de téléphone de Tom Lawson.

Puis, un jour de printemps, alors que James – nouvellement titularisé – était au travail, que les enfants étaient à l'école, et que Marilyn, à la maison, pliait sa seconde lessive de la journée, le téléphone sonna. Une infirmière de l'hôpital Sainte-Catherine, en Virginie, l'informa que sa mère était morte. Une attaque. C'était le 1er avril 1966, et la première chose que pensa Marilyn fut : quelle terrible plaisanterie de mauvais goût.

Ça faisait alors près de huit ans qu'elle ne lui avait pas parlé, depuis le jour de son mariage. De tout ce temps, sa mère n'avait pas écrit une seule fois. Quand Nath était né, puis Lydia, Marilyn ne l'avait pas prévenue, n'avait même pas envoyé une photo. Qu'y avait-il à dire ? James et elle n'avaient jamais discuté de ce que sa mère avait dit de leur mariage la dernière fois qu'ils l'avaient vue : *Ça n'est pas bien.* Elle n'avait même pas voulu y repenser. Aussi, lorsque James rentra ce soir-là, elle annonça simplement : « Ma mère est morte. » Puis elle retourna à son fourneau et ajouta : « Et la pelouse a besoin d'être tondue. » Et il comprit : ils n'en parleraient pas. Pendant le dîner, quand elle expliqua aux enfants que leur grand-mère était décédée, Lydia inclina la tête et demanda : « Tu es triste ? »

Marilyn jeta un coup d'œil à son mari.

« Oui, répondit-elle. Oui, je suis triste. »

Il y avait des choses à faire : des papiers à signer, un enterrement à organiser. Marilyn laissa donc les enfants à James et se rendit en Virginie – depuis longtemps elle ne considérait plus cet endroit comme *chez elle* – pour gérer les affaires de sa mère. À mesure qu'elle avalait kilomètre après kilomètre d'Ohio puis de Virginie, la question de sa fille résonnait dans sa tête. Mais elle ne pouvait y répondre avec certitude. Était-elle triste ? Elle était surtout surprise : surprise que la maison de sa mère lui semble toujours si familière. Même après huit ans, elle se rappelait exactement comment tourner la clé – en l'agitant vers le bas à gauche – pour ouvrir la serrure ; elle se rappelait encore la porte-écran qui se refermait lentement en sifflant. L'ampoule de l'entrée était grillée et les lourds rideaux du salon étaient tirés, mais ses pieds avançaient instinctivement malgré l'obscurité : des années de répétition lui avaient appris le pas de danse autour du fauteuil et de l'ottomane jusqu'à la table près du canapé. Ses doigts trouvèrent l'interrupteur nervuré de la lampe du premier coup. Ça aurait pu être sa maison.

Lorsque la lumière s'alluma, elle vit le mobilier miteux parmi lequel elle avait grandi, le même papier peint lilas pâle et granuleux, comme de la soie. Le même vaisselier rempli des poupées de sa mère, dont les yeux figés lui procurèrent le même frisson sur la nuque. Sur le manteau de la cheminée, les mêmes photos d'elle enfant. Autant de choses dont elle devait se débarrasser. Était-elle triste ? Non, après avoir roulé toute la journée, elle était seulement fatiguée.

« De nombreuses personnes trouvent cette tâche

extrêmement pénible », lui expliqua l'employé des pompes funèbres le lendemain matin.

Il lui donna le numéro d'une société de nettoyage dont la spécialité était de rendre les maisons vendables. *Des vampires*, songea Marilyn. Quel boulot, nettoyer la maison des morts, entasser des vies entières dans des poubelles et les traîner jusqu'au trottoir.

« Merci, répondit-elle, levant le menton. J'aimerais autant m'en charger moi-même. »

Mais quand elle tenta de trier les affaires de sa mère, elle ne trouva rien à garder. Son alliance en or, ses douze services en porcelaine, le bracelet de perles offert par son père : des souvenirs d'un mariage malheureux. Ses twin-sets sobres et ses jupes crayon, les gants et les chapeaux dans leur boîte : des reliques d'une existence réprimée qui avait toujours inspiré de la pitié à Marilyn. Sa mère adorait sa collection de poupées, mais leurs visages étaient aussi pâles que de la craie, des masques de porcelaine blanche sous des perruques en crin. Des petites inconnues au regard froid. Marilyn feuilleta l'album photo à la recherche d'un cliché d'elle avec sa mère et n'en trouva pas. Juste Marilyn à la maternelle avec des nattes ; Marilyn en CE2 avec une incisive en moins ; Marilyn à une fête de l'école, une couronne en papier sur la tête. Marilyn au lycée devant le sapin de Noël dans de précieuses teintes Kodachrome. Trois albums photo de Marilyn, et pas un seul cliché de sa mère. Comme si elle n'avait jamais été là.

Était-elle triste ? Comment sa mère aurait-elle pu lui manquer quand sa mère n'était nulle part ?

Et alors, dans la cuisine, elle découvrit le livre de cuisine de Betty Crocker qui lui avait appartenu. Sa tranche craquée avait été réparée, deux fois, avec du scotch. Sur la première page de la section consacrée aux cookies, un trait résolu dans la marge de l'introduction, du genre de ceux qu'elle-même traçait à l'université pour marquer un passage important. Ce n'était pas une recette. *Toujours des cookies dans la boîte à cookies !* disait le paragraphe. *Existe-t-il symbole plus joyeux d'une maison chaleureuse ?* C'était tout. Sa mère avait éprouvé le besoin de mettre ce passage en valeur. Marilyn jeta un coup d'œil à la boîte à cookies en forme de vache sur la paillasse et tenta d'en imaginer le fond. Plus elle y pensait, moins elle était certaine de l'avoir jamais vu.

Elle parcourut le reste des chapitres, cherchant d'autres traits au crayon. Dans la section « Tartes », elle en trouva un : *Si vous tenez à faire plaisir à un homme – préparez-lui une tarte. Mais assurez-vous que la tarte est parfaite. Plaignez l'homme qui n'a jamais trouvé en rentrant chez lui une tarte à la citrouille ou à la crème anglaise.* Dans la rubrique « Œufs basiques » : *L'homme que vous épouserez saura comment il aime les œufs. Et il y a des chances pour qu'il soit tatillon à leur sujet. Il incombe donc à une bonne épouse de savoir préparer les œufs de six manières basiques.* Elle s'imagina sa mère portant la pointe de son crayon à sa langue, puis traçant soigneusement un trait sombre dans la marge pour se souvenir.

Vous découvrirez que votre adresse à préparer une salade contribuera à la qualité de vie dans votre maison.

Quelque chose vous rend-il plus heureuse que faire du pain ?

Les cornichons de Betty ! Les pêches en conserve de

tante Alice ! La sauce à la menthe de Mary ! Quelque chose vous procure-t-il une plus grande satisfaction qu'un alignement de bocaux et de verres étincelants sur votre étagère ?

Marilyn regarda le portrait de Betty Crocker au dos du livre, les tempes légèrement grisonnantes, les cheveux ondulés tirés en arrière, comme s'ils étaient repoussés par la voûte des sourcils. Pendant une seconde, elle ressembla à sa mère. *Quelque chose te procure-t-il une plus grande satisfaction ?* Elle aurait certainement répondu non, non, non. Elle pensa avec une pitié vive et douloureuse à sa mère, qui avait compté sur une vie dorée aux parfums de vanille mais avait fini seule, coincée comme une mouche dans cette petite maison vide et triste, dans cette petite vie triste et vide, sans sa fille, sans plus aucune trace d'elle-même hormis ces rêves marqués au crayon. Était-elle triste ? Elle était en colère. Rendue furieuse par la petitesse de la vie de sa mère. *Ça*, songea-t-elle avec férocité, touchant la couverture du livre de recettes. *C'est tout ce dont j'ai besoin pour me souvenir d'elle. C'est tout ce que je veux garder.*

Le lendemain matin, elle appela la société de nettoyage recommandée par l'employé des pompes funèbres. Les deux hommes qui arrivèrent à sa porte étaient affublés d'uniformes bleus, comme des agents d'entretien. Ils étaient rasés de près et courtois ; ils la regardèrent avec sympathie, mais ne lui présentèrent pas leurs condoléances. Avec l'efficacité de déménageurs, ils emballèrent poupées, vaisselle et vêtements dans des cartons. Ils enveloppèrent les meubles dans des protections matelassées et les traînèrent jusqu'au camion. Où tout cela partait-il, se demandait Marilyn en serrant contre elle le livre de recettes – les matelas, les photos, les bibliothèques vidées ? Au même endroit que celui où allaient les gens quand ils mouraient, là où tout allait : ailleurs, loin, hors de votre vie.

Quand arriva l'heure du dîner, ils avaient vidé la totalité de la maison. L'un d'eux salua Marilyn en ôtant son chapeau ; l'autre lui adressa un hochement de tête poli. Puis ils sortirent sur le perron, et le moteur du camion retentit à l'extérieur. Elle alla de pièce en pièce, le livre de recettes coincé sous son bras, vérifiant que rien n'avait été oublié, mais les hommes avaient été méticuleux. Son ancienne chambre était à peine reconnaissable avec les affiches décrochées des murs. Les seuls signes de son passage étaient les trous de punaise dans le papier peint, invisibles à moins de savoir où regarder. Ça aurait pu être la chambre d'un inconnu. À travers les rideaux ouverts elle ne voyait rien, juste des pans de crépuscule et son visage qui se reflétait faiblement dans l'éclat du plafonnier. En sortant, elle marqua une pause dans le salon, où la moquette était tavelée par le fantôme des pieds de chaise, et observa le manteau de la cheminée, qui n'était plus qu'une ligne nette sous une étendue de mur nu.

Sur le chemin du retour, comme elle s'engageait sur l'autoroute en direction de l'Ohio, ces pièces vides lui revinrent à l'esprit. Elle ravala difficilement sa salive, repoussa leur image, et enfonça la pédale de l'accélérateur.

À la périphérie de Charlottesville, des gouttes de pluie apparurent sur les vitres. Au milieu de la traversée de la Virginie, la pluie s'intensifia, recouvrant le pare-brise d'un voile d'eau. Marilyn s'arrêta au bord de la route, coupa le moteur, et les essuie-glaces se figèrent au milieu de leur mouvement, telles deux balafres sur le verre. Il était une heure du matin passée, et il n'y avait personne d'autre sur la route : pas de feux arrière à l'horizon, pas de phares dans le rétroviseur, juste des champs qui s'étiraient de chaque côté. Elle coupa ses propres phares et se cala contre l'appuie-tête. Elle songea que ce serait agréable de sentir la pluie, comme des larmes sur tout son corps.

Elle pensa de nouveau à la maison vide, aux possessions de toute une vie désormais en route pour la brocante, ou pour la benne. Aux vêtements de sa mère sur le corps d'une inconnue, à son alliance autour du doigt d'une inconnue. Seul le livre de recettes, posé à côté d'elle à l'autre bout de la banquette avant, avait survécu. C'était la seule chose digne d'être gardée, se rappela Marilyn, le seul objet dans cette maison où il y avait la moindre trace de sa mère.

Ça la frappa alors, comme si quelqu'un l'avait dit à voix haute : sa mère était morte, et le seul souvenir valable qu'elle laissait, c'était qu'elle avait cuisiné. Marilyn songea avec malaise à sa propre vie, aux heures passées à préparer des petits déjeuners, à servir des dîners, à emballer des déjeuners dans de jolis sacs en papier. Comment était-il possible de passer autant de temps à étaler du beurre de cacahuète sur du pain ? Comment était-il possible de passer autant de temps à faire cuire des œufs ? Au plat pour James. Durs pour Nath. Brouillés pour Lydia. *Il incombe à une bonne épouse de savoir préparer les œufs de six manières basiques.* Était-elle triste ? Oui. Elle était triste. À cause des œufs. À cause de tout.

Elle ouvrit la portière et sortit sur l'asphalte.

Le bruit hors de la voiture était assourdissant : un million de billes heurtant un million de toits en étain, un million de radios crépitant sur la même fréquence entre deux stations. Lorsqu'elle referma la portière, elle était déjà trempée. Elle souleva ses cheveux, baissa la tête, et laissa la pluie mouiller les boucles en dessous. Les gouttes cinglaient sa peau nue. Elle se pencha en arrière sur le capot de la voiture qui commençait à refroidir, et écarta les bras en grand, laissant la pluie fouetter tout son corps.

Jamais, se promit-elle. *Je ne finirai jamais comme ça.*

Sous sa tête elle entendait l'eau qui tambourinait sur l'acier. On aurait désormais dit de minuscules applaudissements, un million de mains tapant l'une dans l'autre. Elle ouvrit la bouche et laissa la pluie couler à l'intérieur, ouvrit les yeux et tenta de regarder tout droit l'eau qui tombait.

De retour dans la voiture, elle ôta son chemisier, sa jupe, ses bas et ses chaussures. À l'autre bout de la banquette, ils formèrent un petit amas triste à côté du livre de recettes, comme une boule de glace en train de fondre. La pluie diminua, et la pédale de l'accélérateur résista sous son pied nu lorsqu'elle redémarra. Dans le rétroviseur, elle aperçut son reflet, et au lieu d'être embarrassée de se voir si nue et si vulnérable, elle admira le miroitement pâle de sa peau qui se détachait sur le blanc de son soutien-gorge.

Jamais, pensa-t-elle une fois de plus. *Je ne finirai jamais comme ça.*

Elle roula dans la nuit, vers chez elle, ses cheveux pleurant lentement de minuscules ruisseaux dans son dos.

À la maison, James ne savait pas préparer les œufs de quelque manière que ce soit. Chaque matin, il servait aux enfants des céréales au petit déjeuner et les envoyait à l'école avec trente *cents* chacun pour la cantine.

« Maman rentre quand ? » demandait Nath chaque soir en froissant l'aluminium de son plateau-télé.

Sa mère était partie depuis près d'une semaine, et il crevait d'envie de manger de nouveau des œufs durs.

« Bientôt », répondait James. Marilyn n'avait pas laissé le numéro de sa mère, et de toute manière, sa ligne serait bientôt coupée. « D'un jour à l'autre. Alors, qu'est-ce qu'on pourrait faire ce week-end ? »

Ce qu'ils firent, c'est qu'ils allèrent à la YMCA pour apprendre la brasse. Comme Lydia ne savait pas encore nager, James la laissa de l'autre côté de la rue chez Mme Allen pour l'après-midi. Pendant toute la semaine, il avait attendu de passer un moment entre père et fils. Il avait même préparé ses premières phrases : *Garde tes bras sous l'eau. Bats des jambes. Comme ça.* Bien que James ait lui-même été bon nageur au lycée, il n'avait jamais remporté de trophée ; il rentrait à la maison seul quand les autres s'entassaient dans la voiture de quelqu'un pour aller fêter la victoire autour d'un hamburger et d'un milkshake. Il soupçonnait désormais que Nath avait ce qu'il fallait pour être un bon nageur : il était petit, mais sec et fort. Pendant les cours de natation de l'été précédent, il avait appris le crawl et la planche ; et il pouvait déjà traverser toute la piscine sous l'eau. James s'imaginait qu'au lycée il serait la star de son équipe, celui qui récolterait les trophées, la pièce maîtresse du relais. Il serait celui qui emmènerait tout le monde au *diner*

– ou là où iraient les jeunes dans les lointaines années 1970 – après les compétitions. Ce samedi-là, lorsqu'ils arrivèrent à la piscine, la partie la moins profonde du bassin était remplie d'enfants qui jouaient à Marco Polo[1] ; dans la partie la plus profonde, deux hommes âgés tournaient en rond. Pas encore de place pour les leçons de brasse.

James donna un petit coup de coude à son fils.

« Va jouer avec les autres en attendant que la piscine se vide.

— Je suis obligé ? » demanda Nath, plissant le bord de sa serviette.

Le seul autre enfant qu'il reconnaissait était Jack, qui vivait alors dans leur rue depuis un mois. Bien que Nath n'en fût pas encore arrivé à le détester, il sentait déjà qu'ils ne seraient pas amis. À sept ans, Jack était grand et dégingandé, couvert de taches de rousseur et effronté ; il n'avait peur de rien. James, qui n'était pas familier des susceptibilités de la cour de récréation, fut soudain irrité par la timidité de son fils, par sa réticence. Le jeune homme confiant qu'il s'était imaginé n'était plus qu'un gamin nerveux : maigrichon, petit, tellement voûté que son torse était concave. Et même s'il ne l'aurait jamais admis, Nath – avec ses jambes tordues et ses orteils d'un pied qui chevauchaient ceux de l'autre – lui faisait penser à lui au même âge.

« On est venus ici pour nager, répondit James. Mme Allen garde ta sœur pour que tu puisses apprendre

---

1. Sorte de colin-maillard dans une piscine. Un joueur désigné ferme les yeux et appelle « Marco ». Les autres, qui tournent autour de lui, répondent « Polo », et il doit les repérer et les toucher. *(N.d.T.)*

la brasse, Nathan. Ne fais pas perdre leur temps aux gens. »

Il arracha la serviette des mains de son fils et le guida fermement vers l'eau, se dressant au-dessus de lui jusqu'à ce qu'il se glisse dedans. Puis il s'assit sur le banc vide au bord de la piscine, repoussant sur le côté des palmes et des lunettes qui se trouvaient là. C'est bon pour lui, pensait James. Il doit apprendre à se faire des amis.

Nath commença à tourner autour de la fille qui devait toucher les autres enfants, rebondissant sur ses orteils pour maintenir sa tête hors de l'eau. James mit quelques minutes à reconnaître Jack, et quand il le fit, ce fut avec une pointe d'admiration. Jack était bon nageur, arrogant et confiant, zigzaguant autour des autres, luisant et retenant son souffle. Il a dû venir à pied seul, décida James ; durant tout le printemps, Vivian Allen avait cancané sur Janet Wolff, sur le fait qu'elle laissait Jack tout seul quand elle travaillait à l'hôpital. *On pourrait peut-être le ramener*, songea-t-il. *Il pourrait rester jouer chez nous jusqu'à ce que sa mère termine son service.* Il ferait un bon ami pour Nath, un bon modèle. Il s'imagina Nath et Jack inséparables, fabriquant une balançoire avec un pneu dans le jardin, faisant du vélo dans le quartier. Quand lui-même allait à l'école, il avait été trop embarrassé pour inviter des camarades de classe chez lui, craignant qu'ils ne reconnaissent en sa mère la femme qui travaillait à la cantine, ou en son père l'homme qui passait la serpillère dans les couloirs. Ils n'avaient pas de jardin, de toute manière. Peut-être qu'ils joueraient aux pirates, avec Jack dans le rôle du capitaine et Nath dans celui du second. Shérif et adjoint. Batman et Robin.

Quand James porta de nouveau son attention sur le bassin, C'était Nath qui devait toucher les autres enfants. Mais quelque chose clochait. Ceux-ci s'éloignaient. En silence, réprimant des ricanements, ils se hissèrent hors de l'eau et prirent place sur le carrelage qui entourait la piscine. Les yeux fermés, Nath dérivait seul au milieu du bassin, décrivant de petits cercles, avançant à tâtons. James l'entendait : *Marco. Marco.*

Polo, répondaient les autres. Ils entouraient la partie la moins profonde et battaient l'eau des mains, tandis que Nath nageait d'un côté et de l'autre, en fonction des bruits qu'il entendait. *Marco. Marco.* Avec désormais une note plaintive dans sa voix.

Rien de personnel, se dit James. Ils jouaient depuis Dieu sait combien de temps ; ils en avaient juste assez de ce jeu. Ils faisaient simplement les idiots. Rien à voir avec Nath.

Puis une fillette – âgée de peut-être dix ou onze ans – cria : « Le Chinetoque trouve pas la Chine ! », et les autres enfants s'esclaffèrent. Le ventre de James se noua. Dans la piscine, Nath marqua une pause, bras écartés à la surface de l'eau, ne sachant que faire. Une de ses mains s'ouvrit et se referma en silence.

Au bord, son père non plus ne savait que faire. Pouvait-il inciter les enfants à y retourner ? S'il disait quoi que ce soit, Nath s'en rendrait compte. Il pouvait appeler son fils. *C'est l'heure de rentrer*, aurait-il pu dire. Mais Nath aurait ouvert les yeux et n'aurait vu que de l'eau autour de lui. L'odeur du chlore commençait à piquer les narines de James. Et alors, de l'autre côté de la piscine, il vit la silhouette floue d'un corps pénétrer en silence dans l'eau. Elle glissa en direction de Nath, et une tête d'un blond-roux fendit alors la surface : Jack.

« Polo ! » cria-t-il. Sa voix se répercuta sur les murs carrelés : *Polo. Polo. Polo.* Fou de soulagement, Nath se précipita en avant, et Jack ne bougea pas, nageant sur place, attendant, jusqu'à ce que Nath lui saisisse l'épaule. Pendant un instant, James vit une joie pure sur le visage de son fils, les traces sombres de la frustration balayées.

Puis il ouvrit les yeux, et sa mine radieuse disparut. Il vit les autres enfants qui riaient accroupis autour du bassin. Il n'y avait plus personne dans la piscine hormis Jack en face de lui. Jack se tourna alors vers Nath et fit un grand sourire. Mais pour Nath, il se payait sa tête : *C'est toi qui t'es fait avoir.* Il repoussa Jack et plongea sous l'eau, et lorsqu'il refit surface au bord de la piscine, il sortit directement sans même s'ébrouer. Il n'essuya pas l'eau dans ses yeux, se contentant de la laisser ruisseler sur son visage tandis qu'il marchait d'un pas raide vers la sortie, et James n'aurait pu dire s'il pleurait.

Dans le vestiaire, Nath refusa de dire un mot. Il refusa de s'habiller ou même de se chausser, et quand James lui tendit son pantalon pour la troisième fois, Nath donna un coup de pied si violent dans le casier qu'il laissa un creux dedans. James regarda par-dessus son épaule et vit Jack qui observait depuis la porte qui menait au bassin. Il se demanda s'il allait dire quelque chose, peut-être s'excuser, mais à la place le garçon se contenta de les scruter en silence. Nath, qui n'avait pas repéré Jack, regagna le hall d'entrée, et James ramassa à la hâte leurs affaires et laissa la porte se refermer derrière lui.

D'un côté, il aurait voulu prendre son fils dans ses bras, lui dire qu'il comprenait. Même après près de trente ans, il se souvenait encore du cours d'éducation physique à Lloyd, à la fois où il s'était emmêlé dans sa chemise et avait découvert en en émergeant que son pantalon avait disparu du banc. Tous les autres étaient déjà habillés et étaient soit en train de ranger leur tenue de sport dans leur casier, soit en train de lacer leurs chaussures. Il avait regagné le gymnase sur la pointe des pieds, cachant ses cuisses dénudées et ses mollets derrière son sac à dos, à la recherche de M. Childs, le prof d'éducation physique. La cloche avait alors sonné et le vestiaire s'était vidé. Après dix minutes à chercher, mortifié à l'idée qu'il était en caleçon devant M. Childs, il avait trouvé son pantalon sous un lavabo – ses jambes avaient été nouées autour du siphon, et des moutons de poussière s'étaient accrochés au revers.

« Il s'est probablement juste retrouvé parmi les affaires de quelqu'un d'autre, avait déclaré M. Childs. Dépêche-toi d'aller en classe, Lee. Tu es en retard. »

Mais James savait que ce n'était pas un accident. Après ça, il avait développé un système : le pantalon d'abord, la chemise ensuite. Il n'en avait jamais parlé à personne, mais le souvenir était toujours là.

Donc, dans un sens, il voulait dire à Nath qu'il savait : ce que ça faisait d'être moqué, ce que ça faisait de ne jamais trouver sa place. Mais il voulait également secouer son fils, le gifler. Le modeler en quelque chose de différent. Plus tard, quand Nath serait trop frêle pour l'équipe de football, trop petit pour l'équipe de basket, trop maladroit pour l'équipe de base-ball, quand il semblerait préférer lire et étudier son atlas et regarder dans son télescope plutôt que de se faire des amis, James repenserait à ce jour à la piscine : la première fois que son fils l'avait déçu, le premier et le plus douloureux accroc dans ses rêves de père.

Cet après-midi-là, cependant, il laissa Nath monter dans sa chambre en courant et claquer la porte. À l'heure du dîner, quand il frappa à la porte pour lui proposer un steak Salisbury, Nath ne répondit pas, et lorsqu'il redescendit au rez-de-chaussée, il autorisa Lydia à s'asseoir tout contre lui sur le divan et à regarder le *Jackie Gleason Show*. Que pouvait-il dire pour réconforter son fils ? *Ça va s'arranger ?* Il ne pouvait se résoudre à mentir. Mieux valait oublier l'incident. Quand Marilyn rentra le dimanche matin, Nath était assis, maussade et silencieux, à la table du petit déjeuner, et James expliqua simplement, avec un geste dédaigneux de la main : « Des enfants l'ont taquiné hier à la piscine. Il doit apprendre à ne pas être susceptible. »

Nath se braqua et fusilla son père du regard, mais James, refoulant le souvenir de ce qu'il avait laissé passer – *Le Chinetoque trouve pas la Chine* –, ne remarqua rien, et sa mère qui, préoccupée, disposait les bols et la boîte de corn flakes devant eux ne remarqua rien non plus. Face à cet ultime affront, Nath brisa finalement le silence.

« Je veux un œuf dur ! » demanda-t-il.

Marilyn, à la surprise de tous, fondit en larmes, et ils finirent tous par manger des céréales en silence et sans protester.

Toute la famille comprit néanmoins que quelque

chose avait changé chez leur mère. Pendant le restant de la journée, elle fut d'humeur morose et tempétueuse. Pour le dîner, alors qu'ils s'attendaient tous à un poulet rôti, ou à un pain de viande, ou à un rôti braisé – enfin un vrai repas, après tant de plats cuisinés réchauffés au four –, Marilyn ouvrit une conserve de soupe aux nouilles et au poulet, et une conserve de spaghettis.

Le lendemain matin, après que les enfants furent partis pour l'école, Marilyn tira un bout de papier du tiroir de sa commode. Le numéro de téléphone de Tom Lawson se détachait toujours dessus, d'un noir vif sur le papier ligné bleu pâle.

« Tom ? dit-elle lorsqu'il décrocha. Docteur Lawson. C'est Marilyn Lee. » Comme il ne répondait pas, elle ajouta : « La femme de James Lee. Nous nous sommes rencontrés à la fête de Noël. Nous avions envisagé que je travaille peut-être dans votre labo. »

Une pause. Puis, à la surprise de Marilyn : un éclat de rire.

« J'ai embauché un étudiant de premier cycle il y a des mois, répondit Tom Lawson. Je ne pensais pas que vous étiez réellement sérieuse. Avec vos enfants et votre mari et tout. »

Marilyn raccrocha sans prendre la peine de répondre. Elle resta un long moment plantée dans la cuisine près du téléphone, regardant fixement par la fenêtre. Dehors, ça ne ressemblait plus au printemps. Le vent était devenu mordant et sec ; les jonquilles, trahies par la chaleur, baissaient leur face vers le sol. À travers tout le jardin, elles étaient prostrées, leur tige brisée, leur trompette jaune fanée. Marilyn essuya la table et tira vers elle la grille de mots croisés pour tenter d'oublier l'amusement dans la voix de Tom Lawson. Le papier journal collait au bois humide, et lorsqu'elle inscrivit sa première réponse, son stylo déchira le papier, laissant un a bleu sur le plateau de la table.

Elle prit ses clés de voiture au crochet et attrapa son sac à main sur la table de l'entrée. Au début, elle croyait sortir juste pour se vider la tête. Malgré le froid, elle roula vitre baissée, et tandis qu'elle faisait le tour du lac une fois, deux fois, la brise se glissait sous ses cheveux pour atteindre sa nuque. *Avec vos enfants et votre mari et tout.* Elle roula sans réfléchir, traversa Middlewood, passa devant l'université, l'épicerie et la piste de roller, et ce ne fut que lorsqu'elle pénétra sur le parking de l'hôpital qu'elle s'aperçut que c'était là qu'elle voulait aller depuis le début.

Une fois à l'intérieur, Marilyn prit place dans un coin de la salle d'attente. Quelqu'un avait peint la pièce – murs, plafond, portes – dans une teinte bleu pâle apaisante. Des infirmières en calot blanc et jupe blanche entraient et sortaient en glissant comme des nuages, portant des seringues d'insuline, des flacons de comprimés, des rouleaux de gaze. Des bénévoles s'affairaient avec des chariots couverts de plateaux-repas. Et les médecins : ils marchaient sans se presser parmi l'agitation tels des avions fendant le ciel. Chaque fois qu'ils apparaissaient, les têtes se tournaient vers eux ; des maris anxieux, des mères hystériques et des filles hésitantes se levaient à leur approche. C'étaient tous des hommes, remarqua Marilyn : Dr Kenger, Dr Gordon, Dr McLenehan, Dr Stone. Qu'est-ce qui lui avait fait croire qu'elle pourrait être l'un d'eux ? Ça semblait aussi impossible que se transformer en tigre.

Puis, à travers la double porte du service des urgences : une silhouette svelte, des cheveux sombres tirés en arrière formant un chignon soigné. Au début, Marilyn ne parvint pas à la remettre. « Docteur Wolff ! » appela l'une des infirmières en attrapant une écritoire sur le guichet, et le Dr Wolff traversa la pièce pour s'en saisir, ses talons claquant sur le lino. Marilyn n'avait vu Janet Wolff qu'une ou deux fois depuis qu'elle avait emménagé un mois plus tôt, mais elle ne l'aurait pas reconnue, de toute manière. Elle avait entendu dire que Janet Wolff travaillait à l'hôpital – Vivian Allen, penchée au-dessus de la clôture de son jardin, avait parlé à voix basse de ses services de nuit, du fait que le jeune Wolff n'en faisait qu'à sa tête –, mais elle s'était représenté une secrétaire, une infirmière. Pas cette grande femme gracieuse qui n'était pas plus âgée qu'elle et portait un pantalon noir et une blouse blanche ample autour de sa silhouette mince. Pas ce *Dr Wolff* qui, stéthoscope enroulé autour du cou tel un collier d'argent étincelant, touchait et retournait d'une main experte le poignet couvert d'ecchymoses d'un ouvrier, et qui lança d'une voix claire et confiante à travers la pièce : « Docteur Gordon, je peux avoir un mot avec vous à propos de votre patient, s'il vous plaît ? » Et le Dr Gordon posa son écritoire et s'approcha.

Ce n'était pas son imagination. Tout le monde le répétait, comme un mantra. Dr Wolff, Dr Wolff, Dr Wolff. Les infirmières, flacon de pénicilline à la main : « Docteur Wolff, une petite question. » Les bénévoles, en passant : « Bonjour, docteur Wolff. » Et, plus miraculeux encore, les autres médecins : « Docteur Wolff, je peux vous demander votre avis, s'il vous plaît ? » « Docteur Wolff, on vous demande en salle deux. » Ce ne fut qu'alors que Marilyn y crut finalement.

Comment était-ce possible ? Comment y était-elle parvenue ? Elle songea aux livres de recettes de sa mère : *Faites le bonheur de quelqu'un aujourd'hui – préparez un gâteau ! Préparez un gâteau – organisez une fête ! Préparez un gâteau à emporter à une fête. Préparez un gâteau simplement parce que vous vous sentez bien aujourd'hui.* Elle s'imagina sa mère battant la matière grasse et le sucre, tamisant la farine, beurrant un moule. *Quelque chose vous procure-t-il une plus grande satisfaction ?* Et Janet Wolff était là à traverser à grands pas la salle d'attente, sa blouse si blanche qu'elle étincelait.

Bien sûr, c'était possible pour elle : elle n'avait pas de mari. Elle laissait son fils n'en faire qu'à sa tête. Sans mari, sans enfants, peut-être que ça aurait été possible. *J'aurais pu le faire*, songea Marilyn, et les mots trouvèrent leur place telles les pièces d'un puzzle, la stupéfiant par leur justesse. Le conditionnel passé, le temps des opportunités manquées. Des larmes coulaient sur son menton. Non, songea-t-elle soudain. *Je pourrais le faire.*

Et alors, avec embarras et horreur, elle vit Janet Wolff devant elle, penchée avec sollicitude au-dessus de sa chaise.

« Marilyn ? disait-elle. C'est Marilyn, n'est-ce pas ? Madame Lee ? »

À quoi Marilyn répondit les seuls mots qu'elle avait à l'esprit :

« Docteur Wolff.

— Qu'est-ce qui ne va pas ? demanda le Dr Wolff. Vous êtes malade ? »

De près, son visage était étonnamment jeune. Sous la poudre, une légère constellation de taches de rousseur mouchetait toujours son nez. Sa main, douce sur l'épaule de Marilyn, était ferme et assurée, de même que son sourire. *Tout va bien se passer*, semblait-il dire.

Marilyn secoua la tête.

« Non, non. Tout va bien. » Elle leva les yeux vers Janet Wolff. « Merci. »

Et elle était sincère.

Le lendemain soir, après un dîner composé de raviolis en boîte et de soupe de légumes en boîte, elle élabora mentalement un plan. Elle avait toutes les économies de sa mère, de quoi tenir quelques mois ; quand la maison serait vendue, elle aurait plus, de quoi tenir au moins quelques années. En un an, elle pouvait passer son diplôme. Ça prouverait qu'elle en était toujours capable. Après ça, enfin, elle s'inscrirait à l'école de médecine. Seulement huit ans plus tard que prévu.

Pendant que les enfants étaient à l'école, elle fit le trajet d'une heure jusqu'au collège communautaire de Toledo et s'inscrivit en chimie organique, en statistiques avancées et en anatomie : tout ce qu'elle avait prévu pour ses derniers semestres. Le lendemain, elle s'y rendit de nouveau et trouva un petit appartement meublé à proximité du campus. Elle signa un bail pour le 1er mai, soit deux semaines plus tard. Chaque soir, quand elle était seule, elle relisait le livre de recettes, puisant son courage dans la petite vie solitaire de sa mère. *Tu ne veux pas ça*, se rappelait-elle. *Tu auras une vie plus riche que ça.* Tout se passerait bien pour Lydia et Nath, se disait-elle encore et encore. Elle s'interdisait de penser autrement. James serait là. Il n'y avait qu'à voir comment il s'en était sorti quand elle était en Virginie. Tout était encore possible.

Dans la nuit silencieuse, elle rangea ses vieux manuels d'université dans des cartons et les plaça au grenier, prêts à partir. À mesure que mai approchait, elle cuisina repas copieux sur repas copieux : boulettes de viande à la suédoise, bœuf Stroganov, poulet à la crème – tout ce que James et les enfants préféraient, tout à partir de produits frais, comme le lui avait enseigné sa mère. Elle prépara un gâteau d'anniversaire rose pour Lydia et la laissa en manger autant qu'elle voulait. Le 1er mai, après le repas du dimanche, elle mit les restes dans un Tupperware qu'elle plaça dans le congélateur ; elle fit cuire plusieurs fournées de cookies. « On dirait que tu te prépares pour une famine », observa James en riant, et Marilyn lui fit un sourire, un sourire factice, le même que celui qu'elle avait adressé à sa mère il y avait tant d'années de cela. Il suffisait de relever les coins de sa bouche vers ses oreilles. De garder les lèvres fermées. C'était incroyable que personne ne s'en rende compte.

Ce soir-là, au lit, elle enveloppa James dans ses bras, embrassa le côté de son cou, le déshabilla lentement, comme quand ils étaient plus jeunes. Elle essaya de mémoriser la courbure de son dos et le creux à la base de sa colonne vertébrale, comme s'il était un paysage qu'elle ne reverrait jamais, et elle se mit à pleurer – tout d'abord en silence, puis, tandis que leurs corps se heurtaient encore et encore, avec plus de violence.

« Qu'est-ce qu'il y a ? murmura James en lui caressant la joue. Qu'est-ce qui ne va pas ? » Marilyn secoua la tête, et il l'attira à lui, leurs corps collants et moites. « C'est bon, dit-il en embrassant son front. Ça ira mieux demain. »

Le lendemain matin, Marilyn s'enfouit sous les couvertures, écoutant les bruits de James qui s'habillait. La fermeture Éclair de son pantalon. Le cliquètement de sa boucle de ceinture. Même les yeux fermés, elle le voyait redressant son col, aplatissant l'épi de ses cheveux, qui, après toutes ces années, le faisait toujours ressembler à un écolier. Elle les maintint fermés lorsqu'il vint l'embrasser, car si elle le voyait, elle savait que les larmes reviendraient.

À l'arrêt de bus, plus tard dans la matinée, elle s'agenouilla sur le trottoir et embrassa Nath et Lydia sur la joue, sans oser les regarder dans les yeux.

« Soyez gentils, leur dit-elle. Soyez sages. Je vous aime. »

Lorsque le bus eut disparu dans la courbe du lac, elle se rendit dans la chambre de sa fille, puis dans celle de son fils. De la commode de sa fille elle sortit une simple barrette en Bakélite couleur cerise ornée d'une fleur blanche, qui faisait partie d'une paire qu'elle portait rarement. Dans la boîte à cigares sous le lit de Nath, elle prit une bille, pas sa préférée – la bleu cobalt avec de petites taches blanches telles des étoiles – mais une des petites billes sombres qu'il appelait des « huiles ». Du vieux pardessus de James, celui qu'il portait à l'époque où elle allait à l'université, elle chipa un bouton de rechange à l'intérieur du revers. Un minuscule souvenir de chacun, enfoncé dans la poche de sa robe – un geste que sa plus jeune fille reproduirait des années plus tard, bien que Marilyn n'eût jamais mentionné ce petit larcin ni à Hannah ni à qui que ce soit. Pas un objet adoré ; juste quelque chose qui leur manquerait peut-être mais qu'ils ne regretteraient pas. Inutile de percer un nouveau trou, même un simple trou d'épingle, dans leur vie. Puis Marilyn alla chercher ses cartons dans leur cachette au grenier, et s'assit pour écrire un mot à James. Mais comment rédigeait-on une telle chose ? Ça semblait inapproprié de lui écrire sur son papier à lettres, comme si c'était un inconnu ; encore plus sur le bloc-notes de la cuisine, comme si ce n'était pas plus important qu'une liste de courses. Elle tira finalement une feuille blanche de la machine à écrire et s'assit à sa coiffeuse avec un stylo.

Je m'aperçois que je ne suis pas heureuse de la vie que je mène. J'ai toujours eu un type de vie en tête, et les choses se sont passées très différemment. Marilyn prit une inspiration profonde et âpre. *Ça fait longtemps que je ressens ça, mais maintenant, après être retournée chez ma mère, je pense à elle et ne peux plus mettre mes sentiments de côté. Je sais que tu t'en sortiras sans moi.* Elle marqua une pause, tentant de se convaincre que c'était vrai. *Je sais que tu peux comprendre pourquoi je dois partir. J'espère que tu pourras me pardonner.*

Longtemps, Marilyn resta assise, stylo-bille en main, se demandant comment terminer. Au final, elle déchira le mot et jeta les morceaux de papier dans la corbeille. Mieux valait, décida-t-elle, simplement partir. Disparaître de leur vie comme si elle n'avait jamais été là.

Ce fut exactement l'impression qu'eurent Nath et

Lydia lorsque, cet après-midi-là, ils se retrouvèrent à l'arrêt de bus sans personne pour les attendre et qu'ils entrèrent dans une maison déverrouillée et vide. Quant à leur père, qui arriva deux heures plus tard et trouva ses enfants blottis l'un contre l'autre sur les marches du perron, comme s'ils avaient peur de rester seuls dans la maison, il n'arrêtait pas de poser des questions. « Comment ça, *partie* ? » demandait-il à Nath, qui ne pouvait que répéter : *partie*, le seul mot qu'il trouvait.

Lydia ne dit absolument rien durant le reste de cette soirée confuse, au cours de laquelle leur père appela la police, puis tous les voisins, mais oublia le dîner, de même que l'heure du coucher, tandis que les policiers prenaient une multitude de notes jusqu'à ce qu'elle et Nath s'endorment par terre dans le salon. Elle se réveilla au milieu de la nuit dans son lit – où son père l'avait portée, avec toujours ses chaussures aux pieds – et chercha à tâtons le journal intime que sa mère lui avait offert à Noël. Quelque chose d'important s'était enfin produit, quelque chose qu'elle ferait bien de noter. Mais elle ne pouvait expliquer ce qui s'était passé, comment tout avait changé en un jour seulement, comment une personne qu'elle aimait si tendrement avait pu être là à un instant, et à l'instant suivant : *partie*.

5

Hannah ne sait rien de cet été, de la lointaine disparition de sa mère. Depuis qu'elle est née, aucun membre de sa famille n'en a jamais parlé, et même s'ils l'avaient fait, ça n'aurait rien changé. Elle est furieuse contre sa sœur parce qu'elle a disparu, troublée que Lydia les ait tous abandonnés ; mais savoir ne l'aurait rendue que plus furieuse, plus troublée. *Comment as-tu pu*, aurait-elle pensé, *quand tu savais comment c'était ?* Maintenant, quand elle s'imagine sa sœur coulant dans le lac, tout ce qu'elle se dit, c'est : *Comment ?* Et : *Comment c'était ?*

Cette nuit, elle saura. Son réveil fluorescent indique encore deux heures du matin ; toute la soirée elle est restée patiemment allongée, regardant les chiffres défiler. Aujourd'hui, le 1er juin, aurait dû être son dernier jour d'école ; demain, Nath était censé traverser la scène avec sa robe bleue et sa toque pour récupérer son diplôme. Mais ils n'iront pas à la cérémonie de remise des diplômes ; aucun d'eux n'est retourné à l'école depuis… elle repousse mentalement cette pensée.

Elle pose la pointe du pied sur la sixième marche

grinçante ; elle saute par-dessus la rosette au milieu du tapis de l'entrée sous laquelle le plancher craque, atterrissant aussi doucement qu'un chat juste devant la porte. Même si à l'étage Marilyn, James et Nath sont éveillés, en train de chercher le sommeil, personne ne l'entend : le corps de Hannah connaît tous les secrets du silence. Dans le noir, ses doigts débloquent le verrou, puis attrapent la chaîne de sécurité et la détachent sans un bruit. C'est le dernier tour qu'elle a appris. Avant l'enterrement, il n'y avait pas de chaîne.

Ça fait désormais trois semaines qu'elle s'entraîne pour ça, jouant avec le verrou dès que sa mère a le dos tourné. Maintenant, Hannah glisse son corps dans l'entrebâillement de la porte et descend pieds nus sur la pelouse, là où Lydia a dû marcher lors de la dernière nuit de sa vie. Au-dessus d'elle, la lune flotte derrière les branches d'arbres, et le jardin, l'allée et les autres maisons surgissent lentement de la nuit granuleuse. C'est ce que sa sœur a dû voir cette nuit-là : le clair de lune se reflétant sur les vitres de Mme Allen, les boîtes à lettres toutes légèrement inclinées vers l'avant. La faible lueur du réverbère à l'angle, où la route principale décrit une boucle autour du lac.

Au bout de la pelouse, Hannah s'arrête, les orteils sur le trottoir, les talons toujours dans l'herbe, et elle s'imagine cette silhouette mince s'enfonçant dans l'ombre. Elle ne semblait pas avoir peur. Alors, Hannah marche également au milieu de la chaussée, là où devrait se trouver la ligne jaune si leur rue était assez passante pour qu'une telle ligne soit nécessaire. À travers les fenêtres obscurcies, la doublure pâle des rideaux brille. Il n'y a pas de lumière dans leur rue, hormis l'ampoule au-dessus de la porte de Mme Allen, qu'elle laisse allumée tout le temps, même pendant la journée. Quand Hannah était plus jeune, elle croyait que les adultes restaient éveillés tard le soir, jusqu'à deux ou trois heures peut-être. Elle ajoute ça à la liste des choses dont elle a appris qu'elles étaient fausses.

À l'angle, elle s'arrête, mais ne voit que l'obscurité de chaque côté, pas de voitures. Ses yeux sont désormais habitués à la nuit, elle traverse rapidement la route principale et gagne la rive herbeuse du lac, mais elle ne le voit toujours pas. Seule l'inclinaison du sol lui dit qu'elle s'en approche. Elle passe devant un taillis de bouleaux qui lèvent tous leurs branches raides au-dessus de leur tête comme en signe de reddition. Puis, soudain, ses orteils rencontrent l'eau. Sous le bourdonnement sourd d'un avion haut dans le ciel, elle l'entend : un léger clapotement contre ses chevilles, comme le bruit de sa propre langue dans sa bouche. Si elle regarde attentivement, elle distingue un faible chatoiement, comme du tulle argenté. À part ça, elle n'aurait pas pu dire que c'était de l'eau.

« Superbe emplacement », avait dit l'agent immobilier à James et à Marilyn quand ils avaient emménagé à Middlewood. Hannah a entendu cette anecdote à de nombreuses reprises. « À cinq minutes de l'épicerie et de la banque. Et, pensez-y, le lac est pratiquement à votre porte. » Il avait jeté un coup d'œil au ventre arrondi de Marilyn. « Vous et les enfants pourrez nager tout l'été. Ce sera comme avoir votre propre plage privée. »

James, charmé, avait été d'accord. Toute sa vie, Hannah a adoré ce lac. Maintenant, c'est un nouvel endroit.

Le ponton, rendu lisse par les années d'utilisation, a la même teinte gris argenté au clair de lune que pendant la journée. À une extrémité, une petite lampe, placée sur un poteau, diffuse sa lumière sur un cercle d'eau restreint. Elle prendra la barque, comme a dû le faire Lydia. Elle ramera jusqu'au milieu du lac, où a fini sa sœur, et regardera sous la surface. Peut-être qu'elle comprendra.

Mais la barque n'est pas là. La municipalité, faisant preuve d'une prudence tardive, l'a enlevée.

Hannah s'accroupit sur ses talons et imagine sa sœur s'agenouillant pour dénouer la corde, puis poussant l'embarcation loin de la rive, si loin qu'on ne distingue pas l'eau de l'obscurité qui l'entoure. Finalement, elle s'allonge sur le ponton, tanguant doucement, regardant le ciel nocturne. Elle est aussi proche qu'elle peut l'être de la dernière nuit de sa sœur.

Si c'était un autre été, le lac serait toujours un endroit merveilleux. Nath et Lydia porteraient leur maillot de bain et étaleraient des serviettes sur l'herbe. Avec beaucoup de chance, Hannah serait autorisée à frotter un peu de lotion sur ses bras, à renouer le bikini de Lydia après qu'elle se serait fait bronzer le dos. Nath sauterait comme un boulet de canon du ponton, projetant une fine brume qui formerait sur leur peau des gouttes semblables à des perles. Les jours vraiment extraordinaires – ceux-là étaient très, très rares –, leurs parents viendraient également. Leur père s'entraînerait à la brasse et au crawl, et s'il était de bonne humeur, il porterait Hannah au-dessus de sa tête, la maintenant tandis qu'elle battrait des pieds. Leur mère, à l'ombre d'un énorme chapeau de soleil, lèverait les yeux de son *New Yorker* quand Hannah regagnerait sa serviette, et la laisserait se blottir doucement contre son épaule pour regarder les bandes dessinées. Ces choses ne se produisaient qu'au lac.

Mais ils n'y retourneront pas cet été ; ils n'y retourneront jamais. Elle le sait sans avoir à demander. Son père a passé les trois dernières semaines dans son bureau, bien que l'université ait offert de prendre quelqu'un d'autre pour le remplacer. Sa mère est restée des heures dans la chambre de Lydia, regardant indéfiniment chaque chose sans jamais rien toucher. Nath erre dans la maison comme un lion en cage, ouvrant et fermant des placards, soulevant livre après livre puis les balançant par terre. Hannah ne dit pas un mot. Telles sont les nouvelles règles, que personne n'a édictées mais qu'elle connaît déjà : ne pas parler de Lydia. Ne pas parler du lac. Ne pas poser de questions.

Elle reste un long moment immobile, s'imaginant sa sœur au fond du lac. Son visage devait être tourné vers le haut, comme ça, observant l'eau par en dessous. Ses bras devaient être écartés, comme ça, comme si elle embrassait le monde entier. Elle devait écouter et écouter, attendant qu'on la trouve. *On ne savait pas*, songe Hannah. *Sinon, on serait venus.*

Ça ne sert à rien. Elle ne comprend toujours pas.

De retour à la maison, Hannah se rend sur la pointe des pieds dans la chambre de Lydia et ferme la porte. Elle soulève le cache-sommier et tire la fine boîte en velours qui est dissimulée sous le lit. Sous la tente formée par la couverture de Lydia, elle ouvre la boîte et en sort un médaillon argenté. Leur père l'a offert à Lydia pour son anniversaire, mais elle l'a remisé sous le lit, laissant le velours se couvrir de poussière.

Le collier est désormais cassé, mais, de toute manière, Hannah a promis à Lydia qu'elle ne le mettrait jamais, et elle ne trahit pas les promesses faites à ceux qu'elle aime. Même s'ils ne sont plus en vie. À la place, elle frotte la fine chaîne entre ses doigts comme un rosaire. Le lit a l'odeur de sa sœur en train de dormir : une odeur chaude, musquée, puissante – comme un animal sauvage – qu'elle ne dégageait que quand elle était dans un profond sommeil. Elle sent presque l'empreinte du corps de sa sœur sur le matelas, l'enveloppant dans une étreinte. Le matin, quand la lumière du soleil entre par la fenêtre, elle refait le lit, remet le médaillon en place, et retourne dans sa chambre. Sans réfléchir, elle sait qu'elle recommencera cette nuit, et la suivante, et celle d'après, lissant la couverture à son réveil, enjambant précautionneusement les chaussures et les vêtements éparpillés lorsqu'elle regagnera la porte.

Au petit déjeuner, Nath descend et trouve ses parents en pleine dispute. Il s'arrête dans le couloir, juste avant la cuisine.

« Ouverte toute la nuit, s'exclame sa mère, et tu t'en moques.

— Elle n'était pas ouverte. Le verrou était mis. »

Au ton tranchant de la voix de son père, il devine que cette conversation dure depuis un moment.

« Quelqu'un aurait pu entrer. J'ai mis cette chaîne pour une raison. »

Nath marche sur la pointe des pieds jusqu'à la porte, mais ses parents – Marilyn penchée au-dessus de l'évier, James voûté sur une chaise – ne lèvent pas les yeux. À l'autre bout de la table, Hannah se tortille devant son toast et son lait. *Je suis désolée*, pense-t-elle aussi fort qu'elle peut. *J'ai oublié la chaîne. Je suis désolée je suis désolée.* Ses parents ne remarquent rien. D'ailleurs, ils font comme si elle n'était même pas là.

Silence pendant un long moment. Puis James dit : « Tu crois vraiment qu'une chaîne sur une porte aurait changé quoi que ce soit ? »

Marilyn repose bruyamment sa tasse de thé sur la paillasse.

« Elle ne serait jamais sortie toute seule. Je le sais. Faire le mur en pleine nuit ? Ma Lydia ? Jamais. » Elle serre la porcelaine à deux mains. « Quelqu'un l'a emmenée là-bas. Un cinglé. »

James pousse un profond soupir tremblotant, comme s'il peinait à soulever un objet très lourd. Ça fait trois semaines que Marilyn dit ce genre de chose. Le lendemain de l'enterrement, il s'est réveillé juste après le lever du soleil, et tout lui est brusquement revenu – le cercueil brillant, la peau de Louisa collée à la sienne, le petit gémissement qu'elle a poussé quand il a grimpé sur elle –, et il s'est soudain senti sale, comme s'il était couvert de boue. Il s'est fait couler une douche chaude, si chaude qu'il ne pouvait se tenir dessous sans tourner sur lui-même, comme une bête embrochée, offrant sans cesse au jet fumant un nouveau pan de sa peau. Mais ça n'a servi à rien. Et quand il est sorti de la salle de bains, un léger grattement l'a attiré jusqu'au bas des marches, où Marilyn était en train d'installer la chaîne sur la porte de la maison.

Il aurait voulu dire ce qu'il pensait de plus en plus depuis quelques jours : ce qui était arrivé à Lydia n'était pas un malheur dont ils auraient pu la protéger en mettant un verrou à la porte. Mais l'expression sur le visage de Marilyn l'en a empêché : triste, effrayée, mais aussi en colère, comme s'il était en partie responsable. Pendant un instant, elle a semblé différente, une inconnue. Il a brusquement ravalé sa salive et touché son col, le boutonnant sur son cou.

« Bon, a-t-il annoncé, je vais à l'université. Mon cours d'été. »

Quand il s'est penché pour l'embrasser, elle a tressailli, comme si sa peau était brûlante. Sur le perron, le livreur avait déposé un journal. *Une famille de la ville enterre sa fille.*

Il le conserve toujours, enfermé dans le tiroir inférieur de son bureau. *Comme elle était l'un des deux seuls élèves orientaux du lycée de Middlewood – l'autre étant son frère, Nathan –, Lee se démarquait dans les couloirs. Cependant, rares étaient ceux qui semblaient bien la connaître.* Chaque jour, il y a de nouveaux articles : un décès fait toujours sensation dans une petite ville, mais la mort d'une jeune fille est une mine d'or pour la presse. *La police continue de chercher des indices sur la mort de l'adolescente. Le suicide est une possibilité à envisager, affirment les enquêteurs.* Chaque fois qu'il voit un article, il plie le journal en deux, comme s'il enveloppait quelque chose de pourri, avant que Marilyn ou les enfants ne le voient. Ce n'est que dans le refuge de son bureau qu'il le déplie pour le lire attentivement. Puis il l'ajoute à la pile grandissante dans le tiroir fermé à clé.

Il incline maintenant la tête.

« Je ne crois pas que ce soit ce qui est arrivé.

— Qu'est-ce que tu suggères ? » demande Marilyn, irritée.

Mais avant que James ait le temps de répondre, on sonne à la porte. C'est la police, et quand les deux agents pénètrent dans la cuisine, Nath et Hannah poussent simultanément un soupir. Au moins, leurs parents vont cesser de se disputer.

« Nous voulions juste vous tenir au courant », dit le plus âgé – l'agent Fiske, se souvient Nath. Il tire un carnet de sa poche et remonte ses lunettes sur son nez d'un doigt trapu. « Tout le monde au poste vous adresse ses condoléances. Nous voulons juste découvrir ce qui s'est passé.

— Bien entendu, murmure James.

— Nous avons parlé aux personnes sur votre liste. » L'agent Fiske consulte son carnet. « Karen Adler, Pam Saunders, Shelley Brierley – elles disent toutes qu'elles la connaissaient à peine. »

Hannah voit une rougeur se répandre sur le visage de son père, comme de l'urticaire.

« Nous avons aussi parlé à plusieurs de ses camarades de classe, ainsi qu'à ses professeurs. D'après ce que nous savons, elle n'avait pas beaucoup d'amis. » L'agent Fiske relève les yeux. « Diriez-vous que Lydia était une jeune fille solitaire ?

— Solitaire ? »

James jette un coup d'œil à sa femme, puis – pour la première fois de la matinée – à son fils. *Comme elle était l'un des deux seuls élèves orientaux du lycée de Middlewood – l'autre étant son frère, Nathan –, Lee se démarquait dans les couloirs.* Il connaît cette sensation : tous ces visages, pâles comme du poisson, qui vous observent en silence. Il a essayé de se dire que Lydia était différente, que grâce à toutes ses amies elle se fondait dans la masse.

« Solitaire, répète-t-il lentement. Elle passait en effet beaucoup de temps seule.

— Elle était tellement occupée, interrompt Marilyn. Elle travaillait très dur au lycée. Beaucoup de devoirs à faire. Beaucoup de temps passé à étudier. »

Elle regarde d'un air sérieux un policier, puis l'autre, comme si elle craignait qu'ils ne la croient pas.

« Elle était très intelligente.

— Est-ce qu'elle vous a paru triste les dernières semaines ? demande le plus jeune des agents. Est-ce qu'elle a montré le moindre signe qu'elle pourrait vouloir se faire du mal ? Ou… »

Marilyn n'attend pas qu'il ait fini.

« Lydia était très heureuse. Elle adorait le lycée. Elle aurait pu faire n'importe quoi. Elle ne serait jamais partie seule sur cette barque. » Ses mains se mettent à s'agiter, et elle agrippe de nouveau sa tasse pour contrôler ses tremblements – si fort que Hannah craint qu'elle ne la brise en morceaux. « Pourquoi vous ne cherchez pas la personne qui l'a emmenée là-bas ?

— Rien n'indique qu'il y ait eu quelqu'un d'autre avec elle dans la barque, déclare l'agent Fiske. Ou sur le ponton.

— Qu'est-ce que vous en savez ? insiste Marilyn. Ma Lydia ne serait jamais partie seule sur cette barque. »

Du thé se renverse sur la paillasse.

« On ne sait jamais, de nos jours, qui nous attend au coin de la rue.

— Marilyn, interrompt James.

— Lis le journal ! Il y a des cinglés partout, qui

kidnappent les gens, qui leur tirent dessus. Qui les violent. Qu'est-ce qu'il faut pour que la police se lance à leur recherche ?

— Marilyn, répète James, plus fort cette fois.

— Nous examinons toutes les possibilités, dit doucement l'agent Fiske.

— On le sait, répond James. Vous faites tout ce que vous pouvez. Merci. » Il lance un coup d'œil à Marilyn. « On ne peut pas vous en demander plus. »

Marilyn ouvre de nouveau la bouche, puis la referme sans un mot.

Les policiers échangent un regard. Puis le plus jeune déclare : « Nous aimerions poser quelques questions supplémentaires à Nathan, si ça ne vous ennuie pas. Seul. »

Cinq visages se tournent vers Nathan, et ses joues deviennent brûlantes.

« Moi ?

— Juste quelques vérifications », explique l'agent Fiske. Il pose la main sur l'épaule de Nath. « Peut-être que nous pourrions sortir sur le porche. »

Quand l'agent Fiske a refermé la porte derrière eux, Nath s'appuie sur la rambarde. Sous ses paumes, quelques éclats de peinture se détachent et tombent lentement par terre. Il a résisté à l'envie d'appeler lui-même la police pour leur parler de Jack et leur dire qu'il doit être responsable. Dans une autre ville, ou à une autre époque, ils partageraient peut-être déjà ses soupçons. Ou si Lydia avait été différente : une Shelley Brierley, une Pam Saunders, une Karen Adler, une adolescente normale, une fille qu'ils auraient comprise. La police se serait peut-être plus penchée sur le cas de Jack, mettant bout à bout une série de petites plaintes :

des professeurs dénonçant ses graffitis sur les tables et ses remarques insolentes, d'autres frères prenant ombrage de ses libertés avec leur sœur. Ils auraient peut-être écouté les accusations de Nath – *après l'école tous les jours pendant tout le printemps* – et auraient pu aboutir aux mêmes conclusions que lui. Une fille et un garçon, tout ce temps ensemble, seuls – il ne serait pas très difficile de comprendre, après tout, pourquoi Nath s'intéressait tant à Jack, et avec autant d'amertume. Comme lui, ils auraient pu trouver dans tout ce que Jack avait dit ou fait des raisons de le soupçonner.

Mais ils ne le feront pas. Ça compliquerait l'histoire, et l'histoire – telle qu'elle est racontée par les professeurs et les élèves – est tellement évidente. Le silence de Lydia, son caractère solitaire. Ses notes qui ont récemment chuté. Et, à vrai dire, l'*étrangeté* de sa famille. Une famille sans amis, une famille marginale. Tout cela est si lumineux que, aux yeux de la police, Jack s'enfonce dans l'ombre. Une fille comme ça et un garçon comme lui, qui peut avoir – qui a – toutes les filles qu'il veut ? Il leur est impossible d'imaginer ce que Nath sait avec certitude, encore moins ce qu'il s'imagine. À ses hommes, l'agent Fiske explique : « Quand vous entendez un bruit de sabots, pensez à un cheval, pas à un zèbre. » Nath, auraient-ils dit, est simplement hystérique. Il entend des zèbres partout. Et maintenant qu'il est face à la police, Nath voit bien qu'il est inutile de mentionner Jack : ils ont déjà décidé qui est responsable.

L'agent Fiske s'appuie également à la rambarde.

« On veut juste discuter un peu, Nathan, en privé. Peut-être que tu te rappelleras quelque chose. Parfois, les frères et sœurs savent des trucs l'un sur l'autre que les parents ignorent, tu sais ? »

Nath tente de dire qu'il est d'accord, mais rien ne sort. Il acquiesce. Aujourd'hui, se souvient-il soudain, il aurait dû aller à la remise des diplômes.

« Lydia avait-elle l'habitude de faire le mur ? questionne le policier. Inutile de t'inquiéter. Tu ne risques rien. Dis-nous juste ce que tu sais. »

Il n'arrête pas de dire *juste*, comme si c'était une minuscule faveur qu'il demandait, un petit quelque chose sans importance. Parle-nous. Raconte-nous tes secrets. Dis-nous tout. Nath se met à trembler. Il est certain que les agents s'en rendent compte.

« Est-ce qu'elle était déjà sortie seule le soir ? » demande le plus jeune.

Nath ravale sa salive, tente de se tenir immobile.

« Non, répond-il d'une voix rauque. Non, jamais. »

Les policiers échangent un coup d'œil. Puis le plus jeune s'appuie sur la rambarde à côté de Nath, tel un gamin adossé à un casier avant les cours, comme s'ils étaient amis. C'est son rôle, comprend Nath. De se comporter comme le copain, de l'amadouer pour le faire parler. Ses chaussures sont tellement cirées qu'elles reflètent le soleil, une tache de lumière floue sur chaque gros orteil.

« Est-ce que Lydia s'entendait bien avec vos parents ? »

Le policier change de position, et la rambarde grince.

Peut-être que tu devrais toi aussi t'inscrire à des clubs, ma chérie, rencontrer de nouvelles personnes. Tu aimerais suivre un cours d'été ? Ça pourrait être amusant.

« Nos parents ? » répète Nath. Il reconnaît à peine sa voix.

« Bien sûr que oui.

— Est-ce que tu as déjà vu l'un d'eux la frapper ?

— La frapper ? »

Lydia, tellement bichonnée, tellement dorlotée, comme une fleur de concours. Celle à qui sa mère pensait constamment, même quand elle lisait, cornant les pages où figuraient des articles qui auraient pu plaire à sa fille. Celle que son père embrassait en premier, chaque soir, quand il rentrait à la maison.

« Mes parents n'auraient jamais frappé Lydia. Ils l'*adoraient*.

— Est-ce qu'il lui est arrivé de parler de se faire du mal ? »

La rambarde devient floue. Tout ce qu'il parvient à faire, c'est secouer la tête avec véhémence. Non. Non. Non.

« Est-ce qu'elle semblait contrariée le soir qui a précédé sa disparition ? »

Nath essaie de réfléchir. Il voulait lui parler de l'université, des somptueuses feuilles vertes qui se détachaient sur les briques d'un rouge profond, lui dire que ça allait être génial. Que pour la première fois de sa vie il avait redressé la tête, que vu sous cet angle nouveau le monde avait semblé plus grand, plus large, plus lumineux. Sauf qu'elle est restée silencieuse pendant tout le dîner, et après elle est remontée directement dans sa chambre. Il a cru qu'elle était fatiguée. Il a pensé : *Je lui raconterai demain.*

Et soudain, à son horreur, il se met à pleurer : des larmes humides, confuses, qui dégoulinent le long de son nez et tombent dans le col de sa chemise.

Les deux policiers se détournent alors, et l'agent Fiske referme son carnet et tire un mouchoir de sa poche.

« Garde-le », dit-il en le tendant à Nath, puis il lui serre une nouvelle fois l'épaule, fort, et ils s'en vont.

À l'intérieur, Marilyn s'adresse à James :

« Donc je dois demander ta permission, maintenant, pour parler en public ?

— Ce n'est pas ce que je voulais dire. »

James appuie ses coudes sur la table et pose son front dans ses mains.

« Tu ne peux pas émettre des accusations insensées. Tu ne peux pas t'en prendre à la police.

— Qui s'en prend à qui ? Je pose simplement des questions. »

Marilyn dépose sa tasse dans l'évier et fait couler de l'eau. Une mousse savonneuse furieuse s'élève de la canalisation.

« Examiner toutes les possibilités ? Il n'a même pas écouté quand j'ai dit que ça pouvait être un inconnu.

— Parce que tu as un comportement hystérique. Tu entends quelque chose aux informations et tu te mets toutes ces idées en tête. Laisse faire. » James n'a toujours pas relevé la tête de ses mains. « Marilyn, laisse faire. »

Dans le bref silence qui s'ensuit, Hannah se glisse sous la table et se tasse sur elle-même, serrant ses genoux contre son torse. La nappe projette une ombre en demi-lune sur le lino. Tant qu'elle reste dans l'ombre, pense-t-elle, recroquevillant ses orteils, ses parents oublieront qu'elle est là. Elle ne les a jamais entendus se disputer jusqu'alors. Parfois ils se chamaillent pour savoir qui a oublié de reboucher le tube de dentifrice, ou qui a laissé la lumière allumée dans la cuisine toute la nuit, mais ensuite sa mère saisit la main de son père, ou alors son père embrasse sa mère sur la joue, et tout redevient normal. Mais cette fois, c'est différent.

« Donc, je suis juste une femme au foyer hystérique ? » La voix de Marilyn est désormais froide et tranchante, comme le fil d'une lame d'acier, et sous la table Hannah retient son souffle. « Eh bien, quelqu'un est responsable. Et si je dois trouver moi-même ce qui lui est arrivé, je le ferai. » Elle frotte la paillasse avec un torchon et le jette par terre. « J'aurais cru que toi aussi tu voulais savoir. Mais écoute-toi. *Bien sûr, monsieur l'agent. Merci, monsieur l'agent. On ne peut pas vous en demander plus, monsieur l'agent.* » La mousse s'écoule lentement dans la canalisation. « Je suis capable de penser toute seule, tu sais. Contrairement à d'autres, je ne veux pas simplement faire des courbettes devant la police. »

Dans la brume de sa fureur, Marilyn ne réfléchit pas à ce qu'elle dit. Mais pour James, ses paroles sont comme une balle qui jaillit de la bouche de sa femme et se loge profondément dans sa poitrine. De ces deux syllabes – *courbettes* – explose une vision de coolies avec des chapeaux coniques, de Chinois nattés aux mains crasseuses. Aux yeux plissés et serviles. L'échine courbée et méprisés. Il soupçonne depuis longtemps que tout le monde le voit ainsi – Stanley Hewitt, les policiers, la caissière à l'épicerie. Mais il n'avait jamais pensé que *tout le monde* incluait Marilyn.

Il laisse tomber sa serviette froissée devant lui et

écarte sa chaise de la table en la faisant crisser sur le sol.

« J'ai un cours à dix heures », dit-il.

Sous le bord de la nappe, Hannah voit les pieds en chaussettes de son père – un trou minuscule commence à se former sur un talon – battre en retraite vers l'escalier du garage. Il s'arrête le temps d'enfiler ses chaussures, et, un instant plus tard, la porte du garage s'ouvre bruyamment. Puis, alors que la voiture démarre, Marilyn attrape la tasse dans l'évier et la jette violemment par terre. Des éclats de porcelaine roulent sur le sol. Hannah reste absolument immobile tandis que sa mère court à l'étage et claque la porte de sa chambre, et que la voiture de son père quitte l'allée en marche arrière en produisant un petit gémissement, puis s'éloigne en vrombissant. Ce n'est que quand tout est parfaitement silencieux qu'elle ose sortir à quatre pattes de sous la nappe et ramasser les fragments de porcelaine dans la flaque d'eau savonneuse.

La porte d'entrée s'ouvre en grinçant, et Nath réapparaît dans la cuisine, les yeux et le nez rougis. Elle en déduit qu'il a pleuré, mais fait mine de ne rien remarquer et garde la tête baissée, entassant un à un les morceaux de tasse dans sa paume.

« Qu'est-ce qui s'est passé ?

— Papa et maman se sont disputés. »

Elle jette la tasse cassée dans la poubelle et essuie ses mains humides sur les cuisses de son pantalon à pattes d'éléphant. L'eau, décide-t-elle, séchera toute seule.

« Une dispute ? À propos de quoi ? »

Hannah baisse la voix jusqu'à ce que ce ne soit plus qu'un murmure.

« Je ne sais pas. » Même s'il n'y a pas un bruit dans la chambre de leurs parents au-dessus, elle est nerveuse. « Sortons. »

Dehors, sans se concerter, Nath et elle se dirigent vers le même endroit : le lac. Tout en marchant, elle scrute minutieusement la rue, comme si leur père risquait d'être encore dans les parages, prêt à rentrer à la maison. Mais elle ne voit rien que quelques voitures stationnées.

L'intuition de Hannah, cependant, est bonne. En quittant l'allée, James aussi a été attiré par le lac. Il en a fait le tour, une fois, deux fois, les paroles de Marilyn résonnant dans sa tête. *Des courbettes devant la police.* Il l'entend encore et encore, le dégoût dans sa voix, le mépris qu'il lui a inspiré. Et il ne peut pas lui en vouloir. Comment Lydia aurait-elle pu être heureuse ? *Lee se démarquait dans les couloirs. Rares étaient ceux qui semblaient bien la connaître. Le suicide est une possibilité à envisager.* Il passe devant le ponton où Lydia a dû monter dans la barque. Puis leur petite impasse. Puis de nouveau le ponton. Quelque part au centre de ce cercle, sa fille, sans amis et seule, a dû plonger dans l'eau de désespoir. *Lydia était très heureuse*, a dit Marilyn. *Quelqu'un est responsable.* Quelqu'un, songe James, et une longue pointe semble s'enfoncer dans sa gorge. Il ne supporte plus de voir le lac. Et alors, il sait où il veut être.

Il a tellement répété dans sa tête ce qu'il va dire à Louisa ce matin qu'il s'est réveillé avec ces paroles sur les lèvres : *C'était une erreur. J'aime ma femme. Ça ne doit jamais se reproduire.* Mais maintenant, quand elle ouvre la porte, ce qui sort de sa bouche, c'est : « S'il vous plaît. » Et Louisa, doucement, généreusement, miraculeusement, entrouvre les bras.

Dans le lit de Louisa, il ne peut s'empêcher de réfléchir – à Lydia, aux gros titres, au lac. À ce que Marilyn doit faire à la maison. À qui est *responsable*. Il se concentre sur la courbure du dos de Louisa et la soie pâle de ses cuisses, et la cascade sombre de ses cheveux qui effleurent son visage encore et encore et encore. Par la suite, Louisa l'entoure de ses bras par-derrière, comme si c'était un enfant, et elle dit : « Restez. » Et c'est ce qu'il fait.

Marilyn, elle, tourne en rond dans la chambre de Lydia, frémissante de rage. Ce que pense la police est évident, avec tous leurs sous-entendus : *Rien n'indique qu'il y ait eu quelqu'un d'autre avec elle dans la barque. Diriez-vous que Lydia était une jeune fille solitaire ?* Il est également évident que James est d'accord. Mais sa fille ne pouvait pas être si malheureuse. Sa Lydia, toujours souriante, toujours à essayer de faire plaisir ? *Bien sûr, maman. J'adorerais, maman.* Dire qu'elle aurait pu se faire une telle chose – non, elle les aimait trop pour ça. Chaque soir sans exception, avant d'aller se coucher, elle allait trouver Marilyn où qu'elle soit – dans la cuisine, dans le bureau, dans la buanderie – et la regardait droit dans les yeux : *Je t'aime, maman. À demain.* Même le dernier soir, elle l'a dit – *À demain* –, et Marilyn lui a donné une rapide étreinte et un petit bisou sur l'épaule, et elle a répondu : « Dépêche-toi, maintenant, il est tard. » À cette idée, Marilyn se laisse tomber sur le tapis. Si elle avait su, elle aurait tenu Lydia un peu plus longtemps. Elle l'aurait embrassée.

Elle aurait pris sa fille dans ses bras et ne l'aurait jamais laissée partir.

Le cartable de Lydia est avachi contre son bureau, là où la police l'a posé après l'avoir fouillé, et Marilyn le tire sur ses genoux. Il sent la gomme, les copeaux de crayon, les chewing-gums à la menthe. Entre ses bras, les livres et les classeurs bougent sous la toile comme des os sous la peau. Elle serre le sac, passant les bandoulières autour de ses épaules, laissant son poids l'étreindre.

Alors, dans la poche avant à demi fermée, elle aperçoit quelque chose : un éclair de rouge et de blanc. Cachée sous la trousse de Lydia et un paquet de fiches, il y a une fente dans la doublure du sac. Une déchirure, suffisamment petite pour échapper aux policiers, conçue pour échapper à un œil plus perçant encore : celui d'une mère. Marilyn glisse la main à l'intérieur et en tire un paquet de Marlboro entamé. Et, en dessous, elle trouve autre chose : une boîte de préservatifs ouverte.

Elle les lâche tous les deux, comme si elle avait découvert un serpent, et pousse de ses cuisses le cartable qui heurte bruyamment le sol. Ça doit appartenir à quelqu'un d'autre, pense-t-elle. Ça ne peut pas être à Lydia. Sa Lydia ne fumait pas. Quant aux préservatifs…

Au fond d'elle-même, Marilyn n'arrive pas à se convaincre totalement. Le premier après-midi, la police a demandé : « Lydia a-t-elle un petit ami ? », et elle a répondu, sans hésitation : « Elle a à peine seize ans. » Maintenant, elle regarde les deux petites boîtes prises dans le hamac de sa jupe, et le contour de la vie de Lydia – si net et clair auparavant – commence à devenir flou. Étourdie, elle appuie sa tête contre le bord du bureau. Elle découvrira tout ce qu'elle ne sait pas. Elle continuera de chercher jusqu'à comprendre comment ça a pu arriver, jusqu'à comprendre complètement sa fille.

Au lac, Nath et Hannah s'assoient sur l'herbe et regardent l'eau en silence, chacun espérant la même illumination. Un jour d'été normal, au moins une demi-douzaine d'enfants barboteraient dans l'eau ou sauteraient du ponton, mais, aujourd'hui, le lac est désert. Peut-être qu'ils ont peur de nager, maintenant, songe Nath. Qu'arrive-t-il aux corps dans l'eau ? Est-ce qu'ils se décomposent comme des comprimés ? Il n'en sait rien, et tandis qu'il contemple les diverses possibilités, il est heureux que son père n'ait autorisé personne à voir le cadavre de Lydia.

Il regarde au-dessus du lac, laissant le temps s'écouler. Ce n'est que quand Hannah se redresse et envoie un signe de la main à quelqu'un qu'il émerge de sa torpeur, son attention se portant lentement sur la rue : Jack, vêtu d'un tee-shirt bleu délavé et d'un jean, rentrant de la remise des diplômes avec une robe enroulée autour du bras – comme si c'était un jour ordinaire. Nath ne l'a pas vu depuis l'enterrement, bien qu'il espionne sa maison deux ou trois fois par jour. Quand Jack l'aperçoit, son expression change. Il détourne les yeux, rapidement, comme s'il ne les avait pas vus, et accélère le pas. Nath se hisse sur ses pieds.

« Où tu vas ?

— Parler à Jack. »

En vérité, il ne sait pas ce qu'il va lui dire. Il ne s'est jamais battu de sa vie – il est plus maigre et plus petit que la plupart des garçons de sa classe – mais s'imagine vaguement attrapant Jack par l'avant de son tee-shirt et le plaquant contre un mur, et Jack admettant soudain sa culpabilité. *C'était ma faute : je l'ai appâtée, je l'ai persuadée, je l'ai tentée, je l'ai déçue.* Hannah se précipite en avant et agrippe son poignet.

« Ne fais pas ça.

— C'est à cause de lui, dit Nath. Elle n'était jamais allée se promener au milieu de la nuit avant qu'il arrive. »

Hannah tire sur son bras, le forçant à s'agenouiller, et Jack, courant désormais presque avec sa robe bleue de remise des diplômes qui volette derrière lui, atteint leur rue. Il leur lance un coup d'œil par-dessus son épaule, avec une peur évidente lorsque ses yeux se posent sur Nath, puis il détourne rapidement le regard. Il tourne alors à l'angle et disparaît. Dans quelques secondes, Nath le sait, Jack gravira les marches de son porche et ouvrira la porte, et il sera hors d'atteinte. Il essaie de se dégager, mais les ongles de Hannah s'enfoncent dans sa peau. Il ne savait pas qu'une enfant pouvait avoir autant de force.

« Lâche-moi… »

Ils retombent tous les deux dans l'herbe, et finalement Hannah le libère. Nath se redresse lentement et s'assied, à bout de souffle. Maintenant, songe-t-il, Jack est à l'abri chez lui. Même s'il sonnait et cognait à la porte, jamais il ne sortirait.

« Pourquoi tu as fait ça ? »

D'une main, Hannah ôte une feuille morte de ses cheveux.

« Ne te bats pas avec lui, s'il te plaît.

— Tu es folle. »

Nath masse son poignet, où les doigts de Hannah ont laissé cinq marques rouges. L'une d'elles a commencé à saigner.

« Bon sang. Tout ce que je voulais, c'était lui parler.

— Pourquoi tu lui en veux autant ? »

Nath soupire.

« Tu as vu comme il était bizarre à l'enterrement. Et à l'instant. Comme s'il craignait que je découvre quelque chose. » Sa voix retombe. « Je sais qu'il est mêlé à tout ça. Je le sens. » Il se malaxe le torse du poing, juste sous la gorge, et des pensées qu'il n'a jamais exprimées font difficilement surface. « Tu sais, un jour Lydia est tombée dans le lac, quand on était petits. »

Le bout de ses doigts se met à trembler, comme s'il avait prononcé quelque chose de tabou.

« Je ne m'en souviens pas, dit Hannah.

— Tu n'étais pas encore née. Je n'avais que sept ans. »

Hannah, à sa grande surprise, vient s'asseoir à côté de lui. Doucement, elle pose la main sur son bras, à l'endroit où elle l'a griffé, et penche la tête contre lui. Elle n'a jamais osé s'asseoir aussi près de Nath jusqu'alors ; lui, Lydia, leur mère et leur père sont trop prompts à l'ignorer ou à la repousser. *Hannah, je suis occupé. Je suis en train de faire quelque chose. Laisse-moi tranquille.* Cette fois – elle retient son souffle –, Nath la laisse faire. Même s'il ne dit plus rien, le silence de Hannah lui indique qu'elle l'écoute.

6

L'été où Lydia est tombée dans le lac, l'été où Marilyn a disparu : tous ont essayé de l'oublier. Ils n'en ont pas parlé ; ils ne l'ont jamais évoqué. Mais il est resté, comme une mauvaise odeur. Il les a tellement imprégnés qu'il n'a jamais pu être effacé.

Chaque matin, James appelait la police. Avaient-ils besoin d'autres photos de Marilyn ? Pouvait-il leur donner des informations ? Y avait-il des gens qu'il pouvait appeler ? À la mi-mai, alors que Marilyn était partie depuis deux semaines, l'agent chargé du dossier lui a dit, gentiment : « Monsieur Lee, nous vous remercions pour toute l'aide que vous nous avez apportée. Et nous continuons de chercher sa voiture. Mais je ne peux pas vous promettre que nous trouverons quoi que ce soit. Votre femme a emporté des vêtements. Elle a fait ses valises. Elle a pris ses clés. » L'agent Fiske détestait donner de faux espoirs. « Ce genre de chose se produit de temps en temps. Parfois les gens sont juste trop différents. » Il n'a pas dit *mélangés*, ou *interraciaux*, ou *mal assortis*, mais il n'en avait pas besoin. James entendait tout de même ces mots, et il se rappellerait très clairement l'agent Fiske, une décennie plus tard.

Aux enfants, il racontait : « Les policiers cherchent. Ils vont la retrouver. Elle va bientôt rentrer. »

Lydia et Nath s'en rappelleraient ainsi : les semaines passaient et leur mère était toujours *partie*. Pendant la récréation, les autres élèves murmuraient et les enseignants leur adressaient des regards pleins de pitié, et ce fut un soulagement quand l'année scolaire s'acheva enfin. Après ça, leur père restait dans son bureau et les laissait regarder la télévision toute la journée, de *Super-Souris* et *Underdog* le matin à *I've Got a Secret* tard le soir. Quand Lydia lui demanda un jour ce qu'il faisait dans le bureau, il soupira et répondit : « Oh, je tourne en rond. » Elle se l'imagina portant des chaussures souples en caoutchouc et faisant des petits pas sur le sol lisse : ploc, ploc, ploc. « Ça veut dire lire des livres et tout, imbécile », expliqua Nath, et les chaussures souples en caoutchouc redevinrent les banales chaussures marron de son père avec les lacets effilochés.

Ce que James faisait, chaque matin, c'était tirer une petite enveloppe de sa poche de poitrine. Après que les policiers furent repartis le premier soir avec une photo de Marilyn en l'assurant qu'ils feraient tout leur possible, après qu'il eut soulevé les enfants et les eut mis au lit tout habillés, il avait remarqué les morceaux de papier déchirés dans la corbeille de la chambre. Un à un, il les avait récupérés parmi les boules de coton, les vieux journaux, les mouchoirs en papier tachés du rouge à lèvres de sa femme. Il avait reconstitué le puzzle sur la table de la cuisine, faisant correspondre les bords déchirés. *J'ai toujours eu un type de vie en tête, et les choses se sont passées très différemment.* La moitié inférieure de la feuille était vierge, mais il ne s'était arrêté que lorsque chaque fragment avait été à sa place. Elle n'avait même pas signé le mot.

Il l'avait lu encore et encore, regardant les minuscules craquelures du grain du bois entre les morceaux blancs, jusqu'à ce que le ciel au-dehors passe du bleu marine au gris. Puis il avait glissé les bouts de papier dans une enveloppe. Chaque jour – même s'il se promettait que *cette fois* serait la dernière –, il installait Nath et Lydia devant la télévision, fermait à clé la porte de son bureau, et ressortait le mot déchiré. Il le lisait pendant que les enfants passaient des dessins animés aux feuilletons puis aux jeux, pendant qu'ils étaient affalés, la mine sérieuse, devant *Ma sorcière bien-aimée, Let's Make a Deal* et *To Tell the Truth*, pendant que – malgré les coups de théâtre de Johnny Carson – ils sombraient dans le sommeil.

Quand ils s'étaient mariés, Marilyn et lui avaient accepté d'oublier le passé. Ils commenceraient une nouvelle vie ensemble, tous les deux, sans regarder en arrière. Maintenant que Marilyn était partie, James trahissait constamment ce pacte. Chaque fois qu'il lisait le mot, il pensait à Doris, qui ne l'avait jamais appelé par son nom, mais faisait seulement indirectement référence à lui quand elle s'adressait à Marilyn en disant *ton fiancé*. Dont il avait entendu la voix, le jour de leur mariage, se répercutant sur le marbre du palais de justice comme une annonce sur une sono, si forte que les têtes s'étaient tournées : *Ce n'est pas bien, Marilyn. Tu sais que ce n'est pas bien.* Qui aurait voulu que sa fille épouse quelqu'un *qui lui ressemble plus*. Qui ne les avait jamais rappelés après leur mariage. Tout ça avait dû revenir à Marilyn quand elle avait mangé à la table de sa mère et dormi dans son lit : elle avait commis une erreur en l'épousant. Sa mère avait eu raison dès le début. *Ça fait longtemps que je ressens ça, mais maintenant, après être retournée chez ma mère, je pense à elle et ne peux plus mettre mes sentiments de côté.* À la maternelle, il avait appris à faire en sorte qu'un bleu ne fasse plus mal : il suffisait d'appuyer dessus encore et encore avec son pouce. La première fois, ça faisait tellement mal que les larmes vous montaient aux yeux. La deuxième fois, ça faisait un peu moins mal. La dixième fois, vous ne sentiez presque plus rien. Alors, il relisait le mot encore et encore. Il se rappelait tout ce qu'il pouvait : Marilyn agenouillée pour lacer la tennis de Nath ; Marilyn levant son col pour y glisser les baleines. Marilyn telle qu'elle était le premier jour dans son bureau : svelte, sérieuse, tellement concentrée qu'elle n'avait pas osé le regarder droit dans les yeux.

Mais ça faisait toujours mal. Et les larmes lui montaient toujours aux yeux.

Lorsque, en fin de soirée, les programmes s'achevaient et que retentissait l'hymne national, il glissait les morceaux du mot de Marilyn dans l'enveloppe, puis la replaçait dans sa poche de chemise. Après quoi, il se rendait sur la pointe des pieds au salon, où les enfants étaient pelotonnés ensemble par terre auprès du canapé, illuminés par la mire de la télévision. L'Indien en haut de l'écran lançait un regard noir pendant qu'il portait d'abord Lydia, puis Nath au lit. Ensuite – puisque sans Marilyn le lit semblait trop vide, comme un plateau désert –, il retournait au salon, s'enroulant dans une vieille couverture au crochet sur le canapé et observant les cercles dans le poste jusqu'à ce que le signal soit coupé. Et le lendemain, tout recommençait.

Chaque matin, en se réveillant dans leur lit, Lydia et Nath se demandaient pendant un bref moment si les choses étaient rentrées dans l'ordre : peut-être qu'en pénétrant dans la cuisine ils trouveraient leur mère à la gazinière, les attendant avec son amour et ses baisers et des œufs durs. Ni l'un ni l'autre ne mentionnaient jamais ce précieux espoir, mais chaque jour, quand ils se retrouvaient dans la cuisine et ne voyaient personne d'autre que leur père en pyjama froissé posant deux bols vides sur la table, ils se regardaient et savaient. Toujours *partie*.

Ils essayaient de rester occupés, échangeant les guimauves de leurs céréales pour faire durer le petit déjeuner aussi longtemps que possible : une rose contre une orange, deux jaunes contre une verte. Au déjeuner, leur père leur préparait des sandwichs mais ne les réussissait jamais – pas assez de beurre de cacahuète, ou pas assez de gelée, ou coupés en carrés au lieu des triangles privilégiés par leur mère. Lydia et Nath, faisant soudain preuve de tact, ne disaient rien, même quand, au dîner, il y avait encore du beurre de cacahuète et de la gelée.

Le seul moment où ils quittaient la maison, c'était pour aller à l'épicerie.

« S'il te plaît, implora un jour Nath sur le chemin du retour, tandis que le lac filait derrière les vitres de la voiture. S'il te plaît, on peut aller se baigner ? Juste une heure. Juste cinq minutes. Juste dix secondes. »

Mais James, les yeux rivés sur le rétroviseur, ne ralentit pas.

« Tu sais que Lydia ne sait pas nager. Je ne suis pas disposé à jouer au maître nageur, aujourd'hui. »

Il tourna dans leur rue, et Nath se glissa sur la banquette arrière et pinça le bras de Lydia.

« Bébé, siffla-t-il entre ses dents. On peut pas se baigner à cause de toi. »

De l'autre côté de la rue, Mme Allen désherbait son jardin, et quand les portières de la voiture s'ouvrirent, elle leur fit signe d'approcher.

« James, dit-elle. James, ça fait quelque temps que je ne vous ai pas vu. »

Elle tenait un petit râteau acéré et portait des gants rose et violet, mais quand elle se pencha de l'autre côté du portail et les ôta, Lydia repéra des demi-lunes de crasse sous ses ongles.

« Comment va Marilyn ? demanda Mme Allen. Ça fait un moment qu'elle est partie, n'est-ce pas ? J'espère que tout va bien. »

Elle semblait excitée et ses yeux étaient lumineux, comme si – songea Nath – elle allait recevoir un cadeau.

« On tient la forteresse, répondit James.

— Combien de temps sera-t-elle partie ? »

James regarda les enfants et hésita.

« Indéfiniment », lâcha-t-il. À côté de lui, Nath frappa le portail de Mme Allen avec la pointe de sa chaussure. « Ne fais pas ça, Nath. Tu vas l'abîmer. »

Mme Allen baissa les yeux vers eux, mais, à l'unisson, ils se détournèrent. Ses lèvres étaient trop fines, ses dents trop blanches. Sous le talon de Lydia, un chewing-gum collait sa semelle au béton comme de la glue. Même si elle avait été autorisée à le faire, songea-t-elle, elle n'aurait pas pu s'enfuir.

« Soyez gentils, tous les deux, et votre maman rentrera bientôt à la maison, n'est-ce pas ? » reprit Mme Allen.

Elle tourna son sourire aux lèvres fines vers James, qui ne croisa pas son regard.

« Nos courses doivent être en train de fondre, abrégea-t-il, même si Lydia, Nath et lui savaient qu'il n'y avait rien dans le sac qu'une bouteille de lait, deux pots de beurre de cacahuète et du pain. Ça m'a fait plaisir de vous voir, Vivian. »

Il coinça le sac en papier sous son bras, prit chaque enfant par la main, et s'éloigna. Le chewing-gum sous la chaussure de Lydia s'étira et céda, laissant un long fil desséché sur le trottoir.

Pendant le dîner, Nath demanda : « Ça veut dire quoi, *indéfiniment* ? »

Leur père fixa soudain le plafond, comme si Nath avait désigné un insecte et qu'il voulait le trouver avant qu'il ne s'enfuie. Les yeux de Lydia se mirent à la brûler, comme si elle avait regardé dans le four. Nath, plein de remords, appuyait sur son sandwich avec la jointure de ses doigts, faisant déborder le beurre de cacahuète sur la nappe, mais leur père ne remarqua rien.

« Je veux que vous oubliiez tout ce que Mme Allen a dit, déclara finalement James. C'est une imbécile, et elle ne connaît pas votre mère. Je veux que vous fassiez comme si nous ne lui avions jamais parlé. » Il leur tapota la main et essaya de sourire. « Ce n'est la faute de personne. Surtout pas la vôtre. »

Lydia et Nath savaient tous deux qu'il mentait,

et ils comprirent que les choses n'étaient pas près de changer.

Le temps devint chaud et poisseux. Chaque matin, Nath comptait les jours depuis que sa mère était partie : vingt-sept. Vingt-huit. Vingt-neuf. Il en avait assez de rester enfermé dans cette atmosphère rance, assez de la télévision, assez de sa sœur qui regardait de plus en plus l'écran en silence avec un regard vitreux. Qu'y avait-il à dire ? L'absence de leur mère les rongeait doucement, une douleur sourde qui se répandait en eux. Un matin, début juin, alors que Lydia piquait du nez pendant la publicité, il marcha sur la pointe des pieds jusqu'à la porte d'entrée. Leur père leur avait interdit de quitter la maison, mais les marches du porche, avait-il décidé, en faisaient encore partie.

À l'autre bout de la rue, Jack était perché sur la rambarde de son propre porche, le menton posé sur ses genoux pliés. Depuis ce jour à la piscine, Nath ne lui avait plus parlé, pas même pour lui dire bonjour. Quand ils descendaient du bus scolaire ensemble, Nath agrippait les sangles de son cartable et rentrait à la maison aussi vite que possible. Pendant la récréation, s'il le voyait approcher, il partait en courant de l'autre côté de la cour. Ne pas aimer Jack était en train de devenir une habitude. Maintenant, cependant, lorsque Jack tourna la tête, le vit, et se mit à marcher dans la rue d'un pas sautillant, Nath ne bougea pas. Parler à quelqu'un – même à Jack – valait mieux que le silence.

« T'en veux un ? » demanda Jack lorsqu'il atteignit les marches. Dans sa paume tendue : une demi-douzaine de bonbons rouges en forme de poissons, gros comme des pouces. De la tête à la queue, de la queue à la tête, ils scintillaient comme des bijoux. Jack fit un grand sourire, et même la pointe de ses oreilles se releva. « Je les ai eus au magasin du coin. Dix *cents* la poignée. »

Nath fut aussitôt empli d'un désir intense : pour les étagères couvertes de ciseaux, de colle, de crayons, pour les paniers pleins de balles rebondissantes, de lèvres en cire et de rats en caoutchouc, pour les barres chocolatées enveloppées dans de l'aluminium au comptoir, et, près de la caisse, pour les gros bocaux en verre remplis de bonbons couleur rubis et le parfum de cerise qui s'en échappait à l'instant où l'on soulevait le couvercle.

Jack arracha avec les dents la tête d'un des poissons et tendit une fois de plus la main.

« Ils sont bons. »

De près, les cils de Jack avaient la même teinte blond-roux que ses cheveux. Leur pointe était dorée là où le soleil les frappait. Nath glissa l'un des bonbons dans sa bouche et laissa son goût sucré s'insinuer en lui, tout en comptant les taches de rousseur sur les joues de Jack : neuf.

« Ça va aller », lâcha soudain ce dernier. Il se pencha vers Nath, comme s'il lui avouait un secret. « Ma mère dit que les enfants n'ont besoin que d'un seul parent. Elle dit que si mon père n'a pas envie de me voir, c'est tant pis pour lui, pas pour moi. »

La langue de Nath devint raide et épaisse, comme un morceau de viande. Soudain, il fut incapable d'avaler. Un filet de salive sirupeuse faillit l'étouffer, et il cracha le bonbon à moitié mâché dans l'herbe.

« La ferme, lança-t-il d'une voix sifflante. Tu… tu la fermes. »

Il cracha de nouveau, pour faire bonne mesure, tentant de se débarrasser du goût de cerise. Puis il se releva maladroitement et rentra dans la maison, claquant si fort la porte que l'écran trembla. Derrière lui, Jack s'attarda au pied des marches, regardant les poissons piégés dans sa main. Par la suite, Nath oublierait ce que Jack avait exactement dit pour le mettre en colère. Il ne se souviendrait que de la colère elle-même, qui le consumait comme si elle avait toujours été là.

Puis, quelques jours plus tard, la plus merveilleuse des distractions arriva – du moins pour Nath. Un matin, il alluma la télévision, mais il n'y avait pas de dessins animés. Walter Cronkite était sereinement assis à son bureau, comme s'il présentait les infos du soir – seulement il était à peine huit heures du matin, et son bureau était à l'extérieur, le vent de Cap Kennedy soulevant ses papiers et ses cheveux. Une fusée se dressait à la rampe de lancement derrière lui ; au bas de l'écran, une horloge affichait le compte à rebours. C'était le lancement de *Gemini 9*. Si Nath avait connu le mot, il aurait pensé : *surréaliste*. Quand la fusée s'éleva soudain dans un tourbillon de fumée couleur de soufre, il s'approcha tellement du téléviseur que son nez laissa une marque sur le verre. Les compteurs au bas de l'écran affichaient des nombres impossibles : onze mille kilomètres-heure, quatorze mille, seize mille. Il ignorait qu'un objet pouvait voler si haut.

Toute la matinée, Nath dévora les informations, savourant chaque terme comme un succulent bonbon : *rendez-vous. Carte orbitale*. Lydia se pelotonna sur le canapé pour dormir pendant que, tout l'après-midi durant, Nath répétait *Gemini. Gemini. GEM-in-i.* Comme une formule magique. Bien après que la fusée eut disparu dans le bleu, les caméras restèrent braquées vers le ciel, vers le panache vaporeux qu'elle avait laissé derrière elle. Pour la première fois en un mois, il oublia, pendant un moment, sa mère. Là-haut – à cent trente kilomètres d'altitude, cent quarante, cent cinquante, disait le compteur – tout sur terre devait être invisible. Les mères qui disparaissaient, les pères qui ne vous aimaient pas, les enfants qui se moquaient de vous – tout devait devenir aussi petit qu'une tête d'épingle puis s'évanouir. Là-haut : rien que des étoiles.

Pendant un jour et demi, malgré les plaintes de Lydia, Nath refusa de changer de chaîne pour regarder des rediffusions de *I Love Lucy* ou *Papa a raison.* Il commença à appeler les astronautes – Tom Stafford et Gene Cernan – par leur prénom, comme si c'étaient des amis. Lorsque le premier contact avec les astronautes fut établi, Lydia n'entendit que du charabia confus et discordant, comme si les voix avaient été passées à la moulinette. Nath, cependant, n'avait aucun mal à distinguer les mots ; Gene, à bout de souffle, murmurant : « Bon sang, c'est vraiment beau ici. » La NASA ne pouvait pas diffuser les images des hommes en orbite, alors elle montrait une simulation : un acteur suspendu à des câbles, un décor dans un studio du Missouri. Mais quand la silhouette en tenue spatiale sortit d'un pas lourd de la capsule et s'envola avec grâce, sans effort – les pieds en l'air, rattachée par *rien* –, Nath oublia que ce n'était pas réel. Il oublia tout. Il oublia de respirer.

Pendant le déjeuner, alors qu'ils mangeaient leurs

sandwichs au beurre de cacahuète, Nath raconta : « Les astronautes mangent des *crevettes à la sauce cocktail* et du *ragoût de bœuf* et du *gâteau à l'ananas*. » Pendant le dîner, il déclara : « Gene est le plus jeune homme à avoir été dans l'espace, et ils vont faire la plus longue sortie dans l'espace de tous les temps. » Le matin, tandis que son père versait des céréales que Nath était trop excité pour manger, il expliqua : « Les astronautes portent des *pantalons en acier* pour protéger leurs jambes des propulseurs. »

James, qui aurait dû adorer les astronautes – qu'étaient-ils, après tout, si ce n'est des cow-boys modernes s'aventurant dans la Nouvelle Frontière ? –, ne savait rien de tout ça. Pris dans ses pensées, le mot déchiré de Marilyn appuyé contre son cœur, il voyait la nouvelle obsession de son fils par le petit bout de la lorgnette. Les astronautes, là-haut dans le ciel, n'étaient que des taches minuscules. Deux petits hommes dans une boîte de sardines, qui bricolaient avec des boulons et des écrous, pendant qu'ici sur terre des gens disparaissaient, voire mouraient, et que d'autres se battaient pour simplement rester en vie un jour de plus. Si frivole, si ridicule : des acteurs déguisés, accrochés à des câbles, faisant mine d'être courageux. Dansant avec les pieds au-dessus de la tête. Nath, envoûté, fixait l'écran à longueur de journée avec un sourire serein, et James sentait une boule de ressentiment brûlante dans son œsophage.

Le dimanche soir, Nath demanda : « Papa, tu arrives à croire que des gens peuvent pratiquement aller sur la Lune et *revenir* ? »

Et James le gifla, si fort que les dents de Nath s'entrechoquèrent.

« Ferme-la avec ces absurdités, répliqua-t-il. Comment peux-tu penser à ce genre de truc quand… »

Il n'avait jamais frappé Nath jusqu'alors, et il ne le referait jamais. Mais quelque chose s'était brisé entre eux. Nath, se tenant la joue, quitta la pièce en courant, de même que Lydia, et James, se retrouvant seul dans le salon avec l'image des yeux stupéfaits et rougis de son fils, envoya d'un coup de pied la télé par terre dans une explosion de verre et d'étincelles. Et même s'il emmena les enfants en expédition au grand magasin Decker's le lundi pour en acheter une autre, il ne pensa plus jamais aux astronautes, à l'espace, sans se ratatiner sur lui-même, comme s'il se protégeait des éclats de verre.

Nath, en revanche, attrapa l'*Encyclopædia Britannica* et se mit à lire. *Gravité. Fusée.* Il commença à feuilleter les journaux à la recherche d'articles sur les astronautes, sur leur prochaine mission. Il les découpait subrepticement et les conservait dans un classeur, les parcourant quand il se réveillait la nuit en rêvant de sa mère. Sous la tente de sa couverture, il tirait une lampe torche de sous son oreiller et les relisait dans l'ordre, mémorisant chaque détail. Il apprit le nom de chaque lancement : *Freedom. Aurora. Sigma.* Il récitait le nom des astronautes : Carpenter, Cooper, Grissom. Glenn. Quand il arrivait au bout de la liste, il parvenait à se rendormir.

Lydia n'avait rien pour détourner son esprit de l'absence obsédante de Marilyn, et tandis que Nath était distrait par les *adaptateurs d'amarrage*, les *amerrissages* et les *apogées*, elle remarqua une chose : la maison avait une odeur différente sans sa mère. Dès lors, elle ne put s'empêcher d'y penser. La nuit, elle faisait des rêves terribles : elle rampait parmi des araignées, elle était ligotée par des serpents, elle se noyait dans une tasse de thé. Parfois, quand elle se réveillait dans l'obscurité, elle entendait le craquement des ressorts du canapé au rez-de-chaussée tandis que leur père se retournait, encore et encore. Ces nuits-là, elle ne se rendormait jamais, et les jours étaient poisseux et épais, comme du sirop.

Seule une chose dans la maison lui rappelait toujours sa mère : le gros livre de recettes rouge. Pendant que son père s'enfermait dans son bureau et que Nath était penché sur l'encyclopédie, elle allait dans la cuisine et le prenait sur la paillasse. À cinq ans, elle savait déjà lire un peu – mais pas aussi bien que Nath –, et elle prononçait le nom des recettes à voix haute : gâteau au chocolat. Pain aux olives. Sauce à l'oignon. Chaque fois qu'elle ouvrait le livre, la femme sur la couverture ressemblait un peu plus à sa mère – le sourire, le col replié, la manière qu'elle avait de ne pas vous fixer directement, mais de projeter son regard par-dessus votre épaule, juste derrière vous. Après son retour de Virginie, Marilyn avait lu ce livre chaque jour : l'après-midi, quand Lydia rentrait de l'école ; le soir, avant d'aller se coucher. Le matin, parfois, il était encore sur la table, comme si elle l'avait lu toute la nuit. Ce livre de recettes, Lydia le savait, était son livre préféré, et elle le parcourait avec l'adoration d'une dévote touchant une bible.

Le troisième jour de juillet, alors que sa mère était partie depuis deux mois, elle se recroquevilla une fois de plus dans son repaire favori sous la table avec le livre de recettes. Ce matin-là, quand elle et Nath avaient demandé à leur père des hot-dogs, des sodas et des guimauves grillées au chocolat, il avait simplement répondu : « On verra », et ils avaient su que ça voulait dire non. Sans leur mère, il n'y aurait pas de barbecue, pas de limonade, pas de balade jusqu'au lac pour regarder le feu d'artifice. Il n'y aurait rien que du beurre de cacahuète avec de la gelée, et la maison aux rideaux fermés. Elle tourna les pages, regardant les photos de tartes à la crème, de maisons en biscuits et de côtes de bœuf rôties. Et là, sur l'une des pages : un trait tracé dans la marge. Elle prononça les mots à voix haute.

Quelle mère n'aime pas cuisiner avec sa fille ?

Et, en dessous :

Et quelle fille n'aime pas apprendre avec maman ?

La page était couverte de petites bosselures, comme si elle avait pris la pluie, et Lydia les caressa avec le bout de son doigt comme du braille. Elle ne comprit pas d'où elles provenaient, jusqu'à ce qu'une larme tombe sur le papier. Quand elle l'essuya, une minuscule bosse demeura.

Une autre se forma, puis une autre. Sa mère aussi avait dû pleurer sur cette page.

Ce n'est pas votre faute, avait dit son père, mais Lydia savait que si. Ils avaient fait quelque chose de mal, elle et Nath ; ils l'avaient d'une manière ou d'une autre mise en colère. Ils n'avaient pas été à la hauteur de ses attentes.

Si sa mère revenait un jour et lui disait de terminer son lait, songea-t-elle tandis que la page commençait à être floue, elle terminerait son lait. Elle se brosserait les dents sans qu'on le lui demande et cesserait de pleurer quand le médecin lui ferait des piqûres. Elle s'endormirait à la seconde où sa mère éteindrait la lumière. Elle ne tomberait plus jamais malade. Elle ferait tout ce que sa mère lui demanderait. Tout ce qu'elle voudrait.

Loin de là, à Toledo, Marilyn n'entendit pas la promesse silencieuse de sa fille. Le 3 juillet, alors que Lydia était tapie sous la table, Marilyn était penchée au-dessus d'un nouveau livre : *Chimie organique avancée*. Son examen de fin de trimestre était dans deux jours, et elle avait étudié toute la matinée. Cahier en main, Marilyn avait de nouveau l'impression d'être une étudiante de première année ; même sa signature s'était adoucie et arrondie, comme avant son mariage, avant que son écriture ne se raidisse et se resserre. Tous les autres élèves de sa classe étaient des jeunes, certains tentant avec application de prendre de l'avance, d'autres essayant à contrecœur de rattraper des examens et des semestres ratés. À sa grande surprise, ils ne la traitaient pas différemment des autres : ils étaient calmes, polis, concentrés. Dans l'amphithéâtre froid, ils dessinaient tous des molécules, les nommant *éthyle, méthyle, propyle, butyle ;* à la fin du cours, ils comparaient leurs notes, et les siennes étaient exactement les mêmes : de magnifiques petits hiéroglyphes d'hexagones et de lignes. La preuve, se disait-elle, que je suis tout aussi intelligente que les autres. Que je suis à ma place.

Pourtant, souvent, quand elle ouvrait ses livres, l'esprit de Marilyn s'égarait. Les équations s'emmêlaient, des messages cachés lui sautaient aux yeux. NaOH devenait *Nath*, avec son petit visage étonné et plein de reproche. Un matin, en consultant le tableau périodique des éléments, au lieu d'*hélium* elle pensa *lui*, et le visage de James flotta dans son esprit. D'autres jours, les messages étaient plus subtils : une coquille dans le manuel – « les acides communs, *of.* (au lieu de *cf.*) nitrique, acétique… » – la mettait en larmes, lui faisant penser à des œufs durs, au plat, brouillés. À de tels instants, elle glissait le bout de ses doigts dans sa poche pour sentir la barrette, la bille, le bouton. Et elle les retournait encore et encore jusqu'à avoir recouvré ses esprits.

Certains jours, cependant, même ces talismans perdaient leur pouvoir. Deux semaines après son départ de la maison, elle s'était réveillée dans son grand lit de location, le corps terriblement douloureux. Soudain, elle s'était sentie submergée par l'incroyable absurdité de la situation, par le fait qu'elle était là, si loin d'eux. Finalement, enveloppée dans une couverture, elle avait marché sur la pointe des pieds jusqu'au téléphone de la cuisine. Il était six heures quarante et une du matin, mais il n'avait fallu que deux sonneries. « Allô ? » avait dit James. Une longue pause. « Allô ? » Elle n'avait rien répondu, n'osant pas parler, laissant cette voix imprégner son cœur. Il semblait enroué –
juste les parasites sur la ligne, s'était-elle dit sans vraiment y croire. Finalement, elle avait raccroché avec le doigt et était restée un long moment ainsi avant de replacer le combiné. Toute la journée, elle avait écouté cette voix dans sa tête, comme une berceuse familière et aimée.

À partir de ce jour, elle appela de temps à autre, quand la maison lui manquait trop. Quelle que fût l'heure, James décrochait, et elle s'inquiétait, l'imaginant dormant à la table de la cuisine, ou dans son bureau près du second téléphone. Pourtant, la seule fois où personne ne répondit – James et les enfants, à court de nourriture, avaient finalement été forcés d'aller à l'épicerie –, elle paniqua, s'imaginant des incendies ou des tremblements de terre ou des chutes de météorites. Elle rappela encore et encore, toutes les cinq minutes, puis toutes les deux minutes, jusqu'à ce que la voix de James retentisse enfin au bout du fil. Une autre fois, lorsqu'elle appela en milieu de matinée, James, épuisé, s'était endormi à son bureau, et ce fut Nath qui décrocha à la place. « Résidence Lee », dit-il scrupuleusement, comme elle lui avait appris à le faire, et Marilyn aurait voulu demander : *Tu vas bien ? Tu es sage ?* mais la nostalgie lui nouait la gorge. Nath, à son grand étonnement, ne raccrocha pas face à son silence. Agenouillé sur la chaise de cuisine sur laquelle il avait grimpé pour atteindre le téléphone, il écoutait. Après un moment, Lydia entra dans la pièce sur la pointe des pieds et s'accroupit à côté de lui. Ils restèrent ainsi, le combiné pris en sandwich entre leurs oreilles, pendant deux minutes, trois minutes, quatre, comme s'ils entendaient tout ce que leur mère ressentait et désirait dans le doux sifflement de la ligne. Ce furent eux qui raccrochèrent en premier, et, après le « clic », Marilyn serra le téléphone un long moment, les mains tremblantes.

Nath et Lydia ne racontèrent jamais ce coup de fil à leur père, et James ne signala jamais les appels à la police. Il commençait déjà à soupçonner que les policiers n'avaient pas vraiment envie de l'aider, et, au fond de lui, là où étaient tapies ses vieilles peurs, il pensait comprendre leur raisonnement : il était évident qu'une femme comme Marilyn quitterait un jour un mari comme lui. L'agent Fiske continuait d'être très aimable, mais James ne lui en voulait que plus ; sa politesse rendait la situation encore plus insupportable. Pour sa part, Marilyn se disait chaque fois qu'elle raccrochait que c'était la dernière fois, qu'elle ne rappellerait plus, que c'était la preuve que sa famille se portait bien, qu'elle avait commencé une nouvelle vie. Elle se le disait avec une telle fermeté qu'elle y croyait dur comme fer, jusqu'au moment où elle se retrouvait de nouveau en train de composer leur numéro.

Elle s'imaginait que tout était désormais possible dans cette nouvelle vie. Elle se nourrissait de céréales, de sandwichs et de spaghettis achetés à la pizzéria voisine ; elle avait ignoré jusqu'alors qu'il était possible de vivre sans posséder une seule casserole. Encore huit unités de valeur, calculait-elle, et elle obtiendrait son diplôme. Elle essayait d'oublier tout le reste. Elle roulait la bille de Nath entre ses doigts tandis qu'elle écrivait pour commander les brochures d'écoles de médecine. Elle actionnait le fermoir de la barrette de Lydia – une-deux, une-deux – tout en griffonnant des notes minuscules dans la marge de son manuel. Elle se concentrait tellement qu'elle en avait mal à la tête.

Ce troisième jour de juillet, tandis que Marilyn tournait une page de son manuel, une noirceur cotonneuse obscurcit sa vision. Sa tête devint aussi lourde qu'un melon, la déséquilibrant, faisant se dérober ses jambes sous elle, l'entraînant vers le sol. Un instant plus tard, sa vue redevint claire, puis ses esprits. Elle découvrit un verre renversé, de l'eau coulant de la table, ses notes éparpillées sur le carrelage, son chemisier humide. Ce ne fut que quand sa propre écriture redevint nette qu'elle se leva.

Elle ne s'était jamais évanouie jusqu'alors, n'en avait jamais été proche, même durant les journées d'été les plus chaudes. Mais elle était désormais fatiguée, presque au point de ne pas pouvoir se lever. En s'installant sur les coussins du canapé, Marilyn songea : *Peut-être que je suis malade, peut-être que quelqu'un m'a transmis un virus.* Puis une autre pensée lui vint, et tout son corps se glaça. On était le 3 juillet ; elle en était certaine ; elle avait compté les jours jusqu'à son examen. Ce qui signifiait qu'elle avait presque – elle compta sur ses doigts, désormais alerte, comme si elle avait été arrosée d'eau glacée – trois semaines de retard. Non. Elle réfléchit de nouveau. Ça remontait à avant qu'elle quitte la maison, il y avait presque neuf semaines de cela. Elle n'avait pas vu le temps passer.

Elle s'essuya les mains sur son jean et tenta de conserver son calme. Après tout, il lui était déjà arrivé d'avoir du retard. Quand elle était stressée, ou malade, comme si son organisme n'avait plus la capacité de tout faire fonctionner en même temps, comme si quelque chose devait être mis en attente. Elle travaillait si dur, peut-être que son corps ne pouvait pas suivre le rythme. *Tu as juste faim,* se dit Marilyn. Elle n'avait pas mangé de la journée et il était près de deux heures. Il n'y avait rien dans le placard, mais elle irait à l'épicerie. Elle s'achèterait quelque chose à grignoter et se sentirait bien mieux. Et alors elle se remettrait au travail.

Au bout du compte, Marilyn ne passerait jamais cet examen. Au magasin, elle plaça du fromage, de la saucisse, de la moutarde et du soda dans son Caddie. Elle prit du pain sur l'étagère. *Ce n'est rien,* se répétait-elle. *Tu vas bien.* Portant les courses sous son bras et le pack de six bouteilles dans sa main, elle se dirigea vers sa voiture, et, sans prévenir, le parking se mit à tournoyer autour d'elle. Ses genoux, puis ses coudes heurtèrent le bitume. Le sac en papier tomba par terre. Les bouteilles de soda se brisèrent sur la chaussée, explosant dans une projection de bulles et de verre.

Marilyn se redressa lentement et s'assit. Ses provisions étaient éparpillées autour d'elle, le pain dans une flaque, le pot de moutarde roulant lentement vers un combi Volkswagen vert. Du cola ruisselait sur ses tibias. Elle s'était coupée avec le verre : une profonde entaille pile au centre de sa paume, aussi droite que le bord d'une règle. Elle ne ressentait aucune douleur. Elle tourna sa main d'un côté et de l'autre, laissant la lumière jouer sur les couches de peau comme sur des strates de grès : rose clair, comme de la pastèque, avec des taches de blanc neigeux. En dessous, une rivière d'un rouge riche qui gonflait.

Elle tira un mouchoir de son sac et en appliqua le coin sur sa blessure, et soudain la coupure fut sèche, et le mouchoir taché d'écarlate. La beauté de sa main la stupéfia : la pureté des couleurs, la clarté des taches blanches et les fines lignes sur les muscles. Elle voulait la toucher, la lécher. Se goûter. Puis l'entaille se mit à lui faire mal, du sang commença à s'accumuler dans sa paume, et elle comprit qu'elle devait aller à l'hôpital.

Le service des urgences était presque désert. Le lendemain, il serait plein d'accidents du 4 Juillet : intoxications alimentaires à cause d'une mauvaise salade aux œufs, mains brûlées sur des barbecues, sourcils roussis par des feux d'artifice mal maîtrisés. Cet après-midi-là, cependant, Marilyn marcha jusqu'au guichet et montra sa main, et quelques minutes plus tard elle se retrouva sur un lit alors qu'une jeune blonde menue prenait son pouls et examinait sa blessure. Et lorsque la jeune blonde annonça : « On va vous recoudre », et qu'elle attrapa un flacon d'anesthésiant dans un placard, Marilyn laissa échapper : « Ce n'est pas le médecin qui devrait faire ça ? »

La femme éclata de rire.

« Je suis le Dr Greene. » Puis, comme Marilyn la dévisageait, elle ajouta : « Vous voulez voir mon badge ? »

Tandis que la jeune femme recousait l'entaille avec des points noirs soignés, sa main commença à faire souffrir Marilyn. Elle serra les dents, mais la douleur se propagea à ses poignets, remonta dans ses épaules, descendit le long de sa colonne vertébrale. Ce n'était pas les points de suture. C'était la déception : car, comme tout le monde, chaque fois qu'elle entendait le mot *médecin*, elle pensait – et penserait toujours – *homme*. Le bord de ses yeux se mit à la brûler, et quand le Dr Greene fit le dernier point de suture et demanda en souriant : « Comment vous sentez-vous ? », Marilyn répondit soudain : « Je crois que je suis enceinte », et elle fondit en larmes.

Après ça, tout se passa très vite. Il y eut des tests à effectuer, des flacons de sang à remplir. Marilyn ne se rappelait plus exactement comment ça fonctionnait, mais elle savait que ça impliquait des lapins.

« Oh, on n'utilise plus de lapins, s'amusa la jolie jeune médecin en enfonçant l'aiguille dans la peau douce au creux du bras de Marilyn. On utilise des grenouilles. Beaucoup plus rapide et facile. La science moderne n'est-elle pas merveilleuse ? »

On apporta à Marilyn une chaise rembourrée et une couverture à passer par-dessus ses épaules ; on lui demanda le numéro de téléphone de son mari, que Marilyn, hébétée, récita. On lui apporta un verre d'eau. Sa coupure était désormais refermée et indolore, les points noirs retenant la chair. Des heures passèrent, mais ce fut comme si seulement quelques minutes s'étaient écoulées avant que James soit là, rayonnant de surprise, tenant la main valide de sa femme pendant que la jeune médecin déclarait : « On vous communiquera les résultats par téléphone mardi, monsieur et madame Lee, mais il semblerait que l'enfant soit pour janvier. » Puis, avant que Marilyn puisse parler, elle s'engagea dans le long couloir blanc et disparut.

« Marilyn », murmura James une fois le médecin parti. Son ton faisait de son nom une question, à laquelle elle ne put se résoudre à répondre. « Tu nous a tellement manqué. »

Marilyn posa longuement sa main indemne sur son ventre. Elle ne pouvait pas assister à ses cours enceinte. Elle ne pouvait pas commencer l'école de médecine. Tout ce qu'elle voulait faire, c'était rentrer à la maison. Et une fois à la maison, elle verrait le visage de ses enfants, et il y aurait un nouveau bébé, et – elle le reconnaissait lentement, avec une douleur plus intense que celle dans sa paume – elle n'aurait plus jamais la force de partir. James était là, agenouillé par terre à côté de sa chaise comme s'il priait. Et son ancienne vie, douce, chaleureuse et étouffante, l'attirait de nouveau dans son giron. Neuf semaines. Son grand projet avait duré neuf semaines. Tout ce dont elle avait rêvé s'était évanoui, comme une fine brume dans la brise. Elle ne se rappelait désormais plus pourquoi ça lui avait semblé possible.

C'est fini, se disait Marilyn. *Laisse tomber. C'est ta vie.*

« J'ai été tellement idiote, s'apitoya-t-elle. J'ai commis une telle erreur. » Elle se pencha vers James, inspirant l'odeur puissante et douce de son cou. C'était l'odeur de la maison. « Pardonne-moi », chuchota-t-elle.

James guida Marilyn jusqu'à la voiture – sa voiture à lui – avec un bras passé autour de sa taille, et il l'aida à monter sur le siège avant comme si c'était une enfant. Le lendemain, il prendrait un taxi de Middlewood à Toledo, puis il referait le trajet d'une heure dans la voiture de Marilyn, rayonnant à l'idée que sa femme serait là à son retour. Pour le moment, cependant, il roulait prudemment, respectant scrupuleusement les limitations de vitesse, tendant de temps à autre la main pour tapoter le genou de Marilyn, comme pour s'assurer qu'elle était toujours là. « Est-ce que tu as trop froid ? Est-ce que tu as trop chaud ? Est-ce que tu as soif ? » demandait-il encore et encore. *Je ne suis pas une invalide*, aurait voulu répondre Marilyn, mais son esprit et sa langue semblaient se mouvoir au ralenti : ils étaient déjà à la maison, il était déjà allé lui chercher une boisson fraîche et un oreiller à placer au creux de ses reins. Il était tellement heureux, pensait-elle ; voyez ce petit sautillement à la fin de chacun de ses pas, voyez comme il a soigneusement enveloppé les pieds de sa femme dans la couverture. Lorsqu'il revint, elle demanda simplement : « Où sont les enfants ? », et James répondit qu'il les avait laissés chez Vivian Allen de l'autre côté de la rue, qu'elle n'avait pas à s'en faire, qu'il s'occuperait de tout.

Marilyn s'enfonça contre les coussins du canapé et se réveilla en entendant la sonnette. C'était presque l'heure du dîner ; James avait récupéré les enfants chez Mme Allen et un livreur de pizzas se tenait à la porte avec une pile de boîtes. Lorsque Marilyn se frotta les yeux pour en ôter les vestiges de sommeil, James avait déjà compté le pourboire, pris les boîtes, et refermé la porte. Elle le suivit, somnolente, jusqu'à la cuisine, où il posa les pizzas pile au centre de la table, entre Lydia et Nath.

« Votre mère est rentrée », dit-il, comme s'ils ne la voyaient pas debout dans l'entrebâillement de la porte derrière lui. Marilyn porta une main à ses cheveux et sentit des boucles. Sa natte s'était défaite ; ses pieds étaient nus ; la cuisine était trop chauffée, trop éclairée. Elle se sentait semblable à un enfant qui aurait trop dormi, descendant lentement l'escalier, en retard pour tout. Lydia et Nath la dévisageaient avec circonspection par-dessus la table, comme si elle risquait de faire soudain quelque chose d'inattendu, comme hurler, ou exploser. Nath pinça les lèvres – on aurait dit qu'il suçait quelque chose d'aigre –, et Marilyn aurait voulu lui caresser les cheveux et lui dire qu'elle n'avait rien prévu de tout ça, qu'elle n'avait pas voulu que ça arrive. Elle voyait la question dans leurs yeux.

« Je suis rentrée », répéta-t-elle en acquiesçant, et ils coururent pour l'étreindre, se ruant sur ses jambes chaudes et solides, enfonçant leur visage dans sa jupe.

Une larme coula sur la joue de Nath, une autre

le long du nez de Lydia, s'arrêtant au niveau de ses lèvres. La main de Marilyn la brûlait et palpitait, comme si elle tenait un petit cœur chaud dans sa paume.

« Vous avez été sages, en mon absence ? demanda-t-elle, s'accroupissant sur le lino à côté d'eux. Vous vous êtes bien comportés ? »

Pour Lydia, le retour de sa mère n'était rien de moins qu'un miracle. Elle avait fait une promesse, et sa mère l'avait entendue et était rentrée. Elle tiendrait parole. Cet après-midi-là, quand son père avait raccroché le téléphone et prononcé ces paroles stupéfiantes – *Votre mère rentre à la maison* –, elle avait pris une décision. Sa mère n'aurait plus jamais à voir ce triste livre de recettes. Chez Mme Allen, elle avait conçu un plan, et après que son père fut venu les chercher – *Chut, pas de bruit, votre mère dort* –, elle avait pris le livre.

« Maman, commença-t-elle, la bouche au niveau de la hanche de Marilyn. Pendant que tu étais partie... ton livre de recettes... » Elle ravala sa salive. «... je l'ai perdu.

— Vraiment ? »

À sa stupéfaction, Marilyn n'éprouva aucune colère. Non : elle était fière. Elle s'imagina sa fille balançant le livre dans l'herbe, l'écrasant dans la boue avec ses chaussures brillantes puis s'éloignant. Le jetant dans le lac. Y mettant le feu. À sa propre surprise, elle sourit.

« Tu as fait ça ? » demanda-t-elle en passant le bras autour du petit corps de son enfant.

Et Lydia hésita, puis acquiesça.

C'était un signe, décida Marilyn. Pour elle, il était trop tard. Mais pas pour Lydia. Marilyn ne serait pas comme sa mère, à pousser sa fille vers un foyer et un mari, vers une vie bien rangée entre quatre murs. Elle aiderait Lydia à faire tout ce dont elle serait capable. Elle consacrerait le restant de ses jours à la guider, à la protéger, comme on s'occupait d'un rosier de concours : l'aidant à grandir, le soutenant avec des tuteurs, courbant chaque tige pour qu'il soit parfait. Dans le ventre de Marilyn, Hannah commençait à s'agiter et à donner des coups de pied, mais sa mère ne le sentait pas encore. Elle enfouit son nez dans les cheveux de Lydia et se jura en silence qu'elle ne lui dirait jamais de rester bien droite, de se trouver un mari, de tenir une maison. Qu'elle ne lui suggérerait jamais quels métiers ou quelles vies ou quels mondes n'étaient pas faits pour elle ; qu'elle ne l'inciterait jamais à penser simplement *homme* lorsqu'elle entendrait le mot *médecin*. Qu'elle l'encouragerait, pour le restant de sa vie, à faire mieux que sa mère.

« Très bien, dit-elle en lâchant finalement sa fille. Qui a faim ? »

James était déjà en train de sortir des assiettes du placard, de distribuer des serviettes, de soulever le couvercle de la boîte du dessus dans un relent de vapeur parfumée à la viande. Marilyn déposa une part de pizza aux pepperonis sur chaque assiette, et Nath, laissant échapper un grand soupir de satisfaction, se mit à manger. Sa mère était rentrée, et demain il y aurait des œufs durs au petit déjeuner, des hamburgers et des hot-dogs au dîner, des gâteaux aux fraises pour le dessert. De l'autre côté de la table, Lydia regardait fixement sa part en silence, les cercles rouges à la surface, les longs fils fins de fromage qui s'étiraient jusqu'à la boîte.

Nath n'avait qu'à moitié raison : le lendemain, il y eut des hot-dogs et des hamburgers, mais pas d'œufs ni de gâteaux. James fit lui-même griller la viande, la brûlant légèrement, mais la famille, bien décidée à fêter l'événement, la mangea tout de même. De fait, Marilyn refuserait obstinément de cuisiner après son retour, enfonçant chaque matin des gaufres surgelées dans le grille-pain et réchauffant chaque soir des tourtes à la viande surgelées ou des conserves de spaghettis. Elle avait d'autres choses en tête. Des maths, songea-t-elle ce 4 Juillet ; ma fille va avoir besoin de faire des maths. « Combien de petits pains dans le sac ? » demanda-t-elle, et Lydia toucha chacun avec son doigt tout en les comptant. « Combien de saucisses sur le gril ? Combien n'auront pas de petit pain ? » À chaque réponse correcte, sa mère lui caressait les cheveux et la serrait contre sa cuisse.

Toute la journée, Lydia fit des calculs. Si quelqu'un mangeait une saucisse, combien en resterait-il le lendemain ? Si Nath et elle avaient cinq boissons gazeuses chacun, combien y en avait-il en tout ? Lorsque la nuit tomba et que le feu d'artifice s'épanouit dans le ciel, elle avait compté dix baisers de la part de sa mère, cinq caresses, et trois fois où celle-ci lui avait dit : *Comme tu es intelligente*. Chaque fois qu'elle répondait à une question, une fossette se creusait dans la joue de sa mère, comme une petite empreinte digitale.

« Encore, implorait Lydia chaque fois que Marilyn s'arrêtait. Maman, pose-moi encore une question.

— Si c'est ce que tu veux vraiment », disait celle-ci, et la fillette approuvait. « Demain, déclara Marilyn, je t'achèterai un livre et on le lira ensemble. »

Au lieu d'un seul livre, Marilyn en rapporta une

pile : *La Science de l'air. Pourquoi fait-il le temps qu'il fait. La chimie en s'amusant.* Le soir, après avoir bordé Nath, elle se juchait au bord du lit de Lydia et prenait celui du dessus. Lydia se blottissait contre elle, écoutant le martèlement profond et souterrain du cœur de sa mère. Quand Marilyn inspirait, elle inspirait. Quand elle expirait, elle expirait. La voix de sa mère semblait provenir de sa propre tête. « L'air est partout, lisait Marilyn. L'air flotte tout autour de toi. Même si tu ne le vois pas, il est tout de même là. Partout où tu vas, l'air est là. » Lydia se pelotonnait encore plus entre ses bras, et quand elles atteignaient la dernière page, elle dormait presque. « Lis-m'en une autre », murmurait-elle. Et quand Marilyn, ravie, chuchotait : « Demain, d'accord ? », Lydia hochait la tête si fort que ses oreilles se mettaient à siffler.

Ce mot essentiel : *demain*. Chaque jour, Lydia le chérissait. Demain je t'emmènerai au musée voir les os de dinosaures. Demain on apprendra des choses sur les arbres. Demain on étudiera la Lune. Chaque soir une petite promesse arrachée à sa mère : qu'elle serait là le lendemain matin.

Et en échange, Lydia tenait sa propre promesse : elle faisait tout ce que sa mère demandait. Elle apprit à écrire le signe plus, comme un petit *t* chétif. Elle comptait sur ses doigts chaque matin, faisant des additions au-dessus de son bol de céréales. Quatre plus deux. Trois plus trois. Sept plus dix. Chaque fois que sa mère s'arrêtait, elle en redemandait, ce qui rendait Marilyn radieuse, comme si Lydia avait allumé une lumière. Elle se tenait sur le petit escabeau devant l'évier, en tablier de la tête aux chevilles, et laissait tomber une pincée de bicarbonate de soude dans un bocal de vinaigre. « C'est une réaction chimique », disait Marilyn, et Lydia acquiesçait tandis que la mousse s'écoulait en gargouillant dans la canalisation de l'évier. Elle jouait à l'épicière avec sa mère, rendant la monnaie avec des pièces de un et cinq *cents :* deux *cents* pour une étreinte, quatre *cents* pour un baiser. Et quand Nath posait soudain une pièce de vingt-cinq *cents* sur la table en disant : « Je parie que celle-là, tu la connais pas », Marilyn le chassait.

Au fond d'elle-même, Lydia sentait tout ce qui l'attendait. Un jour, les livres n'auraient plus d'images. Les problèmes deviendraient plus longs et plus durs. Il y aurait des fractions, des décimales, des exposants. Les jeux deviendraient plus complexes. Par-dessus un pain de viande, sa mère dirait : « Lydia, je pense à un nombre. Si tu le multiplies par deux et ajoutes un, tu obtiens sept. » Elle referait le calcul à l'envers jusqu'à trouver la bonne réponse, et Marilyn sourirait et apporterait le dessert. Un jour, celle-ci lui offrirait un véritable stéthoscope. Elle déferait les deux boutons supérieurs de son chemisier et Lydia écouterait directement le cœur de sa mère. « Les médecins se servent de ces appareils », expliquerait Marilyn. C'était encore loin, une perspective distante et minuscule, mais Lydia savait déjà que ça arriverait. Cette certitude flottait autour d'elle, s'accrochait à elle, chaque jour un peu plus palpable. Partout où elle allait, elle était là. Mais chaque fois que sa mère demandait, elle répondait *oui, oui, oui*.

Deux semaines plus tard, Marilyn et James se rendirent à Toledo pour récupérer ses vêtements et ses livres. La bille, la barrette et le bouton étaient alors gentiment oubliés dans la poche de sa robe dans la penderie. Déjà la robe commençait à être trop étroite, et Marilyn serait bientôt obligée de la donner à Goodwill, avec ses minuscules talismans toujours à l'intérieur. Pourtant, l'idée de vider l'appartement, de replacer ses livres dans des cartons, de jeter à la poubelle ses cahiers à moitié remplis lui faisait monter les larmes aux yeux. Elle voulait de l'intimité pour ces petites funérailles.

« Vraiment, avait-elle dit, tu n'es pas obligé de venir. »

Mais James avait insisté.

« Je ne veux pas que tu soulèves quoi que ce soit de lourd dans ton état. Je demanderai à Vivian Allen de surveiller les enfants pendant l'après-midi. »

Dès que James et Marilyn furent partis, Mme Allen mit un feuilleton à la télé et s'assit sur le canapé. Lydia étreignait ses genoux sous la table de la cuisine, sans livre de recettes ; Nath ramassait des peluches sur le tapis et enrageait. Sa mère le réveillait le matin et le bordait le soir, mais le reste du temps Lydia accaparait toute son attention. Il connaissait les réponses à toutes les questions que posait sa mère, mais chaque fois qu'il essayait d'intervenir, elle le faisait taire pendant que Lydia comptait sur ses doigts. Au musée, il avait voulu voir le spectacle des étoiles au planétarium, mais ils avaient passé la journée à regarder des squelettes, des reproductions du système digestif, tout ce que Lydia voulait. Ce matin même, il était descendu à la cuisine de bonne heure, serrant son classeur rempli de coupures de presse, et Marilyn, toujours en peignoir, lui avait adressé un sourire endormi par-dessus sa tasse de thé. C'était la première fois qu'elle le *regardait* vraiment depuis qu'elle était rentrée, et quelque chose avait palpité dans sa gorge, comme un petit oiseau.

« Je peux avoir un œuf dur ? » avait-il demandé, et, comme par miracle, elle avait répondu : « D'accord. » Pendant un moment, il avait tout pardonné. Et il avait décidé de lui montrer les photos des astronautes qu'il avait collectionnées, sa liste de lancements, tout. Elle comprendrait. Elle serait impressionnée.

Puis, avant qu'il ait pu dire un mot, Lydia était descendue, et l'attention de sa mère s'était envolée et posée sur les épaules de sa fille. Nath boudait dans un coin, triturant les bords de son classeur, mais personne n'avait fait attention à lui jusqu'à ce que son père arrive dans la cuisine.

« Toujours dans la lune à cause de ces astronautes ? » s'était-il exclamé en prenant une pomme dans la coupe à fruits sur la paillasse.

Il avait ri de sa propre plaisanterie et mordu dans la pomme, et même depuis l'autre bout de la cuisine, Nath avait entendu le craquement dur des dents transperçant la peau. Sa mère, qui écoutait Lydia lui raconter son rêve de la nuit précédente, n'avait rien remarqué. Elle avait complètement oublié son œuf. Le petit oiseau dans sa gorge était mort et avait gonflé, de sorte qu'il pouvait à peine respirer.

Dans le canapé, Mme Allen poussa un petit ronflement saccadé. Un fil de bave coulait sur son menton. Nath sortit, laissant la porte de la maison entrouverte, et bondit du porche. Le sol percuta ses talons comme une décharge électrique. Au-dessus de sa tête, le ciel s'étirait, d'un gris métallique pâle.

« Où tu vas ? demanda Lydia en passant la tête par la porte.

— Ça te regarde pas. »

Il se demanda si Mme Allen l'entendrait et sortirait

pour le rappeler, mais rien ne se produisit. Il n'avait pas besoin de la regarder pour savoir que Lydia l'observait, et il marcha au beau milieu de la rue, la mettant au défi de le suivre. Et au bout de quelques instants, c'est ce qu'elle fit.

Elle le suivit jusqu'au lac et jusqu'au bout du petit ponton. Les maisons de l'autre côté de l'eau ressemblaient à des maisons de poupées, des modèles réduits minuscules et parfaits. À l'intérieur, des mères faisaient bouillir des œufs ou préparaient des gâteaux, ou peut-être que des pères attisaient les braises du barbecue, retournant les saucisses avec une fourchette pour que le gril trace de parfaites lignes noires tout autour. Ces mères n'étaient jamais parties en abandonnant leurs enfants. Ces pères ne les avaient jamais giflés, ne s'étaient jamais moqués d'eux, n'avaient jamais renversé la télévision à coups de pied.

« Tu vas nager ? »

Lydia ôta ses chaussettes et en enfonça une dans chaque chaussure, puis elle s'assit au bout du ponton à côté de lui, les pieds dans le vide. Quelqu'un avait laissé dans le sable une poupée Barbie, nue et boueuse. L'un de ses bras manquait. Nath arracha l'autre et le lança dans l'eau. Puis une jambe, ce qui était plus dur. Lydia commença à s'agiter.

« On ferait mieux de rentrer.

— Dans une minute. »

Dans ses mains, la tête de la Barbie avait pivoté et était désormais tournée vers son dos.

« On va avoir des ennuis », dit Lydia en attrapant une chaussette.

L'autre jambe refusait de venir, et Nath se tourna vers sa sœur. Il se sentait instable, peinait à garder l'équilibre, comme si l'univers avait basculé sur le côté. Il ne savait pas exactement comment c'était arrivé, mais le monde était de travers, tel un tape-cul sur lequel le poids ne serait pas également réparti. Ce qui faisait leur vie – leur mère, leur père, même lui – glissait désormais vers Lydia. Comme la pesanteur, il était inutile d'essayer d'y résister. Tout tournait en orbite autour d'elle.

Par la suite, Nath ne serait jamais en mesure de démêler ce qu'il avait dit de ce qu'il avait pensé et de ce qu'il avait ressenti. Il ne serait même jamais sûr d'avoir dit quoi que ce soit. Tout ce qu'il saurait avec certitude se résumerait à une chose : il avait poussé Lydia dans l'eau.

Chaque fois qu'il se rappellerait ce moment, il durerait une éternité : un sentiment de distance soudain et absolu tandis que Lydia disparaissait sous la surface. Accroupi sur le ponton, il eut un aperçu de l'avenir : sans elle, il serait complètement seul. L'instant d'après, il comprit que ça ne changerait rien. Il sentait le sol qui continuait de s'incliner sous lui. Même sans Lydia, le monde ne se redresserait pas. Lui, ses parents, leurs vies continueraient de tourner autour de l'endroit où elle s'était trouvée. Ils seraient attirés par le vide qu'elle laisserait derrière elle.

Plus encore : à la seconde où il la toucha, il sut qu'il avait tout compris de travers. Quand ses paumes heurtèrent ses épaules, quand l'eau se referma autour de sa tête, Lydia ressentit un tel soulagement qu'elle prit une profonde inspiration qui faillit la faire suffoquer. Elle avait basculé si volontiers, était tombée de si bonne grâce que Nath et elle comprirent tous deux qu'elle aussi ressentait cette attraction qu'elle exerçait désormais, et qu'elle n'en voulait pas. Que le poids de tout ce qui penchait vers elle était trop considérable.

En réalité, il s'écoula seulement quelques secondes avant que Nath saute dans l'eau. Il plongea sous la surface, agrippa le bras de Lydia, et la remonta en pédalant furieusement.

« Bats des jambes ! criait-il en haletant. Bats des jambes ! *Bats des jambes !* »

Ils regagnèrent la rive du lac en pataugeant, avançant lentement vers la partie moins profonde jusqu'à ce que leurs pieds touchent le fond sablonneux, puis se précipitant vers la terre ferme. Nath essuya la vase de ses yeux. Lydia vomit une gorgée d'eau dans l'herbe. Pendant une, deux, trois minutes, ils restèrent allongés face contre le sol, reprenant leur souffle. Puis Nath se hissa sur ses pieds, et, à sa grande surprise, Lydia leva le bras pour attraper sa main. *Ne lâche pas*, voulait-elle dire, et, étourdi de gratitude, Nath tendit la sienne.

Ils rentrèrent d'un pas lourd, en silence, laissant des traînées humides sur leur chemin. Hormis les ronflements de Mme Allen, il n'y avait aucun bruit, si ce n'est celui de l'eau qui gouttait de leurs vêtements sur le lino. Ils n'étaient partis que vingt minutes, mais c'était comme si une éternité s'était écoulée. Doucement, ils montèrent sur la pointe des pieds à l'étage et cachèrent leurs habits humides dans le panier à linge sale avant d'en enfiler des secs, et quand leurs parents revinrent avec des valises et des cartons de livres, ils ne dirent rien. Lorsque leur mère se plaignit à cause des flaques d'eau sur le sol, Nath expliqua qu'il avait renversé un verre. À l'heure du coucher, Nath et Lydia se brossèrent les dents ensemble au lavabo, crachant à tour de rôle, puis se souhaitèrent une bonne nuit comme si c'était un soir comme les autres. Ce qui s'était passé était trop considérable pour qu'ils en parlent. C'était comme un paysage qu'ils ne pouvaient pas voir dans son ensemble ; c'était comme le ciel nocturne, qui tournait et tournait si bien qu'on n'en distinguait jamais les limites. Ce serait toujours trop considérable. Il l'avait poussée dans l'eau. Puis il l'en avait tirée. Toute sa vie, Lydia se rappellerait une chose. Toute sa vie, Nath s'en rappellerait une autre.

L'école primaire de Middlewood organisait son pique-nique de rentrée le dernier week-end d'août. Lorsqu'ils traversèrent le parking, leur mère avait une main sur son ventre, à l'endroit où Hannah était chaque jour plus lourde, et leur père portait Lydia sur ses épaules. Après le déjeuner, des compétitions étaient organisées : qui pouvait frapper une balle de base-ball le plus loin, qui pouvait lancer le plus de balles dans une boîte de café, qui pouvait deviner le nombre de bonbons dans un bocal en verre. Nath et James s'inscrirent à la course aux œufs pour père et fils, chacun tenant un œuf cru dans une cuiller à café, comme une offrande. Ils avaient presque atteint la ligne d'arrivée lorsque Nath trébucha et fit tomber le sien. Miles Fuller et son père traversèrent la ligne les premiers, et M. Hugard, le principal, leur décerna le ruban bleu.

« Pas grave », dit James, et pendant un instant Nath fut soulagé. Puis son père ajouta : « Maintenant, s'ils avaient un concours de celui qui peut lire toute la journée… » Ça faisait un mois qu'il faisait ce genre de réflexions : des réflexions qui ressemblaient à des plaisanteries mais n'en étaient pas. Et chaque fois, lorsqu'il entendait sa propre voix, James se mordait le bout de la langue, mais trop tard. Il ne comprenait pas pourquoi il disait ça à Nath, car ça l'aurait obligé à comprendre une chose bien plus douloureuse encore : que Nath le faisait de plus en plus penser à lui-même, à tout ce qu'il voulait oublier de sa propre enfance. Il savait seulement que c'était en train de devenir un réflexe, un réflexe qui lui faisait mal et honte. Alors, il détourna le regard. Nath baissa les yeux vers son œuf cassé dont le jaune s'écoulait entre les brins d'herbe et dont le blanc imprégnait le sol. Lydia lui adressa un petit sourire, et il écrasa la coquille dans la terre avec sa tennis. Puis, quand son père tourna le dos, il cracha à ses pieds.

Arriva alors la course à trois jambes. Un enseignant attacha au moyen d'un mouchoir l'une des chevilles de Lydia à l'une de celles de Nath, et ils clopinèrent jusqu'à la ligne de départ, où d'autres enfants étaient attachés à un de leurs parents, ou à un frère, ou à une sœur, ou à un camarade. Ils avaient à peine commencé à courir que Lydia coinça la bout de la chaussure de Nath sous la sienne et trébucha. Nath écarta un bras en grand pour conserver son équilibre et se mit à chanceler. Il tentait de caler sa foulée sur celle de Lydia, mais quand celle-ci projetait une jambe en avant, Nath tirait en arrière. Le mouchoir autour de leurs chevilles était si fermement noué qu'ils ressentaient une douleur lancinante dans le pied. Il refusait de se desserrer, les attelant l'un à l'autre comme du bétail mal assorti, et il ne se détacha pas, même quand ils bondirent chacun dans une direction opposée et tombèrent face contre terre dans l'herbe tendre et humide.

7

Dix ans plus tard, ce lien ne s'était toujours pas défait. Les années passaient. Les garçons partaient à la guerre ; les présidents arrivaient, démissionnaient et s'en allaient. À travers tout le pays, à Detroit, à Washington, à New York, des foules s'agitaient dans les rues, exaspérées par tout. À travers le monde, des nations se fissuraient et se divisaient : Nord-Viêtnam, Berlin-Est, Bangladesh. Partout, des choses se défaisaient. Mais chez les Lee, le lien persistait et se resserrait, comme si Lydia les avait attachés tous ensemble.

Chaque jour James rentrait de l'université – où il donnait son cours sur les cow-boys semestre après semestre après semestre, jusqu'à pouvoir le réciter au mot près – ressassant les affronts du jour : les deux petites filles qui jouaient à la marelle au coin de la rue et qui, le voyant freiner au stop, avaient lancé des cailloux sur sa voiture ; Stan Hewitt qui lui avait demandé la différence entre un rouleau de printemps et un pâté impérial ; Mme Allen qui avait souri d'un air suffisant quand il était passé en voiture devant chez elle. Ce n'était que quand il rentrait chez lui et voyait Lydia que la brume amère se dissipait.

Pour elle, songeait-il, tout serait différent. Elle aurait des amis pour dire : *Ne sois pas idiot, Stan, comment veux-tu qu'elle sache ?* Elle serait posée et confiante ; elle dirait : *Bonjour, Vivian*, et regarderait franchement ses voisins avec ses grands yeux bleus. Chaque jour, cette pensée devenait plus précieuse.

Chaque jour tandis qu'elle déballait une tourte surgelée ou décongelait un steak Salisbury – car elle refusait toujours de cuisiner, et la famille acceptait silencieusement ce refus comme le prix de sa présence –, Marilyn faisait des plans : les livres qu'elle achèterait à Lydia. Les projets pour les concours scientifiques. Les cours d'été. « Seulement si tu es intéressée, lui disait-elle chaque fois. Seulement si c'est ce que tu veux. » Et elle était sincère, chaque fois, même si elle ne se rendait pas compte qu'elle retenait son souffle. Alors que Lydia, si. *Oui*, répondait immanquablement sa fille. *Oui. Oui.* Et sa mère respirait de nouveau. Dans le journal – que Marilyn lisait, entre les lessives, du début à la fin, rythmant sa journée, section après section –, elle voyait des lueurs d'espoir. Yale avait commencé à accepter les femmes, puis Harvard. La nation apprenait de nouveaux mots : *discrimination positive* ; *amendement pour l'égalité entre les sexes* ; *Mlle*. Dans son esprit, Marilyn déroulait l'avenir de Lydia comme un long fil doré, certaine que c'était celui que sa fille voulait également : Lydia en talons hauts et en blouse blanche, un stéthoscope autour du cou ; Lydia penchée au-dessus d'une table d'opération, un cercle d'hommes s'émerveillant de son habileté. Chaque jour, ça semblait de plus en plus possible.

Chaque jour, au dîner, Nath restait silencieux pendant que son père interrogeait Lydia sur ses amis, pendant que sa mère encourageait Lydia à être attentive en cours. Quand ils se tournaient, consciencieusement, vers lui, il restait muet, car son père – toujours mortifié par le souvenir de la télévision brisée et par la gifle donnée à son fils – ne voulait pas entendre parler d'espace. Alors que c'était tout ce que lisait Nath, tout ce à quoi il pensait. Dans ses moments de loisir, il passait en revue chaque livre du catalogue de la bibliothèque de l'école. *Voyage spatial. Astrodynamique. Voir aussi : combustion ; propulsion ; satellites.* Après qu'il eut bafouillé quelques réponses, le projecteur était de nouveau braqué sur Lydia, et Nath regagnait sa chambre et retrouvait ses magazines sur l'aéronautique, qu'il empilait sous son lit comme des revues pornographiques. Cette éclipse permanente ne le dérangeait pas : chaque soir, Lydia frappait à sa porte, silencieuse et malheureuse. Il comprenait tout ce qu'elle ne disait pas, à savoir, fondamentalement : *Ne lâche pas.* Quand Lydia repartait – pour ramer sur ses devoirs ou sur un projet pour un concours scientifique –, il orientait son télescope vers l'extérieur, regardant les étoiles lointaines, les endroits lointains où il s'aventurerait peut-être un jour seul.

Quant à Lydia – le centre malgré elle de leur univers –, elle cimentait leur monde. Elle absorbait les rêves de ses parents, faisant taire les réticences qui bouillonnaient en elle. Les années passaient. Johnson, Nixon et Ford arrivaient et s'en allaient. Elle devenait élancée, Nath devenait grand. Des plis se creusaient autour des yeux de leur mère ; les cheveux de leur père grisonnaient aux tempes. Lydia savait ce qu'ils voulaient si désespérément, même quand ils ne le demandaient pas. Chaque fois, ça semblait un sacrifice si infime en échange de leur bonheur. Alors, elle étudiait l'algèbre pendant tout l'été. Elle enfilait une robe et allait au bal des élèves de première année. Elle s'inscrivait à un cours de biologie à l'université, lundi, mercredi, vendredi, tout l'été. *Oui. Oui. Oui.*

(Et Hannah ? Ils avaient installé sa chambre dans le grenier, où l'on conservait les choses dont on ne voulait pas, et même à mesure qu'elle grandissait, chacun d'entre eux oubliait, de façon fugace, qu'elle existait – comme quand Marilyn, après avoir disposé quatre assiettes pour le dîner un soir, ne s'était aperçue de son omission qu'au moment où Hannah était arrivée à table. Hannah, comme si elle comprenait sa place dans le cosmos, passa de bébé silencieux à enfant vigilant : une fillette qui aimait les recoins, qui se recroquevillait dans les placards, derrière les canapés, sous les nappes pendantes, se maintenant hors de vue autant que des esprits pour s'assurer que l'équilibre familial n'était pas bouleversé.)

Une décennie après cette année terrible, tout avait été mis sens dessus dessous. Pour le reste du monde, 1976 était également une période chaotique, qui s'était achevée par un hiver inhabituellement froid et des gros titres étranges : *Chutes de neige à Miami*. Lydia avait quinze ans et demi, et les vacances d'hiver venaient de commencer. Dans cinq mois, elle serait morte. En décembre, seule dans sa chambre, elle ouvrit son cartable et en tira une interrogation de physique avec un cinquante-cinq écrit en rouge en haut de la page.

Le cours de biologie avait été plutôt difficile, mais en mémorisant *règne*, *phylum* et *classe*, elle avait réussi les quelques tests. Puis, à mesure que le cours était devenu plus complexe, elle avait eu de la chance :

le garçon assis à côté d'elle travaillait dur, écrivait gros, et ne cachait jamais ses réponses. « Ma fille, avait dit pendant l'automne Marilyn à Mme Wolff – le Dr Wolff – est un génie. Elle a eu un A à un cours de niveau *universitaire*, et en plus, c'est la seule fille. » Lydia ne lui avait donc jamais avoué qu'elle ne comprenait pas le cycle de Krebs, qu'elle ne pouvait pas expliquer la mitose. Quand sa mère avait encadré son bulletin scolaire, elle l'avait accroché au mur et fait mine de sourire.

Après la biologie, Marilyn avait d'autres suggestions. « On va te faire sauter une classe en sciences, cet automne, avait-elle déclaré. Après le cours de biologie niveau université, je suis sûre que la physique sera un jeu d'enfant. » Lydia, consciente que c'était la matière préférée de sa mère, avait accepté. « Tu rencontreras des élèves plus âgés, avait ajouté son père, et tu te feras de nouveaux amis. » Il lui avait fait un clin d'œil, se rappelant qu'à Lloyd plus âgé signifiait *meilleur*. Mais les étudiants de première année à l'université parlaient entre eux, comparant les traductions de français à remettre au prochain cours ou mémorisant Shakespeare pour le test de l'après-midi ; avec Lydia, ils étaient simplement polis, conservant la grâce distante des autochtones dans un endroit où elle était une étrangère. Et elle ne trouvait pas les réponses aux problèmes sur les accidents de voiture, les canons, les camions qui dérapaient sur de la glace lisse. Les voitures de course sur les pistes inclinées, les montagnes russes avec leurs loopings, les pendules et les poids : elle tournait en rond, faisait des allers-retours. Plus elle y réfléchissait, moins ça n'avait de sens. *Pourquoi* les voitures de course ne se renversaient-elles pas ? *Pourquoi* les trains des montagnes russes ne tombaient-ils pas de leurs rails ? Quand elle essayait de comprendre, la pesanteur s'en mêlait et attirait le train vers le sol comme un long ruban. Chaque soir, quand elle était assise devant son manuel, les équations – truffées de *k*, de *M* et de thêta – semblaient aussi piquantes et denses que des ronces. Au-dessus de son bureau, sur la carte postale que lui avait offerte sa mère, Einstein tirait la langue.

Chaque note était plus basse que la précédente, ressemblant à une étrange prévision météorologique : quatre-vingt-dix en septembre, quatre-vingt-cinq en octobre, un peu plus de soixante-dix en novembre, dans les soixante avant Noël. Au test qui avait précédé celui-ci, elle avait eu soixante-deux – elle l'avait donc techniquement réussi, mais c'était à peine passable. Après le cours, elle en avait fait des confettis et l'avait jeté dans les toilettes du troisième étage avant de rentrer à la maison. Maintenant, il y avait ce cinquante-cinq, qui, comme une lumière vive, lui faisait plisser les yeux, même si M. Kelly n'avait pas inscrit le *F* en haut de la page. Elle l'avait caché dans son casier pendant deux semaines sous une pile de manuels, comme si le poids combiné de l'algèbre, de l'histoire et de la géographie pouvait l'éteindre. Mais M. Kelly lui avait demandé ce qu'elle en avait fait, laissant entendre qu'il pouvait appeler lui-même ses parents, si nécessaire, et Lydia avait promis de le rapporter après les vacances de Noël, signé par sa mère.

Toute sa vie elle avait entendu le cœur de sa mère marteler un unique mot : *médecin, médecin, médecin.* Elle le désirait tellement, Lydia le savait, qu'elle n'avait plus besoin de le prononcer. Il était toujours là.

Lydia ne pouvait s'imaginer un autre avenir, une autre vie. C'était comme essayer d'imaginer un monde où le Soleil tournerait autour de la Lune, ou bien où l'air n'existerait pas. Pendant un temps, elle avait songé à imiter sa signature, mais son écriture était trop arrondie, trop parfaitement bombée, comme celle d'une petite fille. Elle ne tromperait personne.

Et la semaine précédente, quelque chose d'encore plus terrible s'était produit. De sous son lit, Lydia tira une petite enveloppe blanche. Elle espérait plus ou moins que, d'une manière ou d'une autre, elle aurait changé ; qu'au cours des huit derniers jours les mots se seraient érodés pour qu'elle puisse les effacer d'un soupir comme de la suie, ne laissant qu'une page blanche inoffensive. Néanmoins, lorsqu'elle souffla rapidement dessus, le papier frissonna, mais la lettre demeura intacte. *Cher Monsieur Lee, nous vous remercions pour votre participation à notre programme d'admission anticipée et sommes très heureux de vous accueillir dans la promotion 1981 de Harvard.*

Depuis quelque temps, Nath vérifiait le courrier chaque après-midi, avant même de dire bonjour à leur mère, parfois même avant d'ôter ses chaussures. Lydia sentait qu'il mourait tellement d'envie de partir que plus rien d'autre ne comptait. La semaine précédente, au petit déjeuner, Marilyn avait posé les devoirs annotés de Lydia contre la boîte de céréales. « Je les ai vérifiés hier soir après que tu es allée te coucher, avait-elle dit. Il y a une erreur au numéro vingt-trois, ma chérie. » Cinq ans, un an, ne serait-ce que six mois plus tôt, Lydia aurait trouvé de la compassion dans les yeux de son frère. *Je sais. Je sais.* La confirmation et la consolation dans un unique battement de paupières. Mais cette fois, Nath, plongé dans un livre de bibliothèque, n'avait pas remarqué les mains serrées de Lydia, le rouge qui avait soudain bordé ses yeux. Trop occupé à rêver de son avenir, il n'entendait plus tout ce qu'elle ne disait pas.

Pendant si longtemps, il avait été le seul à écouter. Depuis le départ et le retour de leur mère, Lydia n'avait pas eu d'amis. Cet automne-là, à chaque récréation, elle s'était tenue à l'écart, fixant l'horloge First Federal au loin. Chaque fois qu'une minute s'écoulait, elle fermait fort les yeux et s'imaginait ce que sa mère pouvait faire – récurer la paillasse, remplir la bouilloire, éplucher une orange –, comme si le poids de tous ces détails pouvait la faire rester. Plus tard, elle se demanderait si c'était ça qui lui avait fait rater sa chance, ou si elle avait jamais eu sa chance. Un jour, elle avait rouvert les yeux et découvert Stacey Sherwin plantée devant elle : Stacey Sherwin aux longs cheveux dorés, entourée d'un petit groupe de filles. À la maternelle de Middlewood, Stacey Sherwin avait été la faiseuse de rois, toujours prompte à exercer son pouvoir. Quelques jours auparavant, elle avait déclaré : « Jeannie Collins pue comme du jus de poubelle », et Jeannie Collins s'était éloignée du groupe, arrachant ses lunettes de son visage maculé de larmes, pendant que les autres filles de la clique de Stacey gloussaient. Lydia, qui se tenait à bonne distance, avait observé la scène avec stupeur. Une seule fois, le premier jour de la maternelle, Stacey lui avait adressé la parole. « Est-ce que les Chinois fêtent Thanksgiving ? » Et : « Est-ce que les Chinois ont un nombril ? »

« On va toutes chez moi après les cours », dit alors

Stacey. Ses yeux se posèrent brièvement sur Lydia, puis se détournèrent. « Tu pourrais également venir. »

Le soupçon monta en Lydia. Pouvait-elle vraiment avoir été choisie par Stacey Sherwin ? Stacey n'arrêtait pas de regarder le sol et de s'enrouler une mèche de cheveux autour du doigt, et Lydia la fixait, comme si elle essayait de lire dans son esprit. Timide ou sournoise ? Elle n'aurait pu le dire. Et elle songea alors à sa mère, se l'imagina regardant par la fenêtre de la cuisine, attendant son retour.

« Je ne peux pas, répondit-elle finalement. Ma mère a dit que je devais rentrer directement à la maison. »

Stacey haussa les épaules et s'éloigna, les autres filles lui emboîtant le pas. Dans leur sillage un rire s'éleva soudain, et Lydia ne sut pas si elle avait raté la plaisanterie ou si c'était elle la plaisanterie.

Auraient-elles été gentilles avec elle ou se seraient-elles moquées ? Elle ne le saurait jamais. Elle refusait d'aller aux anniversaires, de faire du roller, de se baigner à la base de loisirs, elle disait non à tout. Chaque après-midi, elle se hâtait de rentrer, pressée de voir le visage de sa mère, de la faire sourire. Dès le CE1, les autres filles avaient cessé de lui demander. Elle se disait qu'elle s'en fichait : sa mère était toujours là. C'était tout ce qui comptait. Dans les années qui avaient suivi, Lydia avait observé Stacey Sherwin – ses cheveux dorés tressés, puis lissés au fer, puis bouffants – adressant des gestes de la main à ses amies, les attirant à elle, comme un faux diamant captant la lumière. Elle avait vu Jenn Pittman glisser un mot à Pam Saunders et Pam Saunders le déplier sous son bureau et ricaner ; elle avait vu Shelley Brierley partager un paquet de chewing-gums à la menthe et avait inspiré le parfum sucré de la menthe verte tandis que les tablettes enveloppées d'aluminium passaient devant elle.

Seul Nath rendait les choses supportables. Chaque jour, depuis la maternelle, il lui réservait une place – à la cafétéria, une chaise en face de lui à la table ; dans le bus, en posant ses livres sur la banquette en vinyle vert. Si c'était elle qui arrivait la première, elle faisait de même. Grâce à Nath, elle n'avait jamais eu à rentrer seule pendant que tous les autres discutaient amicalement par paires ; elle n'avait jamais eu à demander d'un air gêné : « Est-ce que je peux m'asseoir ici ? », au risque de se faire rembarrer. Ils n'en avaient jamais discuté, mais tous deux en étaient venus à comprendre ça comme une promesse : il s'assurerait toujours qu'il y aurait une place pour elle. Elle serait toujours en mesure de dire : *Quelqu'un arrive. Je ne suis pas seule.*

Maintenant, Nath s'en allait. D'autres lettres allaient arriver. *Dans quelques jours, nous vous adresserons une série d'informations et de formulaires au cas où vous choisiriez d'accepter votre place.* Pourtant, pendant un instant, Lydia s'était autorisée à rêver : elle s'imaginait subtilisant la prochaine lettre, puis la suivante, puis la suivante, les cachant entre son matelas et son sommier, où Nath ne les trouverait pas, pour qu'il n'ait d'autre choix que de rester.

Au rez-de-chaussée, Nath feuilleta le courrier : un prospectus d'une épicerie, une facture. Pas de lettre. Pendant l'automne, quand la conseillère d'éducation l'avait interrogé sur ses plans de carrière, il avait murmuré, comme s'il lui révélait un secret honteux : « L'espace. Le cosmos. » Mme Hendrich avait fait cliquer son stylo à deux reprises, et il avait cru qu'elle allait éclater de rire. Près de cinq années s'étaient écoulées depuis le dernier voyage sur la Lune, et la nation, ayant battu les Soviétiques, avait tourné son attention ailleurs. Mais à la place, Mme Hendrich lui avait expliqué qu'il y avait deux voies : devenir pilote, ou devenir scientifique. Elle avait ouvert une chemise qui renfermait son dossier scolaire. Ben gym ; A+ en trigonométrie, calcul, biologie, physique. Même si Nath rêvait du MIT, ou de Carnegie Mellon, ou de Caltech – il avait même écrit pour demander des brochures –, il savait qu'il n'y avait qu'un endroit que son père approuverait : Harvard. Pour James, toute autre option était un échec. Une fois à l'université, se disait Nath, il s'inscrirait en physique avancée, science des matériaux, aérodynamique. L'université serait un tremplin pour un million d'endroits où il n'était jamais allé, une escale sur la Lune avant de foncer dans l'espace. Il laisserait tout et tout le monde derrière lui – et même s'il refusait de l'admettre, *tout le monde* signifiait également Lydia.

Lydia avait désormais quinze ans, elle avait grandi, et, au lycée, quand elle attachait ses cheveux ou mettait du rouge à lèvres, elle avait l'air d'une adulte. Chez elle, elle ressemblait toujours à la gamine de cinq ans étonnée qui s'était accrochée à sa main tandis qu'ils regagnaient la rive à la nage. Quand elle se tenait à proximité, la senteur de petite fille de son parfum – même son nom, Baby Soft, était enfantin – se dégageait de sa peau. Depuis cet été-là, il avait eu l'impression que quelque chose continuait de les relier par les chevilles et de lui faire perdre l'équilibre, rattachant le poids de Lydia au sien. En dix ans, ce quelque chose ne s'était pas desserré et commençait à l'irriter. Pendant toutes ces années, comme il était la seule personne qui comprenait leurs parents, il avait absorbé sa tristesse, offrant une compassion silencieuse, ou une petite pression sur l'épaule, ou un sourire ironique. Il disait : *Maman est toujours en train de faire tes éloges auprès du Dr Wolff. Quand j'ai eu ce A+ en chimie, elle ne s'en est même pas rendu compte.* Ou : *Tu te souviens quand je ne suis pas allé au bal de troisième ? Papa a dit : « Bon, je suppose que si tu n'as pas de fille avec qui y aller... »* Il lui avait remonté le moral en lui disant que trop d'amour valait mieux que trop peu. Mais pendant tout ce temps, Nath n'avait qu'une chose en tête : *Quand j'irai à la fac...* Il n'achevait jamais sa phrase, mais dans le futur qu'il s'imaginait, il s'éloignait en flottant, sans entraves.

Noël approchait, et toujours pas de lettre de Harvard. Nath se rendit dans le salon sans allumer la lampe, se laissant guider par les lumières colorées du sapin. Chaque carreau noirci des fenêtres reflétait un minuscule sapin de Noël. Il devrait rédiger de nouvelles dissertations et attendre un deuxième, ou un troisième, ou un quatrième choix, ou peut-être serait-il obligé de rester à jamais à la maison. La voix de son père résonna dans la cuisine : « Je crois que ça va vraiment lui plaire. Dès que je l'ai vu, j'ai pensé à elle. » Pas besoin d'explication – dans leur famille, *elle*, c'était toujours Lydia. Tandis que les guirlandes clignotaient, le salon apparaissait faiblement, puis disparaissait de nouveau. Nath fermait les yeux quand les lumières s'allumaient, les rouvrait quand elles s'éteignaient, de sorte qu'il ne voyait qu'une obscurité ininterrompue. Et alors on sonna à la porte.

C'était Jack – pas encore suspect aux yeux de Nath, juste quelqu'un dont il se méfiait et qu'il n'aimait pas depuis un bon bout de temps. Bien qu'il fît moins de zéro degré, il ne portait qu'un sweat-shirt à capuche à moitié fermé par-dessus un tee-shirt dont Nath ne parvint pas totalement à voir ce qui était représenté sur le devant. Les revers de son jean étaient effilochés et humides à cause de la neige. Il ôta sa main de la poche de son sweat-shirt et la tendit. Pendant un moment, Nath se demanda s'il s'attendait à ce qu'il la serre. Puis il vit l'enveloppe pincée entre les doigts de Jack.

« C'est arrivé chez nous, expliqua Jack. Je viens de rentrer et je l'ai vue. » Il tapota du pouce l'écusson rouge dans le coin de l'enveloppe. « Je suppose que tu vas aller à Harvard, alors. »

Elle était épaisse et lourde, comme si elle était bourrée de bonnes nouvelles.

« On va voir, répondit Nath. Ça pourrait être un refus, pas vrai ? »

Jack ne sourit pas.

« Certes, fit-il en haussant les épaules. Si tu le dis. »

Sans un au revoir, il reprit la direction de chez lui, laissant une traînée de traces de pas sur la pelouse enneigée des Lee.

Nath referma la porte et alluma la lumière du salon, soupesant l'enveloppe à deux mains. Tout à coup, la pièce lui sembla insupportablement chaude. Il déchira le rabat et tira sèchement la lettre, en froissant le bord. *Cher Monsieur Lee, laissez-nous vous féliciter une fois de plus pour votre admission anticipée dans la promotion de 1981.* Ses articulations se détendirent de soulagement.

« C'était qui ? »

Hannah, qui écoutait depuis le couloir, passa la tête par l'entrebâillement de la porte.

« Une lettre... » Nathan ravala sa salive. «... de Harvard. »

Même ce nom lui chatouillait la langue. Il tenta de lire le reste, mais le texte était flou. *Féliciter. Une fois de plus.* Le facteur avait dû égarer la première lettre, songea-t-il, mais ça n'avait aucune importance. *Votre admission.* Il abandonna et fit un grand sourire à Hannah, qui entra sur la pointe des pieds et s'appuya contre le canapé.

« J'ai été accepté.

— À Harvard ? demanda James, arrivant de la cuisine.

— La lettre a été déposée chez les Wolff », dit-il en la tendant.

Mais James y jeta à peine un coup d'œil. Il regardait Nath, et pour une fois il ne fronçait pas les sourcils. Nath s'aperçut alors qu'il était désormais aussi grand que son père, qu'ils pouvaient se regarder dans les yeux.

« Pas mal », observa James. Il sourit, comme s'il était à demi embarrassé, et posa la main sur l'épaule de son fils. Nath la sentit – lourde et chaude – à travers son tee-shirt. « Marilyn, devine quoi ? »

Les talons de sa mère claquèrent depuis la cuisine.

« Nath, fit-elle, et elle l'embrassa fort sur la joue. Nath, vraiment ? » Elle lui prit la lettre des mains. « Mon Dieu ! Promotion 1981, ça ne te donne pas un coup de vieux, James ? »

Mais Nath n'écoutait pas. Il pensait : *Ça y est. Je l'ai fait, j'ai réussi, je pars.*

En haut de l'escalier, Lydia vit la main de son père se resserrer sur l'épaule de Nath. Elle ne se rappelait pas la dernière fois qu'il lui avait souri comme ça. Sa mère tenait la lettre à la lumière, comme si c'était un document précieux. Hannah, les coudes accrochés à l'accoudoir du canapé, battait des pieds de joie. Son frère lui-même se tenait en silence, sidéré et reconnaissant, 1981 brillant dans ses yeux comme une magnifique étoile lointaine, et Lydia sentit quelque chose s'affaisser bruyamment dans sa poitrine. Comme s'ils l'avaient entendue, ils levèrent tous les yeux vers elle, et alors même que Nath ouvrait la bouche pour lui annoncer la bonne nouvelle, Lydia lança : « Maman, je vais rater la physique. Je suis censée te le dire. »

Ce soir-là, pendant que Nath se brossait les dents, la porte de la salle de bains s'ouvrit en grinçant, et Lydia apparut et s'appuya au montant. Son visage était pâle, presque gris, et pendant un instant il fut désolé pour elle. Pendant le dîner, leur mère était passée de questions effrénées – comment avait-elle pu laisser ça se produire, ne se rendait-elle pas compte ? – à des affirmations brutales : « Imagine-toi plus grande et incapable de trouver du travail. Imagine ça. » Lydia n'avait pas discuté, et, confrontée au silence de sa fille, Marilyn s'était retrouvée à répéter encore et encore cet avertissement terrible : « Tu crois que tu vas simplement trouver un homme et te marier ? C'est tout ce que tu comptes faire de ta vie ? » Elle avait dû se retenir de ne pas pleurer à table. Après une demi-heure, James avait dit : « Marilyn… », mais elle l'avait si férocement fusillé du regard qu'il s'était tu, tapotant des lambeaux de rôti braisé dans la sauce à l'oignon qui commençait à tourner. Tout le monde avait oublié Harvard, la lettre de Nath, Nath lui-même.

Après le dîner, Lydia avait trouvé son frère dans le salon. La lettre de Harvard était posée sur la table basse, et elle avait touché le sceau sur lequel était inscrit le mot VERITAS.

« Félicitations, avait-elle dit doucement. Je savais que tu serais accepté. »

Mais Nath était trop en colère pour lui parler, il avait fixé ses yeux sur l'écran de télévision où Donny et Marie chantaient en parfaite harmonie, et, avant la fin de la chanson, Lydia était remontée en courant dans sa chambre et avait claqué la porte. Maintenant, elle se tenait à l'entrée de la salle de bains, blême et les pieds nus sur le carrelage.

Il savait ce que Lydia voulait désormais : qu'il lui offre du réconfort, une humiliation, un moment qu'il préférerait oublier. Quelque chose pour qu'elle se sente mieux. *Maman s'en remettra. Ça va aller. Souviens-toi quand*... Mais il ne voulait pas se rappeler toutes les fois où son père avait été complètement gaga de Lydia et l'avait regardé, lui, avec une déception brûlante dans les yeux, toutes les fois où leur mère avait fait l'éloge de Lydia mais s'était comportée comme s'il était invisible, comme s'il était fait d'air. Il voulait savourer la lettre tant attendue, la promesse d'enfin partir, d'un nouveau monde qui l'attendait aussi blanc et propre que de la craie.

Il cracha férocement dans l'évier sans la regarder, enfonçant les restes de mousse dans la canalisation avec ses doigts.

« Nath », murmura Lydia comme il s'apprêtait à sortir.

Il sut au tremblement de sa voix qu'elle avait pleuré, qu'elle était sur le point de recommencer.

« Bonne nuit », dit-il, et il referma la porte derrière lui.

Le lendemain matin, Marilyn fixa l'examen raté au mur de la cuisine face à la chaise de Lydia. Elle passa les trois jours qui suivirent, du petit déjeuner au dîner, assise à côté de sa fille face au manuel de physique. Tout ce dont Lydia avait besoin, pensait-elle, c'était d'un peu d'encouragement. Mouvement et inertie, cinétique et potentiel – ces concepts étaient toujours là dans les recoins de son esprit. Elle lisait à haute voix par-dessus l'épaule de Lydia : *Pour chaque action, il y a une réaction égale et contraire.* Elle retravailla encore et encore le contrôle raté avec sa fille jusqu'à ce que celle-ci parvienne à résoudre chaque problème correctement.

Ce que Lydia ne dit pas à sa mère, c'est qu'au bout de la troisième fois elle avait simplement mémorisé les bonnes réponses. Toute la journée, penchée au-dessus de son manuel de physique à la table, elle attendait que son père intervienne : *Ça suffit, Marilyn. Ce sont les vacances de Noël, pour l'amour de Dieu !* Mais il ne disait rien. Lydia avait refusé de parler à Nath depuis *la soirée* – comme elle l'appelait –, et elle soupçonnait, à raison, qu'il lui en voulait également ; il évitait totalement la cuisine, sauf pour les repas. Même Hannah s'était réfugiée sous la table de l'entrée, à un endroit où on ne la voyait pas de la cuisine, et écoutait le grattement du crayon de Lydia sur le papier. Elle enlaçait ses genoux et lui adressait des pensées douces et patientes, mais sa sœur ne les entendait pas. Quand arriva le matin de Noël, Lydia était furieuse contre eux tous, et même la découverte que Marilyn avait finalement décroché l'examen raté du mur ne réussit pas à lui rendre le sourire.

La distribution des présents autour de l'arbre de Noël était désormais gâchée. James soulevait les uns après les autres les paquets enrubannés de la pile, les donnant à chacun, mais Lydia appréhendait le cadeau de sa mère. D'ordinaire, elle lui offrait des livres – des livres que, même si ni l'une ni l'autre ne s'en rendaient pleinement compte, sa mère désirait elle-même en secret, et que, après Noël, elle allait parfois chercher sur l'étagère de Lydia pour les emprunter. Lydia les trouvait toujours trop compliqués, quel que fût son âge, et c'étaient moins des cadeaux que des allusions flagrantes. L'année précédente, ç'avait été *L'Atlas en couleurs de l'anatomie humaine*, un livre si énorme qu'il ne tenait pas droit sur l'étagère ; l'année d'avant, elle avait reçu un épais volume nommé *Les Femmes célèbres de la science*. Les femmes célèbres l'avaient ennuyée. Leurs histoires étaient toutes les mêmes : on leur avait dit qu'elles ne pouvaient pas ; elles s'étaient obstinées. Parce qu'elles le voulaient vraiment, se demandait-elle, ou parce qu'on leur avait dit de ne pas le faire ? Et l'anatomie lui avait donné la nausée – des hommes et des femmes à la peau arrachée, puis aux muscles enlevés, jusqu'à ce qu'ils ne soient plus rien que des squelettes nus. Elle avait feuilleté quelques-unes des planches en couleurs, puis avait sèchement reposé le livre et s'était tortillée sur son siège, comme pour se débarrasser de la sensation qu'elle éprouvait, de la même manière qu'un chien s'ébrouerait pour débarrasser son pelage de la pluie.

Nath, en voyant sa sœur cligner ses yeux rougis, sentit un soupçon de pitié poindre à travers sa colère. Il avait désormais lu onze fois la lettre et s'était finalement convaincu qu'elle était bien réelle : il avait vraiment été accepté. Dans neuf mois, il serait parti, et cette certitude rendait tout ce qui s'était passé moins douloureux. Quelle importance que ses parents se soucient plus des échecs de Lydia que de ses succès à lui ? Il partait. Et quand il serait à l'université, Lydia serait forcée de rester ici. Cette pensée, finalement exprimée avec des mots, était douce-amère. Tandis que son père lui passait un présent enveloppé de papier brillant, Nath adressa à Lydia un sourire hésitant, qu'elle fit mine de ne pas voir. Après trois jours sans réconfort, elle n'était pas encore prête à lui pardonner, mais ce geste la réchauffa, comme une gorgée de thé par une froide journée d'hiver.

Si elle n'avait pas levé les yeux vers le plafond à cet instant, Lydia aurait peut-être pardonné à son frère, après tout. Mais quelque chose attira son regard – une tache blanche au-dessus de leur tête –, et un minuscule souvenir se réveilla en elle. Ils étaient enfants. Leur mère avait emmené Hannah à un rendez-vous chez le médecin, et Nath et elle, seuls à la maison, avaient vu une énorme araignée ramper juste au-dessus du cadre de la fenêtre. Nath avait grimpé sur le canapé et l'avait écrasée avec une chaussure de leur père, laissant une tache noire et une demi-empreinte de pied sur le plafond. « Dis que c'est toi qui l'as fait », avait-il supplié, mais Lydia avait eu une meilleure idée. Elle était allée chercher le flacon de liquide correcteur à côté de la machine à écrire de leur père et avait repeint chaque marque, l'une après l'autre. Leurs parents n'avaient jamais remarqué les points blancs sur le plafond couleur crème, et, par la suite, des mois durant, Nath et elle avaient levé les yeux en échangeant un sourire.

Désormais, en regardant attentivement, Lydia pouvait toujours distinguer la faible trace de la chaussure de leur père, et la marque plus grosse à l'endroit où s'était trouvée l'araignée. Ils avaient formé une équipe. Ils s'étaient serré les coudes, même pour un petit incident aussi absurde. Elle ne s'était jamais attendue à ce qu'un jour ce ne soit plus vrai. La lumière du matin éclaboussait les murs, créant des ombres et des taches éblouissantes. Elle plissa les yeux, tentant de distinguer le blanc du blanc cassé.

« Lydia ? »

Tous les autres étaient occupés à déballer les cadeaux : de l'autre côté de la pièce, Nath insérait une pellicule dans un nouvel appareil photo ; un rubis en pendentif fixé à une chaîne en or luisait sur la robe de sa mère. Devant elle, son père tendait un paquet, petit, compact, avec des bords nets, comme une boîte à bijoux.

« De ma part. C'est moi qui l'ai choisi. »

Il fit un sourire radieux. D'ordinaire, James laissait les courses de Noël à Marilyn, et c'était elle qui inscrivait sur chaque étiquette : *Joyeux Noël, papa et maman*. Mais il avait lui-même choisi ce présent et était impatient de l'offrir.

Un cadeau qu'il avait lui-même choisi, songea Lydia, devait être quelque chose de spécial. Elle pardonna aussitôt à son père de ne pas être intervenu.

Sous le papier d'emballage se trouvait à coup sûr un objet délicat et précieux. Elle s'imagina un collier en or, comme ceux que certaines filles de sa classe portaient et ne quittaient jamais, des petites croix reçues à leur confirmation, ou de minuscules breloques nichées entre leurs clavicules. Un collier offert par son père ressemblerait à ça. Il compenserait les livres offerts par sa mère, et compenserait aussi les trois derniers jours. Il serait comme un petit message qui dirait : *Je t'aime. Tu es parfaite telle que tu es.*

Elle glissa son doigt sous le papier d'emballage, et un livre trapu noir et or tomba sur ses cuisses. *Comment se faire des amis et influencer les gens.* Un bandeau jaune vif coupait la couverture en deux. *Techniques fondamentales pour faire face aux autres. Six manières de se faire aimer.* Et, en haut, en lettres d'un rouge profond : *Plus vous tirerez bénéfice de ce livre, plus vous tirerez bénéfice de la vie !* James était radieux.

« J'ai pensé que ça pourrait t'être utile. C'est censé… eh bien, t'aider à te faire des amis. À être populaire. »

Ses doigts effleurèrent le titre sur la couverture.

Lydia sentit son cœur se serrer dans sa poitrine, aussi froid qu'un bloc de glace.

« J'ai des amis, papa », répondit-elle, même si elle savait que c'était un mensonge.

Le sourire de son père s'estompa légèrement.

« Bien sûr. J'ai juste pensé – tu sais, tu grandis, et tu es désormais au lycée –, le sens du contact, c'est important. Ça t'apprendra à t'entendre avec tout le monde. » Ses yeux passèrent du visage de Lydia au livre. « Il a été publié dans les années 1930. Il est supposé être la référence sur le sujet. »

Lydia ravala sa salive, sèchement.

« C'est génial, dit-elle. Merci, papa. »

Elle n'avait aucun espoir pour les autres cadeaux posés sur ses cuisses, mais Lydia les ouvrit tout de même. Une écharpe molletonneuse en acrylique de la part de Nath. Un album de Simon & Garfunkel de la part de Hannah. Des livres de la part de sa mère, comme d'habitude : *Les Pionnières de la science. Fondamentaux de physiologie.*

« Des sujets dont j'ai pensé qu'ils pourraient t'intéresser, expliqua Marilyn, puisque tu as si bien réussi en biologie. »

Elle but une gorgée de thé en produisant un bruit de succion qui irrita Lydia jusqu'à la moelle. Lorsqu'il ne resta rien sous le sapin que du papier roulé en boule et des lambeaux de ruban, Lydia empila soigneusement ses cadeaux, le livre de son père sur le haut de la pile. Une ombre tomba dessus : son père, qui se tenait derrière elle.

« Le livre ne te plaît pas ?

— Bien sûr que si.

— J'ai juste pensé qu'il te serait utile. Même si tu sais probablement déjà tout sur le sujet. »

Il lui pinça la joue. « Comment se faire des amis. Si seulement… »

Il s'interrompit, ravalant ses paroles : *Si seulement je l'avais eu à ton âge.* Peut-être, songea-t-il, que tout aurait été différent ; s'il avait su comment *faire face aux autres*, les pousser à l'aimer, peut-être qu'il aurait trouvé sa place à Lloyd, qu'il aurait charmé la mère de Marilyn, qu'il aurait été embauché à Harvard. Il aurait *plus tiré bénéfice de la vie.*

« J'ai pensé qu'il te plairait », acheva-t-il sans conviction.

Même si son père n'avait jamais évoqué ses années d'école, même si elle n'avait jamais entendu l'histoire du mariage de ses parents ou de leur déménagement à Middlewood, Lydia perçut sa douleur, profonde et aussi perçante qu'une corne de brume. Plus que tout, il désirait qu'elle soit appréciée. Qu'elle trouve sa place. Elle ouvrit le livre sur ses cuisses à la première section. *Principe I. Ne critiquez pas, ne condamnez pas, ne vous plaignez pas.*

« Je l'adore, dit-elle. Merci, papa. »

James ne put pas ne pas entendre l'irritation dans sa voix, mais il l'ignora. Évidemment, ça l'ennuie, songea-t-il, de recevoir un cadeau dont elle n'a pas besoin. Lydia avait déjà des tas d'amis ; presque chaque soir, après avoir terminé ses devoirs, elle parlait à quelqu'un au téléphone. Qu'il avait été idiot de l'acheter. Il se promit de trouver quelque chose de mieux la prochaine fois.

La vérité était la suivante : à treize ans, sur l'insistance de son père, elle avait appelé Pam Saunders. Elle ne connaissait même pas son numéro et avait dû le chercher dans l'annuaire, qui pendouillait sur ses cuisses pendant qu'elle tournait le cadran. Hormis le téléphone dans la cuisine et celui dans le bureau, le seul autre appareil de la maison se trouvait sur le palier, près d'une petite banquette située au milieu de l'escalier, où sa mère avait disposé quelques coussins et une violette africaine à moitié fanée. Quiconque passait au rez-de-chaussée pouvait entendre. Lydia avait attendu que son père se dirige vers le salon avant de composer le dernier chiffre.

« Pam ? avait-elle dit. C'est Lydia. »

Une pause. Elle avait presque entendu le front de Pam se plisser.

« Lydia ?

— Lydia Lee. Du collège. »

— Oh. » Une nouvelle pause. « Salut. »

Lydia avait inséré son doigt dans le cordon du téléphone et essayé de trouver quelque chose à dire. « Alors… qu'est-ce que tu as pensé de l'interro de géographie d'aujourd'hui ?

— Ça a été, je suppose. »

Pam avait fait claquer sa langue, produisant un petit *tsk*.

« Je déteste le collège.

— Moi aussi », avait répondu Lydia. Pour la première fois, elle s'était aperçue que c'était vrai, et l'exprimer lui avait donné du courage. « Dis, tu veux aller faire du roller samedi ? Je parie que mon père nous emmènerait. »

Une vision soudaine d'elle et de Pam tournoyant à toute allure autour de la patinoire, étourdies et riant, lui avait traversé l'esprit. Derrière elles, dans les gradins, son père serait ravi.

« Samedi ? » Un silence tranchant, étonné. « Oh, désolée, je ne peux pas. Peut-être une autre fois ? » Un murmure en fond sonore. « Hé, faut que j'y aille. Ma sœur a besoin du téléphone. Salut, Lydia. »

Et le claquement sourd du combiné qu'on reposait sur l'appareil.

Sidérée par la rapidité avec laquelle Pam avait raccroché, Lydia serrait toujours l'appareil contre son oreille quand son père était apparu au pied de l'escalier. En la voyant au téléphone, une expression légère avait traversé son visage, comme des nuages glissant dans le ciel après un vent puissant. Elle l'avait alors vu tel qu'il avait dû être dans sa jeunesse, bien avant qu'elle naisse : plein d'un espoir enfantin, les possibilités lui mettant des étoiles dans les yeux. Il lui avait fait un grand sourire et, marchant de façon exagérée sur la pointe des pieds, avait gagné le salon.

Lydia, le téléphone toujours collé à sa joue, n'en était pas revenue d'avoir réussi à déclencher aussi facilement chez lui cette joie soudaine. Ça semblait, sur le coup, une chose si insignifiante. Elle s'en était souvenue la fois suivante où elle avait décroché le combiné et l'avait porté à son oreille, murmurant : « mm-hmmm, mm-hm – *vraiment ?* », jusqu'à ce que son père traverse le couloir, marque une pause au bas de l'escalier, sourie puis poursuive son chemin. Au fil du temps, elle s'était mise à s'imaginer les filles qu'elle observait à distance et ce qu'elle aurait dit si elles avaient vraiment été amies. « Shelley, tu as regardé *Starsky et Hutch*, hier soir ? Bon sang, Pam, tu y crois à cette dissertation d'anglais – dix pages ? Mme Gregson croit qu'on n'a que ça à faire ? Stacey, ta nouvelle coiffure ressemble *exactement* à celle de Farrah Fawcett. J'aimerais bien que mes cheveux fassent la même chose. » Pendant un temps, c'était resté une chose insignifiante, la tonalité bourdonnant dans son oreille comme une amie. Mais maintenant qu'elle avait le livre entre ses mains, ça ne semblait plus si futile que ça.

Après le petit déjeuner, Lydia s'assit en tailleur dans le coin près du sapin et commença sa lecture. *Sachez écouter. Encouragez les autres à parler d'eux.* Elle tourna quelques pages. *Souvenez-vous que les gens à qui vous parlez s'intéressent cent fois plus à eux-mêmes, à leurs désirs et à leurs problèmes qu'à vous et à vos problèmes.*

De l'autre côté du salon, Nath plaça son œil contre le viseur de son nouvel appareil photo et zooma sur Lydia, la rendant plus ou moins nette. Il s'excusait de son silence, de lui avoir fermé la porte au nez quand elle n'avait pas voulu être seule. Lydia le savait, mais elle n'était pas d'humeur à faire la paix. Dans quelques mois, il serait parti, et elle se retrouverait seule, forcée de se faire des amis, d'influencer les gens, et de devenir une pionnière de la science. Avant que Nath ait le temps de prendre la photo, elle baissa les yeux vers le livre, ses cheveux voilant son visage. *Un sourire dit : « Je vous apprécie. Vous me rendez heureux. Je suis content de vous voir. » Voilà pourquoi les chiens ont un tel succès. Ils sont tellement contents de nous voir qu'ils sont intenables.* Les chiens, songea Lydia. Elle essaya de s'imaginer en chien, en animal docile et chaleureux, un golden retriever avec un sourire noir et une queue foisonnante, mais elle n'était pas chaleureuse, ni de race pure, ni blonde. Elle se sentait asociale et soupçonneuse, comme le chien des Wolff plus loin dans la rue, un corniaud toujours sur la défensive.

« Lyd », appela Nath. Il n'était pas prêt à laisser tomber. « Lydia. Lyd-i-a. »

À travers l'écran de ses cheveux, Lydia vit le zoom de l'appareil photo tel un gigantesque microscope braqué sur elle.

Vous n'avez pas envie de sourire ? Et alors ? Forcez-vous. Faites comme si vous étiez heureux, et ça tendra à vous rendre heureux.

Lydia passa ses cheveux par-dessus son épaule, comme une corde se déroulant lentement. Puis elle fixa directement l'œil noir de l'appareil, refusant de sourire, s'interdisant ne serait-ce qu'une infime courbure des lèvres, même après qu'elle eut entendu le déclic de l'obturateur.

Lorsque le lycée reprit, Lydia fut soulagée de s'échapper de la maison, même si le cours de physique fut la première chose qu'elle eut à affronter. Elle posa l'interrogation – désormais signée par sa mère – à l'envers sur le bureau de M. Kelly. M. Kelly lui-même était déjà au tableau noir, dessinant un diagramme. *2e Partie : Électricité et magnétisme*, écrivit-il en haut du tableau. Lydia se glissa sur sa chaise et posa sa joue sur la table. Quelqu'un avait gravé un minuscule *JE VOUS EMMERDE* sur la surface au moyen d'une punaise. Elle appuya son pouce dessus, et lorsqu'elle souleva la main, un *MERDE* inversé apparut sur le bout de son doigt telle une zébrure.

« Les vacances ont été bonnes ? »

C'était Jack. Il s'avachit sur la chaise voisine, un bras passé autour du dossier, comme s'il enlaçait une fille. À ce stade, elle le connaissait à peine, même s'il vivait juste à côté de chez elle, et elle ne lui avait pas parlé depuis des années. Ses cheveux s'étaient assombris pour prendre la couleur du sable ; les taches de rousseur dont elle se souvenait de leur enfance s'étaient atténuées sans toutefois disparaître. Mais elle savait que Nath ne l'aimait pas, ne l'avait jamais aimé, et pour cette seule raison elle fut contente de le voir.

« Qu'est-ce que tu fais ici ? »

Jack jeta un coup d'œil en direction du tableau. « Électricité et magnétisme. »

Lydia rougit.

« Mais c'est un cours de première. »

Jack tira un stylo-bille sans capuchon de son sac et posa son pied sur son genou.

« Saviez-vous, miss Lee, que la physique est obligatoire pour avoir son diplôme ? Et vu que je me suis planté à la deuxième partie du cours de physique l'année dernière, me revoilà. Ma dernière chance. »

Il se mit à tracer un trait autour de la semelle de sa tennis à l'encre bleue. Lydia se redressa.

« Tu t'es planté ?

— Je me suis planté, répondit-il. Cinquante-deux pour cent. Nul. Je sais que c'est un concept difficile à saisir, miss Lee, vu que vous ne vous êtes jamais plantée en rien. »

Lydia se raidit.

« À vrai dire, répliqua-t-elle, je suis moi-même en passe de me planter en physique. »

Jack ne tourna pas la tête, mais elle vit un de ses sourcils se soulever. Puis, à sa grande surprise, il se pencha à travers l'allée qui séparait les tables et griffonna un minuscule zéro sur le genou du jean de Lydia.

« Notre signe secret », déclara-t-il tandis que la sonnerie retentissait. Ses yeux d'un bleu-gris profond rencontrèrent ceux de Lydia. « Bienvenue au club, miss Lee. »

Durant tout le cours, ce matin-là, Lydia effleura du bout du doigt le contour de ce minuscule zéro, observant Jack du coin de l'œil. Il était concentré sur une chose qu'elle ne voyait pas, ignorant la voix monotone de M. Kelly, les crayons qui grattaient autour de lui, la lumière fluorescente qui bourdonnait au-dessus d'eux.

Un de ses pouces tambourinait sur son bureau. *Jack Wolff veut-il être mon ami ?* se demandait-elle. *Nath le tuerait. Ou moi.* Mais après ce premier jour, Jack ne lui adressa plus la parole. Parfois, il arrivait en retard et restait la tête posée sur son bureau pendant tout le cours ; d'autres fois il ne venait pas du tout. Le zéro disparut au lavage. Lydia gardait la tête penchée au-dessus de ses notes. Elle copiait tout ce que M. Kelly notait au tableau, feuilletant si souvent les pages de son manuel que leur coin se ramollissait et s'usait.

Puis, à la fin du mois de janvier, pendant le dîner, sa mère lui passa la salade et le plat de pâtes toutes prêtes et regarda Lydia, dans l'expectative, penchant la tête d'un côté et de l'autre, tel un lapin tentant de capter un signal. Finalement, elle demanda :

« Lydia, comment ça se passe en physique ?

— Ça va. »

Lydia planta sa fourchette dans une carotte.

« C'est mieux. Ça s'améliore.

— C'est-à-dire ? » demanda sa mère, avec une pointe de brusquerie dans la voix.

Lydia mâcha la carotte.

« On n'a pas encore eu d'interro. Mais je m'en sors bien avec mes devoirs. »

Ce n'était qu'un demi-mensonge. La première interrogation du trimestre était prévue pour la semaine suivante. En attendant, elle faisait péniblement ses devoirs, recopiant les solutions des problèmes à numéro impair dans les pages à la fin du livre, et résolvant comme elle pouvait ceux à numéro pair.

Sa mère fronça les sourcils, mais elle porta un macaroni à sa bouche.

« Demande à ton professeur si tu peux avoir des

devoirs supplémentaires. Tu ne veux pas que cette note te fasse couler ? Avec tout ton potentiel… »

Lydia prit un quartier de tomate. Seule la nostalgie dans la voix de sa mère la retint de hurler.

« Je sais, maman », rétorqua-t-elle.

Elle regarda Nath de l'autre côté de la table, espérant qu'il changerait de sujet, mais celui-ci, qui avait d'autres choses en tête, ne remarqua rien.

« Lydia, comment va Shelley ? » interrogea James.

Lydia marqua une pause. L'été précédent, sur l'insistance de son père, elle avait un jour invité Shelley à passer un peu de temps chez elle. Shelley, cependant, avait semblé plus intéressée par flirter avec Nath, tentant de l'amener à jouer au base-ball dans le jardin, lui demandant qui de Lynda Carter ou de Lindsay Wagner il trouvait la plus sexy. Elles ne s'étaient pas reparlé depuis.

« Shelley va bien, répondit-elle. Occupée. Elle est secrétaire du bureau des élèves.

— Peut-être que tu pourrais également t'y impliquer », suggéra James. Il agita sa fourchette dans sa direction, avec l'air d'un sage délivrant un aphorisme. « Je suis sûr qu'ils adoreraient que tu les aides. Et Pam, et Karen ? »

Lydia baissa les yeux vers son assiette, vers la salade qu'elle avait picorée et les tristes morceaux de bœuf et de fromage à côté. La dernière fois qu'elle avait parlé à Karen remontait à plus d'un an, quand son père les avait ramenées d'une séance en matinée de *Vol au-dessus d'un nid de coucou.* Au début, elle avait été fière que son plan, pour une fois, ne soit pas un mensonge. Karen venait d'emménager en ville, et Lydia, enhardie par le fait qu'elle était nouvelle, avait suggéré d'aller voir un film, ce à quoi Karen avait répondu : « OK, oui, pourquoi pas. » Puis, pendant tout le trajet, son père avait voulu montrer à quel point il était cool :

« Cinq frères et sœurs, Karen ? Comme dans la série *The Brady Bunch* ! Tu regardes ce feuilleton ?

— Papa, avait imploré Lydia. *Papa.* »

Mais il avait continué sur sa lancée, demandant à Karen quels étaient les nouveaux disques dans le coup ces temps-ci, chantant un vers ou deux de *Waterloo*, qui datait déjà de deux ans auparavant. Et celle-ci avait répondu : « Oui », puis : « Non », puis : « Je ne sais pas », tout en triturant la perle en bas de sa boucle d'oreille. Lydia aurait voulu fondre et s'enfoncer dans les coussins de la banquette, jusqu'à l'endroit où la mousse aurait étouffé le moindre son. Elle avait songé à parler du film, mais n'avait rien trouvé à dire. Tout ce qui lui venait à l'esprit, c'étaient les yeux vides de Jack Nicholson quand l'oreiller venait l'étouffer. Le silence avait empli la voiture jusqu'à ce qu'ils se garent devant la maison de Karen.

Le lundi suivant, pendant le déjeuner, elle s'était arrêtée auprès de la table de Karen et avait tenté de sourire.

« Désolée pour mon père, avait-elle dit. Bon sang, il me fiche vraiment la honte. »

Karen avait retiré et léché l'opercule de son pot de yaourt, puis elle avait haussé les épaules.

« C'est bon. En fait, c'était plutôt mignon. Je veux dire, il essayait clairement de t'aider à t'intégrer. »

Maintenant, Lydia fusillait son père du regard, qui lui faisait un grand sourire radieux, comme s'il était fier d'en savoir tant sur ses *amies*, de se souvenir de leur nom. Un chien, pensa-t-elle, attendant un os.

« Elles vont très bien, répondit-elle. Toutes les deux. »

À l'autre bout de la table, Marilyn dit doucement : « Arrête de la harceler, James. Laisse-la manger son dîner. »

Et James répliqua, un peu moins doucement : « Ce n'est pas moi qui la tanne avec ses devoirs. »

Hannah poussa une petite boulette de viande hachée sur son assiette. Lydia croisa le regard de Nath. *S'il te plaît*, pensait-elle, *dis quelque chose.*

Nath prit une profonde inspiration. Il y avait un sujet qui lui avait brûlé les lèvres toute la soirée.

« Papa ? J'ai besoin que tu me signes quelques formulaires.

— Des formulaires ? demanda James. Pourquoi ?

— Pour Harvard. » Nath reposa sa fourchette. « Ma demande de logement, et un autre pour une visite du campus. Je pourrais y aller en avril, pendant un week-end. Un étudiant m'hébergera. » Maintenant qu'il était lancé, les mots sortaient précipitamment dans un souffle. « J'ai assez d'économies pour un billet de bus et je ne manquerai que quelques jours de lycée. J'ai juste besoin de ton autorisation. »

Manquer quelques jours de lycée, songea Lydia. Leurs parents ne le permettraient jamais.

À sa grande surprise, ils acquiescèrent.

« C'est une bonne idée, déclara Marilyn. Tu auras un avant-goût de la vie sur le campus, en vue de l'année prochaine, quand tu y seras pour de bon.

— C'est un sacré long voyage, en bus, intervint

pour sa part James. Je crois qu'on peut t'offrir un billet d'avion pour une occasion aussi spéciale. »

Nath adressa à sa sœur un grand sourire, doublement triomphal. *Ils te lâchent les baskets. Et ils ont accepté.* Lydia, qui traçait des sillons dans la sauce au fromage avec la pointe de son couteau, n'avait qu'une chose en tête : *Il a hâte de partir.*

« Tu sais qui est désormais dans mon cours de physique ? demanda-t-elle soudain. Jack Wolff, le voisin. »

Elle mâchonna un lambeau de salade iceberg et jaugea la réaction de sa famille. Ses parents ne prêtèrent aucune attention à ses paroles, comme si elle n'avait rien dit.

« Lyddie, ça me rappelle, dit sa mère, je pourrais t'aider à réviser tes notes, samedi, si tu veux. »

Et son père proposa : « Ça fait un bout de temps que je n'ai pas vu Karen. Pourquoi vous n'iriez pas au cinéma toutes les deux un de ces jours ? Je vous conduirai. »

Mais de l'autre côté de la table, Nath releva soudain la tête, comme si un coup de feu avait retenti. Lydia baissa les yeux vers son assiette en souriant. Et à cet instant, elle décida que Jack et elle seraient amis.

Au début, ça sembla impossible. Jack ne vint pas en cours pendant près d'une semaine, et elle traîna à proximité de sa voiture après le lycée pendant des heures avant de le trouver seul. Le premier jour, il sortit du bâtiment avec une blonde de première année qu'elle ne connaissait pas, et elle se tapit derrière un buisson pour les observer à travers les branches. Jack glissa ses mains dans les poches de la fille, puis à l'intérieur de son manteau, et lorsqu'elle fit mine d'être offensée et le repoussa, il la souleva sur son épaule, menaçant de la jeter dans une congère tandis qu'elle gloussait et lui martelait le dos avec ses poings. Puis Jack la reposa, ouvrit la portière de la Coccinelle, et la blonde monta dedans. Ils s'éloignèrent, de la fumée sortant en tourbillon du pot d'échappement, et Lydia sut qu'ils ne reviendraient pas. Le deuxième jour, Jack ne vint pas du tout, et Lydia finit par rentrer péniblement chez elle. La neige lui arrivait aux mollets ; la température avait atteint des froids record pendant tout l'hiver. À cent cinquante kilomètres au nord, le lac Érié avait gelé ; à Buffalo, la neige faisait s'affaisser le toit des bâtiments, avalant les lignes électriques. À la maison, Nath, qui avait pris le bus seul pour la première fois pour autant qu'il se souvînt, demanda : « Qu'est-ce qui s'est passé ? », et Lydia monta à l'étage d'un pas lourd sans répondre.

Le troisième jour, Jack sortit du bâtiment seul, et Lydia prit une profonde inspiration et courut vers le trottoir. Comme à son habitude, il ne portait ni manteau ni gants. Il pinçait une cigarette entre deux de ses doigts nus et rougis.

« Ça t'ennuierait de me ramener chez moi ?

— Miss Lee. »

Jack vit voler d'un coup de pied un amas de neige qui se trouvait sur le pneu avant. « Vous n'êtes pas censée prendre le bus ? »

Elle haussa les épaules, resserrant son écharpe autour de son cou.

« Je l'ai raté.

— Je ne rentre pas directement chez moi.

— Ça ne me dérange pas. Il fait trop froid pour rentrer à pied. »

Il chercha ses clés dans sa poche arrière.

« Tu es sûre que ça plairait à ton frère que tu traînes avec un type comme moi ? demanda-t-il, haussant un sourcil.

— C'est pas ma nourrice », répliqua-t-elle, plus fort qu'elle n'en avait l'intention.

Jack éclata de rire en soufflant un nuage de fumée et grimpa dans sa voiture. Lydia, les joues écarlates, était sur le point de repartir lorsqu'il se pencha et déverrouilla la portière côté passager.

Maintenant qu'elle était dans sa voiture, elle ne savait pas quoi dire. Jack démarra, et le gros compteur de vitesse ainsi que la jauge d'essence sur le tableau de bord prirent vie. Il n'y avait pas d'autres cadrans. Lydia songea aux voitures de ses parents : à tous les indicateurs et les signaux lumineux pour vous indiquer si le niveau d'huile était trop bas, si le moteur était trop chaud, si vous rouliez avec le frein à main, ou avec une portière ou le coffre ou le capot ouverts. Ces voitures ne vous faisaient pas confiance. Elles avaient besoin de vous surveiller constamment, de vous rappeler quoi faire ou non. Elle n'avait jamais été seule avec un garçon – sa mère lui avait interdit de sortir avec eux, non qu'elle eût jamais essayé –, et elle songea soudain qu'elle n'avait jamais eu de réelle conversation avec Jack. Elle n'avait qu'une vague idée des choses qui se passaient sur la banquette arrière. Du coin de l'œil, elle étudia son profil, la légère barbe de trois jours – plus sombre que ses cheveux blond-roux – qui montait jusqu'à ses pattes et descendait jusqu'à la partie lisse de sa gorge, comme une tache de charbon attendant d'être effacée.

« Alors », fit-elle. Ses doigts remuaient nerveusement, et elle les enfonça dans sa poche de manteau. « Je peux te taxer une cigarette ? »

Jack se mit à rire.

« Tu te fous de moi. Tu fumes pas. »

Il lui tendit néanmoins le paquet, et Lydia en tira une cigarette. Elle avait pensé qu'elle serait solide et lourde, comme un stylo, mais elle était légère, légère comme une plume. Sans quitter la route des yeux, Jack lui lança le briquet.

« Donc, tu as décidé que tu n'avais pas besoin que ton frère te chaperonne et te ramène chez toi aujourd'hui. »

Lydia ne pouvait ignorer le dédain dans sa voix, et elle se demanda s'il se moquait d'elle, ou de Nath, ou des deux.

« Je ne suis pas une enfant », protesta-t-elle en allumant la cigarette et en la portant à ses lèvres.

La fumée lui brûla les poumons et lui fit tourner la tête, et soudain elle se sentit parfaitement lucide. Comme se couper le doigt, pensa-t-elle : la douleur et le sang vous rappelaient que vous étiez vivant. Elle souffla, un minuscule cyclone s'échappant entre ses dents, puis elle tendit le briquet. Jack agita la main.

« Mets-le dans la boîte à gants. »

Lydia l'ouvrit, et une petite boîte bleue en tomba et atterrit à ses pieds. Elle se figea, et Jack s'esclaffa.

« Quoi ? Jamais vu de capotes, miss Lee ? »

Lydia, le visage brûlant, ramassa les préservatifs et les replaça dans leur boîte.

« Bien sûr que si. » Elle les remit dans la boîte à

gants, de même que le briquet, et tenta de changer de sujet. « Alors, qu'est-ce que t'as pensé de l'interro de physique, aujourd'hui ? »

Jack poussa un grognement.

« Je croyais que t'avais rien à faire de la physique ?

— Tu vas encore te planter ?

— Et toi ? »

Lydia hésita. Elle tira une longue bouffée, imitant Jack, et inclina la tête en arrière lorsqu'elle l'expira.

« Je me fiche de la physique. J'en ai rien à foutre.

— Conneries, répondit Jack. Alors comment ça se fait que chaque fois que M. Kelly rend un devoir on dirait que tu vas pleurer ? »

Elle ne s'était pas rendu compte que c'était si flagrant, une rougeur brûlante lui monta aux joues et se répandit jusqu'à son cou. Sous elle, le siège grinça et un ressort s'enfonça dans sa cuisse, comme un doigt.

« La petite miss Lee qui fume, ironisa Jack en faisant claquer sa langue. Ton frère sera pas furax quand il l'apprendra ?

— Pas autant qu'il le serait s'il apprenait que je suis montée dans ta voiture. »

Lydia fit un grand sourire. Jack ne sembla pas le remarquer. Il baissa la vitre et un vent froid s'engouffra dans l'habitacle tandis qu'il jetait son mégot de cigarette dans la rue.

« Il me déteste tant que ça, hein ?

— Allez. Tout le monde sait ce qui se passe dans cette voiture. »

Jack s'arrêta brusquement au bord de la route. Ils venaient d'atteindre le lac, et ses yeux étaient froids et figés, comme l'eau gelée derrière lui.

« Alors tu ferais peut-être mieux de descendre.

Tu veux pas que quelqu'un comme moi te corrompe. Qu'il gâche tes chances d'aller à Harvard comme ton frère. »

Il doit vraiment détester Nath, pensa Lydia. *Autant que Nath le déteste.* Elle les imagina en classe ensemble pendant toutes ces années : Nath assis à l'avant de la salle, cahier sorti, massant d'une main le petit sillon entre ses sourcils comme il le faisait chaque fois qu'il était plongé dans une intense réflexion. Totalement concentré, oublieux de tout le reste, la réponse juste là, sur le bout de sa langue. Et Jack ? Jack serait vautré dans le coin au fond, la chemise hors de son pantalon, une jambe tendue dans l'allée. Si à l'aise. Si sûr de lui. Indifférent à ce que pensaient les autres. Pas étonnant qu'ils ne puissent pas se supporter.

« Je ne suis pas comme lui, tu sais », dit-elle.

Jack l'observa longuement, comme s'il essayait de décider si c'était vrai. Sous la banquette arrière, le moteur tournait en grondant. La cendre au bout de la cigarette de Lydia s'allongeait, comme un ver gris, mais elle ne dit rien, se contentant de souffler un petit nuage de brume dans l'air froid et se forçant à croiser le regard perçant de Jack.

« Comment ça se fait que t'aies les yeux bleus ? demanda-t-il finalement. Vu que t'es chinoise et tout ? »

Lydia battit des paupières.

« Ma mère est américaine.

— Je croyais que les yeux marron prenaient le dessus. »

Jack posa la main sur l'appuie-tête de Lydia et se pencha pour la scruter attentivement, tel un bijoutier avec une pierre précieuse. Face à cet examen, elle sentit un fourmillement dans sa nuque, se tourna et fit tomber la cendre de sa cigarette dans le cendrier.

« Pas toujours, je suppose.

— J'ai jamais vu un Chinois avec les yeux bleus. »

De près, elle distingua une constellation de taches de rousseur sur les joues de Jack, désormais estompées, mais toujours présentes. Comme son frère longtemps avant elle, elle les compta : neuf.

« Tu sais que tu es la seule fille de l'école qui n'est pas blanche ?

— Vraiment ? Je ne m'en étais pas rendu compte. »

C'était un mensonge. Même avec ses yeux bleus, elle ne pouvait pas faire comme si elle se fondait dans la masse.

« Toi et Nath, vous êtes pratiquement les seuls Chinois de tout Middlewood, je parie.

— Probablement. »

Jack se renfonça dans son siège et frotta une petite éraflure dans le plastique du volant. Puis, après un moment, il reprit :

« C'est comment ?

— C'est comment ? »

Lydia hésita. Parfois, vous oubliiez presque que vous ne ressembliez pas aux autres. Pendant l'assemblée du matin au lycée, au drugstore ou au supermarché, vous écoutiez les annonces, déposiez une pellicule à développer ou saisissiez une boîte d'œufs, et vous aviez l'impression d'être comme tous les autres. Parfois, vous n'y pensiez pas du tout. Et alors, de temps en temps, vous remarquiez une fille qui vous observait de l'autre côté de l'allée, le pharmacien qui vous observait, le caissier qui vous observait, et vous distinguiez votre reflet dans leurs yeux : incongru. Il accrochait votre regard comme un hameçon. Chaque fois que vous vous voyiez d'un point de vue extérieur, tel que les autres vous percevaient, tout vous revenait. Vous le voyiez dans l'enseigne du Peking Express – un personnage de bande dessinée avec un chapeau chinois, des yeux bridés, des dents de lapin et des baguettes. Vous le voyiez chez les petits garçons du terrain de jeux, qui s'étirait les yeux avec les doigts – *Chinois, Japonais, tout bridés* – et chez les garçons plus âgés qui marmonnaient *ching chong ching chong ching* quand ils passaient à côté de vous dans la rue, juste assez fort pour que vous les entendiez. Vous le voyiez quand les serveuses et les agents de police et les chauffeurs de bus vous parlaient lentement, avec des mots simples, comme si vous risquiez de ne pas comprendre. Vous le voyiez sur les photos, quand votre chevelure était la seule noir de jais du cliché, comme si vous aviez été découpée et collée dessus. Vous vous demandiez : *Tiens, qu'est-ce qu'elle fiche ici, celle-là ?* Et alors vous vous rappeliez que *celle-là*, c'était *vous*. Vous baissiez la tête et songiez à l'école, ou à l'espace, ou à l'avenir, et essayiez d'oublier tout ça. Et vous y parveniez, jusqu'à ce que ça se reproduise.

« J'en sais rien, répondit-elle. Les gens décident comment tu es avant même de te connaître. » Elle le toisa, soudain féroce. « Un peu comme tu l'as fait avec moi. Ils pensent tout savoir de toi. Sauf que tu n'es jamais ce qu'ils croient. »

Jack resta un long moment silencieux, fixant le château au centre du volant. Elle était certaine qu'ils ne pourraient désormais plus être amis. Qu'il détestait

Nath, et après ce qu'elle venait de dire, qu'il la détesterait également. Qu'il la virerait de sa voiture et repartirait. Mais alors, à la surprise de Lydia, il tira le paquet de cigarettes de sa poche et le lui tendit. Une offrande de paix.

Lydia ne se demanda pas où ils allaient. Elle ne songea pas, pour le moment, à l'excuse qu'elle fournirait à sa mère, l'excuse qui – avec un petit sourire satisfait bien senti – serait sa couverture pour tous les après-midi qu'elle passerait avec Jack : à savoir, qu'elle était restée au lycée après les cours pour faire des devoirs supplémentaires de physique. Elle ne songea même pas à l'expression stupéfaite et anxieuse de Nath quand il apprendrait où elle était allée. En regardant par-dessus le lac, elle ne pouvait pas savoir que trois mois plus tard elle serait au fond. À cet instant, elle se contenta de prendre la cigarette tendue et, tandis que Jack allumait le briquet, elle approcha son extrémité de la flamme.

8

James ne connaît que trop bien ce type d'oubli. De la Lloyd Academy à Harvard à Middlewood, il l'a éprouvé chaque jour – cette brève accalmie, puis le violent coup aux côtes qui vous rappelle que vous n'êtes pas à votre place. Ça lui semblait un réconfort factice, comme un animal de zoo tapi dans sa cage, ignorant les regards hébétés, faisant mine de toujours être en liberté. Maintenant, un mois après l'enterrement de Lydia, il chérit ces moments d'amnésie.

D'autres auraient pu trouver refuge dans une flasque de whisky, ou une bouteille de vodka, ou un pack de bières. James, cependant, n'a jamais aimé le goût de l'alcool, et il trouve que ça ne lui engourdit pas l'esprit ; ça le fait seulement virer au rouge pivoine, comme s'il avait subi une terrible raclée, tandis que son esprit s'emballe encore plus. Alors il roule longuement, parcourant Middlewood de long en large, suivant l'autoroute presque jusqu'à Cleveland avant de faire demi-tour. Il prend des somnifères, et même dans ses rêves, Lydia est morte. Encore et encore, il ne trouve qu'un endroit où il peut cesser de penser : le lit de Louisa.

Il dit à Marilyn qu'il va donner des cours, ou rencontrer des étudiants ; le week-end, il prétend qu'il a des devoirs à corriger. Mais ce sont des mensonges. Le doyen a annulé ses cours d'été la semaine qui a suivi la mort de Lydia. « Prenez un peu de temps pour vous, James », a-t-il dit en lui touchant doucement l'épaule. Il fait ça avec toutes les personnes qu'il doit apaiser : étudiants rendus furieux par une mauvaise note, enseignants froissés de ne pas recevoir leur subvention. Son boulot est de faire paraître les pertes plus minimes qu'elles ne le sont. Mais les élèves ne transforment jamais leur C- en B ; les nouveaux financements ne se matérialisent jamais. Vous n'aviez jamais ce que vous vouliez ; vous appreniez juste à vous en passer. Et la dernière chose que James désire, c'est du temps pour lui – rester à la maison est insupportable. À tout moment, il s'attend à voir Lydia apparaître à la porte, ou à entendre le plancher grincer au-dessus de lui. Un matin, il a entendu des bruits de pas dans la chambre de sa fille, et avant de pouvoir se retenir, il s'est précipité à l'étage, haletant, pour simplement trouver Marilyn en train de tourner en rond devant le bureau de Lydia, ouvrant et refermant les tiroirs. *Sors*, avait-il voulu hurler, comme si c'était un lieu sacré. Désormais, chaque matin, il prend sa serviette, comme s'il allait enseigner, et roule jusqu'à l'université. Même dans sa permanence, il est envoûté par la photo de famille sur son bureau, sur laquelle Lydia – à peine âgée de quinze ans à l'époque – vous regarde, prête à bondir à travers la vitre du cadre et à laisser tous les autres derrière elle. L'après-midi, il se retrouve dans l'appartement de Louisa et plonge entre ses bras, puis entre ses jambes, où, par bonheur, son esprit s'éteint.

Mais après avoir quitté Louisa, il se souvient de nouveau, et il est chaque fois plus en colère. En regagnant sa voiture un soir, il saisit une bouteille abandonnée dans la rue et la jette contre le mur de l'immeuble de sa maîtresse. D'autres soirs, il résiste à la tentation de percuter un arbre. Nath et Hannah essaient de s'écarter de son chemin, et il a à peine échangé un mot avec Marilyn depuis des semaines. Tandis que le 4 Juillet approche, James passe à côté du lac et découvre que quelqu'un a décoré le ponton de banderoles et de ballons rouges et blancs. Il s'arrête brusquement au bord de la route et arrache tout, faisant exploser chaque ballon sous son talon. Quand tout a coulé sous la surface de l'eau, et que le ponton est solennel et nu, il rentre chez lui, toujours tremblant.

La vue de Nath farfouillant dans le réfrigérateur le met de nouveau hors de ses gonds.

« Tu gaspilles l'électricité ! » dit-il. Nath referme la porte, et son obéissance silencieuse ne fait qu'accroître la colère de James. « Tu as toujours besoin d'être dans mes pattes ?

— Désolé », répond Nath. Il tient un œuf dur dans une main, une serviette en papier dans l'autre. « Je ne t'attendais pas. »

Maintenant qu'il est sorti de sa voiture, outre le relent persistant de gaz d'échappement et de graisse de moteur, James se rend compte qu'il sent le parfum de Louisa sur sa peau, musqué, doux et épicé. Il se demande si Nath le perçoit également.

« Comment ça, tu ne m'attendais pas ? Je n'ai pas le droit d'entrer dans ma propre cuisine après une dure journée de travail ? » Il pose sa serviette. « Où est ta mère ?

— Dans la chambre de Lydia. » Nath marque une pause. « Elle y a passé toute la journée. »

Sous l'œil de son fils, James ressent un brusque picotement entre ses omoplates, comme si Nath l'accusait.

« Pour ta gouverne, explique-t-il, mon cours d'été implique de nombreuses responsabilités. Et j'ai des conférences. Des réunions. »

Son visage rougit au souvenir de l'après-midi – Louisa s'agenouillant devant sa chaise, puis défaisant lentement sa fermeture Éclair –, et ça le met en colère. Nath le fixe, les lèvres légèrement pincées, comme s'il voulait poser une question mais ne parvenait pas à dépasser le *Qu...* – et soudain James est furieux. Depuis qu'il est père, il a toujours trouvé que Lydia ressemblait à sa mère – belle, yeux bleus, posée – et que Nath lui ressemblait : sombre, hésitant en milieu de phrase, prompt à trébucher sur ses propres mots. Il oublie, la plupart du temps, que Lydia et Nath se ressemblent aussi. Maintenant, dans le visage de Nath, James aperçoit soudain sa fille, ouvrant de larges yeux et silencieuse, et la douleur qu'il éprouve le rend cruel.

« Tu restes à la maison toute la journée ? Tu n'as donc pas d'amis ? »

Son père lui rabâche ce genre de choses depuis des années, mais à cet instant Nath sent quelque chose se rompre, comme un câble trop tendu.

« Aucun ! Je ne suis pas comme toi ! Pas de conférences. Pas de… réunions. » Il plisse le nez. « Tu sens le parfum. De ta réunion, je suppose ? »

James le saisit par l'épaule, si fort que les jointures de ses doigts craquent.

« Ne me parle pas sur ce ton ! Ne me pose pas de questions ! Tu ne sais rien de ma vie. » Puis, avant même qu'il se rende compte que les mots se forment, ils jaillissent de sa bouche comme un crachat. « Tout comme tu ne savais rien de celle de ta sœur ! »

L'expression de Nath ne change pas, mais tout son visage se raidit, comme un masque. James voudrait rattraper ses paroles dans l'air, comme des papillons de nuit, mais elles se sont déjà immiscées dans les oreilles de son fils : il le voit dans les yeux de Nath, qui sont devenus luisants et aussi durs que du verre. Il voudrait tendre le bras et le toucher – sa main, son épaule, n'importe quelle partie de son corps –, et lui dire qu'il ne le pensait pas. Que rien de tout ça n'est sa faute. Mais Nath frappe alors la paillasse, si fort qu'il laisse une fissure dans le vieux stratifié usé. Il quitte la pièce en courant, ses pas résonnant bruyamment dans l'escalier, et James laisse tomber sa serviette par terre et s'adosse lourdement au rebord de l'évier. Ses mains touchent quelque chose de solide et d'humide : les restes broyés de l'œuf dur, des éclats de coquille profondément enfoncés dans le blanc tendre.

Toute la nuit, il songe à ceci : le visage figé de son fils. Et le lendemain matin, il se lève de bonne heure. En récupérant le journal sur le perron, il voit la date, noire et brutale dans le coin : 3 juillet. Deux mois jour pour jour que Lydia a disparu. Il semble impossible que seulement deux mois plus tôt il était dans son bureau en train de corriger des copies, qu'il était embarrassé d'ôter une coccinelle des cheveux de Louisa. Jusqu'à il y a deux mois, le 3 juillet était une date heureuse, chérie en secret depuis dix ans – le jour du retour miraculeux de Marilyn. Comme tout a changé. Dans la cuisine, James ôte l'élastique autour du journal et le déroule. Là, sous le pli, il voit un petit titre : *Ses professeurs et ses camarades de classe se rappellent la jeune fille défunte*. Les articles sur Lydia sont devenus plus courts et plus rares. Bientôt, ils cesseront complètement, et tout le monde l'oubliera. James rapproche le journal. La journée est nuageuse, mais il laisse la lumière éteinte, comme si la pénombre pouvait adoucir ce qu'il s'apprête à lire. Karen Adler : *Elle semblait solitaire. Elle ne fréquentait pas vraiment qui que ce soit.* Pam Saunders : *Elle n'avait pas beaucoup d'amis, pas même de petit ami. Je ne crois pas que les garçons la remarquaient.* Au bas de l'article : *Le professeur de physique de Lydia, Donald Kelly, se rappelle d'elle comme l'élève de seconde solitaire dans une classe de première, ajoutant : « Elle travaillait dur, mais bien sûr elle tranchait par rapport aux autres. »* À côté de l'article, un encadré : *Les enfants d'origine métisse peinent souvent à trouver leur place.*

Et alors, le téléphone sonne. Chaque fois, sa première pensée est : *Ils l'ont retrouvée*. À cet instant, une minuscule partie de lui hurle que tout ça n'est qu'une méprise, une erreur d'identification, un mauvais rêve. Puis le reste de son être, qui ne se fait pas d'illusions, le ramène sur terre avec un ignoble bruit sourd : *Tu l'as vue*. Et il se rappelle de nouveau, avec une clarté atroce, ses mains gonflées, son visage pâle au teint cireux.

C'est pour ça que sa voix, lorsqu'il répond au téléphone, tremble toujours.

« Monsieur Lee ? »

C'est l'agent Fiske.

« J'espère qu'il n'est pas trop tôt pour appeler. Comment allez-vous ?

— Ça va », répond James.

Tout le monde lui pose cette question, et maintenant c'est un mensonge machinal.

« Bon, monsieur Lee », reprend le policier, et James sait désormais que c'est une mauvaise nouvelle. Personne ne vous appelle avec autant d'insistance par votre nom à moins d'avoir décidé de vous prendre avec des pincettes. « Je vous appelle pour vous avertir que nous avons décidé de clore l'enquête. Nous estimons qu'il s'agit d'un suicide. »

James doit se répéter ces mots avant de les comprendre.

« Un suicide ? »

L'agent Fiske marque une pause.

« Rien dans le travail de la police n'est jamais *certain*, monsieur Lee. J'aimerais bien. Mais ce n'est pas comme dans les films – les choses sont rarement claires et nettes. » Il n'aime pas annoncer de mauvaises nouvelles, et il se réfugie dans le langage officiel. « Les circonstances laissent penser que le suicide est de loin le scénario le plus plausible. Aucun signe de violence. Une tendance à la solitude. Ses notes qui dégringolaient. Et elle est sortie sur le lac consciente qu'elle ne savait pas nager. »

James baisse la tête, et l'agent continue. Son ton est désormais plus doux, comme un père consolant un jeune enfant.

« Nous savons que ce n'est pas facile pour vous et

votre famille, monsieur Lee. Mais nous espérons que ça vous aidera au moins à avancer.

— Merci », répond James.

Il repose le combiné. Derrière lui, Marilyn hésite à la porte, une main sur le montant.

« C'était qui ? » demande-t-elle.

À sa façon de serrer fermement sa robe de chambre sur son cœur, James sait qu'elle a tout entendu. Elle actionne l'interrupteur, et, dans la lumière soudaine, il se sent exposé et à vif.

« Ils ne peuvent pas clore l'affaire, déclare Marilyn. Celui qui a fait ça court toujours.

— Celui qui a fait ça ? La police pense... »

James s'interrompt.

« Ils ne pensent pas que quiconque ait été impliqué.

— Ils ne la connaissent pas. Quelqu'un a dû l'emmener là-bas. L'appâter. »

Marilyn hésite, les cigarettes et les préservatifs lui revenant à l'esprit, mais la colère les repousse violemment et rend sa voix stridente. « Elle ne serait pas allée là-bas seule ! Tu crois que je ne connais pas ma propre fille ? »

James ne répond pas. Tout ce qu'il pense, c'est : *Si seulement nous n'étions jamais venus vivre ici. Si seulement elle n'avait jamais vu le lac.* Le silence entre eux s'épaissit, comme de la glace, et Marilyn frissonne.

« Tu les crois, n'est-ce pas ? dit-elle. Tu crois qu'elle a fait cette chose. » Elle ne peut pas se résoudre à prononcer le mot *suicide ;* cette simple idée la met de nouveau hors d'elle. Lydia n'aurait jamais fait une telle chose à sa famille. À sa mère. Comment James pourrait-il le croire ? « Ils veulent juste clore l'affaire.

Plus facile de cesser de chercher que de travailler réellement. » La voix de Marilyn frémit et elle serre ses mains, comme si elles allaient faire cesser son tremblement intérieur. « Si elle avait été blanche, ils continueraient de chercher. »

James sent une pierre s'affaisser dans ses tripes. De tout le temps qu'ils ont été ensemble, le blanc a uniquement été la couleur du papier, de la neige, du sucre. L'adjectif chinois – lorsqu'il est mentionné – renvoie à un type de jeu de dames, à un type de lanterne, à un type de plat à emporter que James n'apprécie pas. Il n'est pas plus sujet à discussion que le fait que le ciel est haut ou que la Terre tourne autour du Soleil. Il avait naïvement cru que – contrairement à la mère de Marilyn, contrairement à tous les autres – ce détail ne faisait aucune différence pour eux. Maintenant, le fait que Marilyn dise ça – *si elle avait été blanche* – confirme ce que James craint depuis le début. Qu'intérieurement, pendant tout ce temps, elle n'ait collé des étiquettes. *Blanc et pas blanc.* Que ce détail ne fasse toute la différence.

« Si elle avait été blanche, répéte-t-il, rien de tout ça ne serait arrivé. »

Marilyn, toujours furieuse contre la police, ne comprend pas, et sa confusion ne fait qu'accroître sa colère.

« Qu'est-ce que tu veux dire ? »

Sous l'éclairage de la cuisine, les poignets de Marilyn sont pâles et minces, ses lèvres raides, son visage froid. James se souvient : il y a longtemps, quand ils étaient jeunes et que ne pas être ensemble était ce qu'ils pouvaient s'imaginer de pire, il s'était un jour penché pour la toucher, et le bout de ses doigts avait laissé une traînée de chair de poule entre ses omoplates.

Chaque minuscule poil de son bras s'était dressé, électrisé. Ce moment, ce lien, semble désormais lointain et insignifiant, comme quelque chose qui se serait produit dans une autre vie.

« Tu sais ce que je veux dire. Si elle avait été blanche… » Ces mots lui laissent un goût amer sur la langue. *Si elle avait été blanche. Si j'avais été blanc.* « … elle se serait intégrée. »

Car déménager n'aurait pas suffi ; il le comprend désormais. Ça aurait été la même chose partout. *Les enfants d'origine métisse peinent souvent à trouver leur place.* L'erreur était antérieure, plus profonde, plus fondamentale : elle s'est produite le jour où ils se sont mariés, quand le juge de paix a regardé Marilyn et qu'elle a dit oui. Ou plus tôt, lors de ce premier après-midi qu'ils ont passé ensemble, quand il s'est tenu près du lit, nu et timide, et qu'elle a enroulé ses jambes autour de sa taille et l'a attiré à elle. Plus tôt encore : ce premier jour, quand elle s'est penchée au-dessus de son bureau et l'a embrassé, lui coupant le souffle tel un coup de poing puissant et soudain. Un million de petites opportunités de changer l'avenir. Ils n'auraient jamais dû se marier. Il n'aurait jamais dû la toucher. Elle aurait dû se retourner, sortir de son bureau, s'en aller. Il le voit avec une parfaite clarté : rien de tout ça n'était censé arriver. Une erreur.

« Ta mère avait raison, après tout, dit-il. Tu aurais mieux fait d'épouser quelqu'un qui te ressemblait plus. »

Avant que Marilyn puisse répondre quoi que ce soit – avant qu'elle sache si elle doit être en colère, triste ou vexée, avant qu'elle comprenne vraiment ce que James a dit –, il est parti.

Cette fois, il ne prend pas la peine de passer par l'université. Il se rend directement chez Louisa, grillant chaque feu, arrivant à bout de souffle, comme s'il était venu en courant.

« Tout va bien ? » demande-t-elle en ouvrant la porte. Elle sent le propre, est habillée mais a les cheveux mouillés, et elle tient une brosse dans sa main. « Je ne t'attendais pas si tôt. »

Il n'est que neuf heures moins le quart, et James entend les questions poindre derrière sa surprise. Va-t-il rester ? Et sa femme ? Il ne connaît pas les réponses. Maintenant qu'il a finalement expulsé ces paroles hors de lui, il se sent étrangement léger. La pièce vacille et tournoie, et il se laisse tomber dans le canapé.

« Tu devrais manger quelque chose », dit Louisa. Elle se rend à la cuisine et en ressort avec un petit Tupperware. « Tiens. »

Doucement, elle soulève le couvercle et lui tend la boîte. À l'intérieur se trouvent trois petites boulettes blanches comme neige, dont le dessus ébouriffé comme des boutons de pivoine prêts à éclore révèle un éclat d'un profond rouge-fauve à l'intérieur. Le doux parfum du porc rôti s'élève jusqu'à son nez.

« Je les ai faites hier », explique Louisa. Elle marque une pause.

« Tu sais ce que c'est ? »

Sa mère préparait les mêmes, il y a longtemps, dans leur minuscule appartement couleur parpaing. Elle faisait rôtir le porc, roulait la pâte et disposait les boulettes dans le panier vapeur en bambou qu'elle avait rapporté de Chine. Le plat préféré de son père. *Char siu bao.*

Louisa fait un grand sourire, et ce n'est qu'alors que James s'aperçoit qu'il a parlé à voix haute. Quarante ans qu'il n'a pas prononcé un mot de chinois, mais il est stupéfait de constater que sa langue s'enroule encore autour de leur forme familière. Il n'a pas mangé une seule de ces boulettes depuis son enfance. Sa mère lui en emballait avec son déjeuner jusqu'à ce qu'il lui dise d'arrêter, car il préférait avoir la même chose que les autres enfants.

« Vas-y, dit Louisa. Goûte. »

Lentement, elle en tire une de la boîte. Elle est plus légère que ce dont il se souvient, comme un nuage, souple sous ses doigts. Il avait oublié qu'une chose pouvait être si tendre. Il brise la boulette, révélant des morceaux brillants de porc et de glaçage, un cœur rouge secret. Quand il la met dans sa bouche, c'est comme un baiser : doux, salé et chaud.

Il n'attend pas qu'elle le prenne dans ses bras, comme s'il était un petit enfant hésitant, ni qu'elle l'entraîne vers la chambre. À la place, il la pousse vers le sol tout en portant la main à sa fermeture Éclair, soulevant sa jupe et l'attirant sur lui, là, dans le salon. Louisa gémit, cambre le dos, et James défait maladroitement les boutons de son chemisier, l'ôte et détache son soutien-gorge, puis saisit sa poitrine, lourde et ronde, dans ses mains. Tandis qu'elle va et vient sur lui, il se concentre sur son visage, sur les cheveux sombres qui lui tombent en cascade dans la bouche, sur les yeux d'un marron profond qui se ferment alors que son souffle s'accélère et que son mouvement se fait plus pressant. Voilà le genre de femme, songe-t-il, dont il aurait dû tomber amoureux.

Une femme exactement comme elle. Une femme exactement comme lui.

« J'aurais dû épouser quelqu'un comme toi », murmure-t-il après coup.

C'est le genre de chose qu'un homme dit à sa maîtresse, mais pour lui, c'est comme une révélation. Louisa, à demi assoupie dans le creux de son bras, ne l'entend pas, mais les mots s'insinuent dans son oreille, éveillant en elle les rêves confus de toutes les maîtresses. *Il va la quitter – il va m'épouser – je le rendrai heureux – il n'y aura plus d'autre femme.*

À la maison, quand Nath et Hannah descendent, Marilyn est assise immobile à la table de la cuisine. Bien qu'il soit dix heures passées, elle porte toujours sa robe de chambre, si fermement resserrée autour d'elle qu'ils ne distinguent pas son cou. Ils savent que ça va mal quand elle prononce d'une voix étouffée le mot *suicide*.

« Vraiment ? » demande lentement Nath.

Tout en se tournant vers l'escalier sans les regarder ni l'un ni l'autre, Marilyn répond seulement : « C'est ce qu'ils disent. »

Pendant une demi-heure, Nath joue avec les morceaux de céréales au fond de son bol pendant que Hannah l'observe nerveusement. Il surveille chaque jour la maison des Wolff, cherchant Jack, tentant de le surprendre – même s'il ne sait pas vraiment pourquoi. Un jour, il a même gravi les marches de leur porche et jeté un coup d'œil par la fenêtre, mais il n'y a jamais personne. La Volkswagen de Jack n'a pas pétaradé dans la rue depuis des jours. Finalement, Nath repousse le bol et attrape le téléphone.

« Sors, ordonne-t-il à Hannah. Je veux passer un coup de fil. »

Au milieu de l'escalier, Hannah s'arrête, écoutant le lent cliquètement du cadran tandis que Nath compose le numéro.

« Agent Fiske, dit-il après un moment, Nathan Lee à l'appareil. J'appelle à propos de ma sœur. »

Sa voix retombe, et seules des bribes franchissent ses lèvres : *Devriez réexaminer les choses. Essayé de lui parler. Se comporte de façon évasive.* Vers la fin, seul un mot est audible. *Jack. Jack.* Comme si Nath ne pouvait prononcer ce nom sans cracher.

Après avoir raccroché, si fort que la sonnerie tinte, Nath s'enferme dans sa chambre. Ils pensent qu'il a un comportement hystérique, mais il sait qu'il a mis le doigt sur quelque chose, qu'il y a un lien avec Jack, une pièce du puzzle manquante. Si la police ne le croit pas, ses parents ne le croiront pas non plus. De toute façon, son père est rarement à la maison ces jours-ci, et sa mère s'est enfermée une fois de plus dans la chambre de Lydia ; à travers le mur, il l'entend qui tourne en rond, rôdant comme un chat. Hannah frappe à sa porte, et il met un disque, fort, jusqu'à ce qu'il ne perçoive plus ses cognements, ni le bruit des pas de sa mère. Plus tard, aucun d'entre eux ne se rappellera comment la journée s'est écoulée – juste un flou vague, éclipsé par tout ce qui se passerait le lendemain.

Quand la nuit tombe, Hannah ouvre sa porte et jette un coup d'œil par l'entrebâillement. Un trait de lumière passe sous la porte de Nath, un autre sous celle de Lydia. Durant tout l'après-midi, Nath n'a cessé d'écouter son disque, mais il l'a finalement laissé tourner jusqu'à son terme, et, maintenant, un silence épais comme du brouillard envahit le palier. Descendant sur la pointe des pieds, elle s'aperçoit que la maison est plongée dans l'obscurité, et que son père n'est pas rentré. Le robinet de la cuisine goutte : *plink, plink, plink*. Elle sait qu'elle devrait le fermer, mais alors la maison serait silencieuse, et, pour le moment, le silence est insupportable. De retour dans sa chambre, elle s'imagine le robinet gouttant à l'envers dans la cuisine. À chaque *plink*, une nouvelle perle d'eau se formerait sur l'acier brossé de l'évier.

Elle meurt d'envie de grimper sur le lit de sa sœur et d'y dormir, mais, avec sa mère dans la chambre, elle ne peut pas, alors, pour se consoler, Hannah fait le tour de la pièce, vérifiant ses trésors, tirant chacun de sa cachette et l'examinant. Enfoncée entre le matelas et le sommier : la plus petite cuiller du service à thé de sa mère. Derrière les livres sur l'étagère : le vieux portefeuille de son père, son cuir usé aussi fin qu'un mouchoir en papier. Un crayon appartenant à Nath, les marques de dents laissant paraître le grain du bois sous la peinture jaune. Ce sont ses échecs. Les succès ont tous disparu : l'anneau auquel son père avait accroché ses clés de bureau ; le rouge à lèvres préféré de sa mère, *Brume de pétale de rose ;* la bague d'humeur que Lydia portait à son pouce. Ces objets étaient désirés, regrettés, et ils ont été retrouvés en possession de Hannah. *Ce ne sont pas des jouets*, a dit son père. *Tu es trop jeune pour te maquiller*, a dit sa mère. Lydia a été plus directe : *Touche pas à mes affaires !* Hannah a joint les mains dans son dos, savourant le sermon, acquiesçant avec solennité tout en mémorisant leurs silhouettes alors qu'ils se tenaient près du lit. Après leur départ, elle s'est répété chaque phrase à voix basse, se les redessinant dans l'espace vide où ils s'étaient tenus.

Tout ce qui lui reste, ce sont des choses que personne ne désire, des choses que personne n'aime. Mais elle ne les range pas. Pour compenser le fait qu'elles ne manquent à personne, elle les compte soigneusement, à deux reprises, puis elle efface du doigt une tache terne sur la cuiller, ouvre et ferme le compartiment à monnaie du portefeuille. Elle a certains de ces objets depuis des années. Personne n'a jamais remarqué leur disparition. Ils se sont éloignés en silence, sans même le *plink* d'une goutte d'eau.

Elle sait que Nath est convaincu, quoi qu'en dise la police, que Jack a emmené Lydia au lac, qu'il a quelque chose à voir avec ce qui s'est passé, que c'est sa faute. Dans son esprit, Jack l'a entraînée sur le bateau, Jack l'a poussée sous l'eau, les empreintes digitales de Jack sont incrustées sur son cou. Mais Nath se trompe complètement à son propos.

Voici comment elle le sait. L'été dernier, Nath, Lydia et elle sont allés au lac. Il faisait chaud, et Nath est parti se baigner. Lydia se faisait bronzer sur une serviette à rayures, en maillot de bain, sur l'herbe, se couvrant les yeux de la main. Hannah passait mentalement en revue les nombreux surnoms de Lydia. Lyd. Lyds. Lyddie. Ma puce. Ma chérie. Mon ange. Personne n'appelait jamais Hannah autrement que Hannah. Il n'y avait pas de nuages, et sous l'éclat du soleil, l'eau paraissait presque blanche, comme une flaque de lait. À côté d'elle, Lydia poussa un petit soupir et enfonça plus profondément ses épaules dans la serviette. Elle sentait la lotion pour bébé et sa peau luisait.

Tout en plissant les yeux, cherchant Nath du regard, Hannah songea à diverses possibilités. « Hannah Banana » – ils auraient pu l'appeler ainsi. Ou quelque chose qui n'aurait rien eu à voir avec son nom, quelque chose qui aurait semblé étrange mais qui, pour eux, aurait été chaleureux et personnel. *Orignal*, songea-t-elle. *Haricot.* Jack s'approcha alors avec ses lunettes de soleil sur son crâne, bien que la luminosité fût aveuglante.

« Tu devrais faire attention, dit-il à Lydia. Tu vas avoir une tache blanche sur le visage si tu restes comme ça. »

Elle rit, ôta sa main de ses yeux et s'assit.

« Nath n'est pas là ? » interrogea Jack en s'asseyant à côté d'elles, et Lydia agita la main en direction de l'eau.

Jack tira ses cigarettes de sa poche, en alluma une, et soudain Nath arriva, les fusillant du regard. Des gouttes d'eau mouchetaient son torse nu et ses cheveux dégoulinaient sur ses épaules.

« Qu'est-ce que tu fabriques ici ? » demanda-t-il à Jack.

Celui-ci écrasa sa cigarette dans l'herbe et mit ses lunettes de soleil avant de lever les yeux.

« Je prends simplement le soleil. Je songeais à aller me baigner. »

Il ne semblait pas nerveux, mais de l'endroit où elle était assise, Hannah distinguait ses yeux derrière les verres teintés, qui s'étaient brièvement posés sur Nath avant de se détourner. Sans un mot, Nath se laissa tomber pile entre Jack et Lydia, tirebouchonnant entre ses mains la serviette dont il ne s'était pas servi. Des brins d'herbe étaient collés à son maillot de bain humide et à ses mollets, comme de fines striures de peinture verte.

« Tu vas cramer, dit-il à Lydia. Tu ferais bien de mettre ton tee-shirt.

— Ça va », répondit-elle.

Elle protégea de nouveau ses yeux avec sa main.

« Tu es déjà en train de rosir », insista Nath. Il tournait le dos à Jack, comme s'il n'était pas là. « Ici. Et là. »

Il toucha l'épaule de Lydia, puis sa clavicule.

« Ça va, répéta Lydia, le repoussant de sa main libre et se rallongeant. Tu es pire que maman. Arrête de faire toute une histoire. Laisse-moi tranquille. »

Quelque chose attira alors le regard de Hannah, et elle n'entendit pas ce que Nath répondit. Une goutte d'eau dégoulina des cheveux de son frère, telle une petite souris timide, et glissa le long de sa nuque. Elle descendit lentement entre ses omoplates, et, à l'endroit où son dos était courbé, elle tomba, comme si elle sautait d'une falaise, et s'écrasa sur le revers de la main de Jack. Nath, qui regardait dans la direction opposée, ne la vit pas, et Lydia non plus, qui observait le ciel à travers les interstices entre ses doigts. Seule Hannah, assise un peu à l'écart, les bras enroulés autour de ses genoux, la vit tomber. Et elle entendit le bruit qu'elle produisit, comme un coup de canon. Jack lui-même sursauta. Il fixa la goutte d'eau sans bouger, comme si c'était un insecte rare qui risquait de s'envoler. Puis, sans regarder aucun d'entre eux, il porta la main à sa bouche et la lécha, comme si c'était du miel.

C'était arrivé si vite que si Hannah avait été une personne différente, elle aurait pu se demander si elle avait rêvé. Personne n'avait rien vu. Nath regardait toujours dans la direction opposée ; Lydia avait désormais les yeux fermés. Mais cet instant fut aussi lumineux qu'un éclair pour Hannah. Des années de soif d'affection l'avaient rendue perceptive, de la même façon qu'un chien affamé remue la truffe à la moindre odeur de nourriture. Il n'y avait pas d'erreur possible. Elle reconnut immédiatement l'amour, l'adoration profonde à sens unique qui n'avait jamais de retour ; un amour prudent et silencieux qui se moquait du reste et continuait coûte que coûte. C'était trop familier pour être étonnant. Quelque chose jaillit du plus profond de son être et enveloppa Jack comme un châle, mais il ne remarqua rien. Il tourna son regard vers la rive opposée du lac, comme s'il ne s'était rien passé. Elle tendit la jambe et toucha avec son pied nu celui de Jack, gros orteil contre gros orteil, et ce ne fut qu'alors qu'il baissa les yeux vers elle.

« Hé, gamine », dit-il en lui ébouriffant les cheveux de la main.

Elle ressentit un fourmillement dans le cuir chevelu et crut que ses cheveux allaient se dresser sur sa tête, comme sous l'effet de l'électricité statique. En entendant la voix de Jack, Nath jeta un coup d'œil vers elle.

« Hannah », lança-t-il, et, sans savoir pourquoi, elle se leva. Nath poussa doucement Lydia du pied. « Allons-y. »

Lydia grogna, mais elle ramassa sa serviette et la bouteille de lotion pour bébé.

« Ne t'approche pas de ma sœur », souffla Nath à Jack, très doucement, au moment de partir.

Lydia, qui s'éloignait déjà, agitant sa serviette pour la débarrasser des brins d'herbe, n'entendit rien, mais Hannah, si. C'était comme si Nath parlait d'elle – Hannah –, mais elle savait qu'il parlait en fait de Lydia. Lorsqu'ils s'arrêtèrent à l'angle pour laisser passer une voiture, elle jeta un coup d'œil par-dessus son épaule, un coup d'œil trop rapide pour que Nath le remarque. Jack les regardait partir. N'importe qui aurait cru qu'il regardait Lydia, qui portait désormais sa serviette enroulée autour de ses hanches, comme un sarong. Hannah lui décocha un petit sourire, mais il ne le lui retourna pas, et elle n'aurait su dire s'il ne l'avait pas vue, ou si son petit sourire n'avait pas été suffisant.

Maintenant, elle repense au visage de Jack tandis qu'il fixait ses mains, comme si quelque chose d'important venait de leur arriver. Non. Nath se trompe. Ces mains n'auraient jamais pu faire de mal à personne. Elle en est certaine.

Sur le lit de Lydia, Marilyn serre ses genoux comme une petite fille, tentant de créer des passerelles entre ce que James a dit, ce qu'il pense, et ce qu'il voulait dire. *Ta mère avait raison, après tout. Tu aurais mieux fait d'épouser quelqu'un qui te ressemblait plus.* Avec une telle amertume dans la voix qu'elle en a eu le souffle coupé. Ces paroles semblent familières, et elle se les répète en silence, tentant de les replacer. Et soudain, elle se souvient. Le jour de leur mariage, au palais de justice : sa mère l'avait mise en garde à propos de leurs enfants, affirmant qu'ils ne s'intégreraient nulle part. *Tu le regretteras*, avait-elle dit, comme s'ils allaient être irresponsables, idiots et maudits, et, dans le hall, James avait dû tout entendre. Marilyn avait simplement expliqué : *Ma mère pense juste que je devrais épouser quelqu'un qui me ressemble plus*, puis avait balayé la question, comme de la poussière. Mais ces mots avaient hanté James. Ils avaient dû lui envelopper le cœur, se resserrant de plus en plus au fil des années, pénétrant dans sa chair. Et il avait baissé la tête tel un assassin, comme si le sang était un poison, comme s'il regrettait l'existence même de leur fille.

Quand James rentrera à la maison, songe Marilyn, muette de douleur, elle lui dira : *Je t'aurais épousé cent fois si ça signifiait avoir Lydia. Mille fois. Tu ne peux pas t'en vouloir pour ça.*

Sauf que James ne rentre pas à la maison. Ni à l'heure du dîner ; ni à la tombée de la nuit ; ni à une heure du matin, quand les bars ferment en ville. Marilyn reste éveillée, adossée aux oreillers calés contre la tête de lit, attendant d'entendre le son de sa voiture dans l'allée, le bruit de ses pas dans l'escalier. À trois heures, comme il n'est toujours pas là, elle décide de se rendre à son bureau. Pendant tout le trajet jusqu'au campus, elle se le représente recroquevillé dans son fauteuil à roulettes, accablé de tristesse, sa joue tendre appuyée contre le bureau solide. Quand elle le retrouvera, se dit-elle, elle le convaincra que ce n'est pas sa faute. Elle le ramènera à la maison. Mais lorsqu'elle pénètre sur le parking, il est désert. Elle fait trois fois le tour du bâtiment, vérifiant tous les endroits où il se gare d'ordinaire, puis tous les parkings de la faculté, puis toutes les places à parc-mètre à proximité. Aucun signe de lui.

Le matin, quand les enfants descendent, Marilyn est assise, le cou raide et l'œil trouble, à la table de la cuisine. « Où est papa ? » demande Hannah, et le silence de sa mère suffit à lui répondre. C'est le 4 Juillet : tout est fermé. James n'a pas d'amis à la faculté ; il n'est pas proche de leurs voisins ; il exècre le doyen. A-t-il eu un accident ? Doit-elle appeler la police ? Nath frotte sa main couverte d'ecchymoses contre la fissure de la paillasse et se rappelle le parfum que dégageait son père. Ses joues s'empourprent, il ressent une colère soudaine et vive. *Je ne lui dois rien*, songe-t-il, et pourtant il a l'impression de se jeter du haut d'une falaise lorsqu'il ravale sèchement sa salive et finit par dire : « Maman ? Je crois savoir où il est. »

Tout d'abord, Marilyn refuse de le croire. Ça ressemble tellement peu à James. De plus, croit-elle, il ne connaît personne. Il n'a pas d'amies. Il n'y a pas de femmes dans le département d'histoire de Middlewood, et seulement quelques femmes professeurs dans toute l'université. Où James aurait-il rencontré une autre femme ? Puis une idée terrible lui vient.

Elle saisit l'annuaire et survole les C jusqu'à la trouver, la seule Chen de Middlewood : *L. Chen 105 4e Rue #3A*. Elle est sur le point de téléphoner, mais que dirait-elle ? *Bonjour, est-ce que vous savez où est mon mari ?* Sans refermer l'annuaire, elle attrape ses clés sur la paillasse.

« Restez ici, ordonne-t-elle. Tous les deux. Je reviens dans une demi-heure. »

La 4e Rue est proche de l'université, dans un quartier étudiant, et tandis qu'elle s'y engage, scrutant les numéros des bâtiments en plissant les yeux, Marilyn n'a pas de plan. Peut-être, pense-t-elle, que Nath se trompe, peut-être qu'elle se ridiculise. Elle se sent comme un violon aux cordes trop tendues, si bien que le moindre souffle d'air la fait vibrer. Puis, devant le numéro 97, elle voit la voiture de James garée sous un érable chétif. Quatre feuilles mortes parsèment son pare-brise.

Maintenant, elle se sent étrangement calme. Elle se gare, pénètre au numéro 105, et gravit les marches jusqu'au troisième étage, où, d'un poing ferme, elle frappe à la porte de l'appartement 3A. Il est presque onze heures, et quand la porte s'ouvre, juste assez pour révéler Louisa toujours vêtue d'un peignoir bleu pâle, Marilyn sourit.

« Bonjour. Vous êtes Louisa, n'est-ce pas ? Louisa Chen ? Je suis Marilyn Lee. » Comme Louisa ne répond rien, elle ajoute : « La femme de James Lee.

— Ah, oui », fait Louisa.

Ses yeux se détournent furtivement de Marilyn.

« Je suis désolée. Je ne suis pas encore habillée…

— Je vois ça. »

Marilyn pose une main sur la porte, la maintenant ouverte.

« Je n'en ai que pour un instant. Vous voyez, je cherche mon mari. Il n'est pas rentré, hier soir.

— Oh ? »

Louisa ravale sèchement sa salive, mais Marilyn fait mine de ne rien remarquer.

« C'est terrible. Vous devez être très inquiète.

— En effet. Très inquiète. »

Elle laisse ses yeux rivés sur le visage de Louisa. Elles ne se sont rencontrées que deux fois, furtivement lors de la fête de Noël de l'université, puis à l'enterrement, et Marilyn l'examine désormais attentivement. Longs cheveux noir d'encre, longs cils surplombant des yeux baissés, petite bouche, comme une poupée. Une petite chose timide. Une fille aussi éloignée de moi qu'il est possible de l'être, songe-t-elle avec un pincement.

« Vous savez où il pourrait être ? »

Les joues de Louisa virent au rose vif. Elle est si transparente que Marilyn est presque désolée pour elle.

« Pourquoi le saurais-je ?

— Vous êtes son assistante, non ? Vous travaillez ensemble chaque jour. »

Elle marque une pause.

« Il parle si souvent de vous à la maison.

— Ah oui ? »

La confusion, le plaisir et la surprise se mêlent sur le visage de Louisa, et Marilyn voit exactement ce qui se passe dans sa tête. *Cette Louisa – elle est si intelligente. Si talentueuse. Si belle.* Et elle songe : *Oh, Louisa, que tu es jeune.*

« Eh bien, dit finalement celle-ci, êtes-vous allée voir à son bureau ?

— Il n'y était pas tout à l'heure, répond Marilyn. Peut-être qu'il y est maintenant. » Elle pose la main sur la poignée de la porte. « Est-ce que je pourrais utiliser votre téléphone ? »

Le sourire de Louisa s'évanouit.

« Désolée, dit-elle. Mon téléphone est hors service en ce moment. »

Elle regarde désespérément Marilyn, comme dans l'espoir qu'elle va laisser tomber et s'en aller. Marilyn attend, laissant Louisa s'agiter. Ses mains ne tremblent plus. Intérieurement, elle ressent une rage calme et brûlante.

« Merci tout de même. Vous m'avez été très utile. »

Elle laisse son regard s'égarer derrière Louisa, en direction de la minuscule section de salon qu'elle aperçoit par l'entrebâillement de la porte, et Louisa jette un coup d'œil nerveux par-dessus son épaule, comme si James avait pu sortir par inadvertance de la chambre.

« Si vous le voyez, ajoute Marilyn en haussant la voix, dites à mon mari que je l'attends à la maison. »

Louisa ravale de nouveau sa salive.

« Je n'y manquerai pas », répond-elle, et Marilyn la laisse enfin refermer la porte.

9

Quelques mois plus tôt, une autre liaison illicite a couvé.

Au grand désarroi de Nath, Lydia a passé tous ses après-midi de printemps avec Jack dans sa voiture : roulant à travers la ville, ou garés à proximité de la pelouse de l'université, ou près du terrain de jeux, ou sur un parking désert.

Mais malgré ce que Nath croyait, à la grande satisfaction de Lydia, malgré les murmures quand quelqu'un l'apercevait de temps à autre grimpant dans la voiture de Jack – *Elle ne fait pas ça, si ? Bien sûr que non. Elle ? Impossible* –, et malgré les attentes mêmes de Lydia, la vérité était beaucoup moins scandaleuse. Pendant que les autres élèves se précipitaient en cours, ou que les enfants de maternelle glissaient sur le toboggan, ou que les amateurs de bowling allaient à la salle pour une partie vite fait après le boulot, se produisait une chose à laquelle Lydia ne s'était jamais attendue : Jack et elle discutaient. Tandis qu'ils fumaient, les pieds posés sur le tableau de bord, elle lui racontait des anecdotes sur ses parents, expliquant que, alors qu'elle était au CE1, elle avait recopié un diagramme du cœur dans l'encyclopédie, indiquant au feutre chaque ventricule, et que sa mère l'avait punaisé au mur de sa chambre comme si ça avait été un chef-d'œuvre. Ou que, alors qu'elle avait dix ans, sa mère lui avait appris à prendre le pouls ; ou, quand elle en avait douze, qu'elle l'avait persuadée de ne pas aller à l'anniversaire de Cat Malone – le seul auquel elle eût jamais été invitée – pour finir un projet pour un concours de sciences. Que son père avait insisté pour qu'elle aille au bal des premières années et lui avait acheté une robe, et qu'elle avait passé la soirée plantée dans le coin le plus sombre du gymnase, comptant les minutes jusqu'à pouvoir rentrer chez elle : quelle heure était acceptable ? Huit heures et demie ? Neuf heures ? Au début, elle avait essayé de ne pas mentionner Nath, se rappelant à quel point Jack le détestait. Mais elle ne pouvait parler d'elle sans Nath, et, à sa grande surprise, ce fut Jack qui avait posé des questions : pourquoi Nath voulait-il être astronaute ? Était-il aussi silencieux à la maison qu'à l'école ? Elle lui avait raconté que, après les premiers pas sur la Lune, il avait fait des bonds sur la pelouse, faisant mine d'être Neil Armstrong pendant des jours. Que, en sixième, il avait convaincu le bibliothécaire de le laisser emprunter des livres dans la section réservée aux adultes, et qu'il avait rapporté à la maison des manuels de physique, de mécanique du vol, d'aérodynamique. Qu'il avait demandé un télescope pour son quatorzième anniversaire et avait eu un radio-réveil à la place ; qu'il avait économisé son argent de poche et s'en était acheté un lui-même. Que, parfois, pendant le dîner, Nath ne disait pas un mot sur sa journée, parce que ses parents ne le questionnaient jamais. Jack absorbait tout, lui allumant une nouvelle cigarette quand elle jetait son mégot par la vitre, lui lançant son paquet quand Lydia était à court. Semaine après semaine, elle refusait de se sentir coupable de faire paraître Nath encore plus pathétique – parce que parler de Nath lui permettait de rester dans la voiture de Jack chaque après-midi, et parce que chaque après-midi qu'elle passait dans la voiture de Jack irritait de plus en plus Nath.

Puis, à la mi-avril, Jack commença à lui apprendre à conduire. À la fin du mois, elle aurait seize ans.

« Considère les pédales d'accélérateur et d'embrayage comme des partenaires, expliqua-t-il. Quand l'une descend, l'autre monte. »

Sur les indications de Jack, Lydia relâcha lentement l'embrayage et tapota l'accélérateur du bout du pied, et la Volkswagen avança lentement à travers le parking désert de la patinoire de la Route 17. Puis le moteur cala, et ses épaules percutèrent violemment le dossier de son siège. Même après une semaine d'entraînement, la violence de ce moment la surprenait encore, la façon dont la voiture sursautait puis devenait silencieuse, comme si elle avait eu une attaque cardiaque.

« Essaye encore », dit Jack. Il posa son pied sur le tableau de bord et enfonça l'allume-cigare. « Tout doux. Appuie sur l'embrayage, relâche l'accélérateur. »

Au bout du parking, une voiture de police approcha et effectua un demi-tour parfait pour pointer son nez vers la route. *Ils ne nous cherchent pas*, songea Lydia. La Route 17, située à la limite de la ville, était un lieu de planque notoire pour la police de la route. Pourtant, la voiture de patrouille n'arrêtait pas d'attirer son regard. Elle tourna la clé, redémarra, et cala de nouveau, presque aussitôt.

« Essaye encore, répéta Jack en tirant un paquet de Marlboro de sa poche. Tu es trop pressée. »

Elle ne s'en était pas rendu compte, mais c'était vrai. Même les deux semaines qui restaient jusqu'à son anniversaire, quand elle pourrait avoir son permis provisoire, lui semblaient une éternité. Quand elle l'aurait, songeait Lydia, elle pourrait aller n'importe où. Elle pourrait traverser la ville, traverser l'Ohio, rouler jusqu'en Californie. Même quand Nath serait parti – elle ne voulait pas y penser –, elle ne resterait pas piégée seule avec ses parents ; elle s'échapperait quand elle le voudrait. Cette simple idée lui donnait des fourmis dans les jambes, comme si elles avaient hâte de courir.

Lentement, pensa-t-elle en prenant une profonde inspiration. Comme des partenaires. L'une monte, l'autre descend. James avait promis de lui apprendre à conduire leur berline dès qu'elle aurait son permis, mais Lydia ne voulait pas apprendre dans leur voiture. Elle était molle et docile, comme une jument d'âge mûr. Elle sonnait gentiment, tel un chaperon vigilant, si vous n'attachiez pas votre ceinture. « Quand tu auras ton permis, disait son père, on te laissera prendre la voiture le vendredi soir avec tes amis. » « Si tu continues d'avoir de bonnes notes », ajoutait sa mère, si elle était à proximité.

Lydia enfonça l'embrayage à fond, démarra de nouveau et tendit la main vers le levier de vitesses. Il était presque cinq heures et demie, et sa mère l'attendrait bientôt. Quand elle relâcha l'embrayage, son pied glissa de la pédale. La voiture cahota et cala.

Les yeux du policier dans la voiture de patrouille se tournèrent vers eux, puis de nouveau vers la route.

Jack secoua la tête.

« On pourra réessayer demain. »

La résistance de l'allume-cigare rougeoya lorsqu'il le tira de son compartiment et appuya en son centre une cigarette, dont l'extrémité vira au noir contre le métal chaud, puis à l'orange, comme si la couleur avait saigné. Il la tendit à Lydia et, lorsqu'ils eurent échangé leur place, s'en alluma une pour lui.

« Tu y étais presque », ajouta-t-il en dirigeant la voiture vers la sortie du parking.

Lydia savait que c'était un mensonge, mais elle acquiesça.

« Oui, répondit-elle d'une voix rauque. La prochaine fois. »

Lorsqu'ils s'engagèrent sur la Route 17, elle souffla une longue colonne de fumée par la vitre en direction de la voiture de police.

« Alors, tu vas dire à ton frère qu'on se voit et que je ne suis pas un si sale type que ça ? » demanda Jack lorsqu'ils furent presque arrivés.

Lydia fit un grand sourire. Elle soupçonnait que Jack continuait de sortir avec d'autres filles – parfois, lui et sa Volkswagen étaient introuvables –, mais, avec elle, c'était presque un gentleman : il ne lui avait jamais ne serait-ce que tenu la main. Et alors, s'ils étaient simplement amis ? La plupart du temps, c'était elle qui montait dans sa voiture, et elle savait que ça n'avait pas échappé à l'attention de Nath. Pendant le dîner, alors qu'elle débitait des bobards à sa mère sur ses notes et ses *devoirs supplémentaires*, ou à son père sur la nouvelle permanente de Shelley ou sur l'obsession de Pam pour David Cassidy, Nath l'observait – à moitié en colère, à moitié effrayé – comme s'il voulait dire quelque chose mais ne savait comment s'y prendre. Elle savait ce qu'il pensait, et elle le laissait faire. Certains soirs, elle venait dans la chambre de Nath, s'asseyait lourdement sur le rebord de sa fenêtre et allumait une clope, le défiant de dire quelque chose.

« Il ne me croirait jamais », répondit Lydia.

Elle bondit hors de la voiture à un pâté de maisons de chez elle, et Jack tourna à l'angle et se gara dans son allée pendant qu'elle rentrait au petit trot, comme si elle avait parcouru tout le trajet à pied. Le lendemain, songeait-elle, elle enclencherait la première et ils traverseraient tout le parking, les lignes blanches défilant sous les roues. Sur les pédales, ses pieds seraient à l'aise, son coup de pied, souple. Et bientôt elle filerait sur l'autoroute, passant la troisième, puis la quatrième, fonçant seule vers un autre endroit.

Mais ça ne se passa pas comme ça. À la maison, dans sa chambre, Lydia alluma l'électrophone sur lequel se trouvait déjà l'album que Hannah lui avait offert pour Noël – à sa grande surprise, elle ne se lassait pas de l'écouter. Elle posa l'aiguille à quatre centimètres du bord, cherchant le début de sa chanson préférée, mais visa trop loin, et la voix de Paul Simon s'éleva soudain dans la pièce : *Hey, let your honesty shine, shine, shine…*

De légers coups à la porte recouvrirent la musique, et Lydia tourna le bouton du volume au maximum. Un instant plus tard, Marilyn, les jointures des doigts douloureuses, ouvrit et passa la tête à l'intérieur.

« Lydia. Lydia ! » Comme sa fille ne se retournait

pas, elle souleva le bras de l'électrophone et la pièce devint silencieuse, le disque tournant dans le vide sous sa main. « C'est mieux. Comment peux-tu réfléchir avec ça ?

— Ça ne me dérange pas.

— Tu as déjà fini tes devoirs ? » Pas de réponse. Marilyn pinça les lèvres. « Tu sais, tu ne devrais pas écouter de musique si tu n'as pas fini tes devoirs. »

Lydia s'arracha une cuticule.

« Je les ferai après le dîner.

— Tu ferais mieux de t'y mettre maintenant, tu ne crois pas ? Pour avoir le temps de tout finir et faire du bon travail. » Le visage de Marilyn s'adoucit. « Ma chérie, je sais que le lycée peut ne pas sembler important. Mais c'est la fondation du reste de ta vie. » Elle s'assit sur l'accoudoir du fauteuil de Lydia et caressa les cheveux de sa fille. Il était si essentiel de lui faire comprendre, mais elle ne savait pas comment faire. Un tremblement s'était insinué dans la voix de Marilyn, mais Lydia ne remarqua rien. « Crois-moi. S'il te plaît. Ne laisse pas ta vie t'échapper. »

Oh, bon sang, songea Lydia, *elle ne va pas recommencer*. Elle cligna férocement des yeux et se concentra sur le coin de son bureau, où se trouvait toujours un article qu'avait découpé sa mère des mois plus tôt, désormais recouvert d'une pellicule de poussière.

« Regarde-moi. » Marilyn prit le menton de Lydia dans sa main et pensa à toutes les choses que sa mère ne lui avait pas dites, ces choses qu'elle avait tant voulu entendre pendant toute son existence. « Tu as la vie devant toi. Tu peux faire ce que tu veux. » Elle marqua une pause, regardant par-dessus l'épaule de Lydia l'étagère couverte de livres, le stéthoscope au-dessus de la bibliothèque, la mosaïque nette du tableau périodique. « Quand je serai morte, c'est tout ce que je veux que tu te rappelles. »

Elle voulait dire : *Je t'aime. Je t'aime.* Mais ses paroles coupèrent le souffle de Lydia : *Quand je serai morte.* Durant tout ce lointain été, elle avait cru que sa mère était peut-être réellement morte, et ces semaines et ces mois avaient laissé une douleur tenace et pressante dans sa poitrine, comme un bleu lancinant. Elle s'était promis : tout ce que sa mère voudrait. Absolument tout. Tant qu'elle restait.

« Je sais, m'man, répondit-elle. Je sais. » Elle tira son cahier de son cartable. « Je vais m'y mettre.

— C'est bien. »

Marilyn l'embrassa sur la tête, et Lydia inhala finalement : shampooing, lessive, menthe poivrée. Un parfum qu'elle avait connu toute sa vie, un parfum dont elle s'apercevait, chaque fois qu'elle le sentait, qu'il lui manquait. Elle passa les bras autour de sa taille, l'attirant tout contre elle, si près qu'elle sentit les battements de cœur de sa mère contre sa joue.

« Ça suffit, dit finalement Marilyn en tapotant malicieusement le derrière de sa fille. Mets-toi au travail. Le dîner sera prêt dans une heure. »

Pendant tout le repas, Lydia ressassa intérieurement la conversation avec sa mère. Une pensée lui donnait du courage : plus tard, elle en parlerait à Nath, et alors elle se sentirait mieux. Elle s'excusa avant d'avoir terminé, laissant la moitié de son assiette sans y avoir touché. « Je dois aller finir ma physique », annonça-t-elle, sachant que sa mère ne protesterait pas. Puis, en se rendant vers l'escalier, elle passa devant la table du couloir, où son père avait déposé le courrier juste avant le dîner, et une enveloppe attira son regard : l'emblème de Harvard dans un coin, et, en dessous, *Bureau des admissions*. Elle l'ouvrit avec son doigt.

Cher Monsieur Lee, lut-elle. *Nous sommes ravis de vous recevoir sur le campus du 29 avril au 2 mai et vous avons attribué un étudiant hôte pour votre visite.* Elle savait que ça allait arriver, mais ça ne lui avait pas semblé réel, jusqu'alors. Le lendemain de son anniversaire. Sans réfléchir, elle déchira la lettre et l'enveloppe en deux. Et, à cet instant, Nath sortit de la cuisine.

« Je pensais bien t'avoir entendue ici. Est-ce que je peux t'emprunter… ? »

Il repéra le blason rouge sur l'enveloppe déchirée, la lettre en morceaux dans la main de Lydia, et se figea.

Lydia rougit.

« C'est rien d'important. Je ne… »

Mais elle avait franchi une limite, et ils le savaient tous les deux.

« Donne-moi ça. » Nath lui arracha la lettre. « C'est à moi. Bon sang. Qu'est-ce que tu fabriques ?

— J'ai juste… »

Lydia ne savait pas comment finir sa phrase.

Nath rassembla les bords déchirés, comme s'il pouvait la reconstituer.

« C'est à propos de ma visite. Qu'est-ce que tu croyais ? Que si je ne recevais pas cette lettre, je ne pourrais pas partir ? »

Exprimé de façon si abrupte, ça semblait idiot et pathétique, et des larmes commencèrent à se former au coin des yeux de Lydia, mais Nath s'en fichait. C'était comme si sa sœur lui avait volé quelque chose.

« Mets-toi bien ça dans le crâne : Je pars. Je pars ce

week-end-là. Et je pars en septembre. » Il se précipita vers l'escalier. « Bon Dieu. J'ai vraiment hâte de me tirer de cette maison ! »

Un instant plus tard, sa porte claqua à l'étage, et même si Lydia savait qu'il ne l'ouvrirait pas – d'ailleurs, elle ne savait pas ce qu'elle aurait dit s'il l'avait fait –, ça ne l'empêcha pas d'aller y frapper, encore et encore et encore.

Le lendemain après-midi, dans la voiture de Jack, elle fit caler le moteur à plusieurs reprises, jusqu'au moment où celui-ci déclara qu'ils feraient mieux de laisser tomber pour aujourd'hui.

« Je sais ce qu'il faut faire, dit Lydia. Mais je n'y arrive pas. »

Sa main était comme une griffe autour du levier de vitesses, et elle tirait violemment dessus. *Partenaires*, se rappela-t-elle. L'accélérateur et l'embrayage étaient des partenaires. Mais elle comprit alors : ce n'était pas vrai. Si l'un montait, l'autre devait descendre. C'était tout le temps comme ça. Sa note de physique avait grimpé jusqu'à C-, mais celle d'histoire avait dégringolé jusqu'à D. Le lendemain, elle devrait rendre sa dissertation d'anglais – deux mille mots sur Faulkner –, mais elle ne retrouvait même pas le livre. Peut-être que les partenaires n'existaient pas, songea-t-elle. De toutes ses études, une phrase lui traversa soudain l'esprit : *Pour chaque action, il y a une réaction égale et contraire.* Une chose montait et une autre descendait. L'une gagnait, l'autre perdait. L'une s'échappait, l'autre était piégée pour toujours.

Cette idée la hanta pendant des jours. Bien que Nath – qui avait passé l'éponge sur l'incident de la lettre – lui parlât de nouveau, elle ne pouvait se résoudre à l'évoquer, pas même pour s'excuser. Chaque soir, après le dîner, malgré les réflexions parfaitement sans équivoque de sa mère, elle restait dans sa chambre au lieu de longer le couloir sur la pointe des pieds en quête de compassion. La veille de son anniversaire, James frappa à sa porte.

« Tu n'as pas l'air d'avoir le moral depuis quinze jours. » Il tendit une petite boîte en velours bleu grosse comme un jeu de cartes. « J'ai pensé qu'un cadeau anticipé te rendrait peut-être le sourire. »

Il lui avait pris du temps, ce cadeau, et il en était fier. Il avait été jusqu'à demander à Louisa ce qu'une adolescente pouvait aimer, et cette fois, il était certain que Lydia adorerait.

Dans la boîte se trouvait un cœur en argent monté sur une chaîne.

« C'est magnifique », dit Lydia, surprise.

Enfin un cadeau qui en était un – pas un livre, pas un sous-entendu –, quelque chose qu'elle voulait, pas quelque chose qu'ils voulaient pour elle. C'était le collier qu'elle avait désiré à Noël. La chaîne glissait entre ses doigts comme un filet d'eau, si souple qu'elle semblait vivante.

James toucha sa fossette et la tordit entre ses doigts, une de ses vieilles blagues.

« Ça s'ouvre. »

Lydia ouvrit le médaillon et se figea. À l'intérieur se trouvaient deux photos grosses comme l'ongle du pouce : une de son père, et une d'elle – pomponnée pour le bal des secondes, l'année précédente. Pendant tout le trajet du retour, elle lui avait raconté à quel point elle s'était amusée. Sur la photo, son père faisait un large sourire plein de tendresse et d'attentes, tandis qu'elle détournait le regard, sérieuse, amère, renfrognée.

« Je sais que cette année a été dure, et que ta mère t'en a beaucoup demandé, poursuivit James. Souviens-toi simplement, le lycée n'est pas tout. Ce n'est pas aussi important que l'amitié, ou l'amour. »

Il voyait déjà un petit pli inquiet se creuser entre les sourcils de Lydia, et des cercles sombres s'épanouir sous ses yeux à cause de ces soirées passées à faire ses devoirs. Il aurait voulu lisser ce pli avec son pouce, balayer les ombres comme de la poussière.

« Chaque fois que tu regarderas ce collier, souviens-toi juste de ce qui compte vraiment. Chaque fois que tu le regarderas, je veux que tu souries. Promis ? »

Il tripota le fermoir, se débattant avec le minuscule ressort.

« Je le voulais en or, mais une source fiable m'a expliqué que tout le monde portait de l'argent cette année », ajouta-t-il.

Lydia passa le doigt sur le revêtement en velours de la boîte. Son père se souciait tellement de ce que *tout le monde* faisait : *Je suis tellement content que tu ailles au bal, ma puce – tout le monde va au bal. Tes cheveux sont si jolis comme ça, Lyddie – tout le monde a les cheveux longs ces temps-ci, pas vrai ?* Et chaque fois qu'elle souriait : *Tu devrais sourire plus – tout le monde aime une fille qui sourit.* Comme si une robe, des cheveux longs et un sourire pouvaient dissimuler tout ce qui était différent en elle. Si sa mère l'avait laissée sortir comme les autres filles, pensait-elle, peut-être que son apparence n'aurait pas eu d'importance – Jackie Harper avait un œil bleu et un vert, et elle avait été élue Fille La Plus Sociable l'année précédente. Ou si elle avait ressemblé à tout le monde, peut-être que ça n'aurait pas eu d'importance qu'elle soit forcée d'étudier tout le temps, qu'elle n'ait pas le droit de sortir pendant le week-end avant d'avoir fini tous ses devoirs, qu'elle n'ait pas le droit de fréquenter des garçons. L'un ou l'autre pouvait être surmonté. Mais être tiraillée entre les deux – il aurait mieux valu pas de robe, pas de livre, pas de médaillon.

« Voilà », dit James lorsque le fermoir s'ouvrit enfin. Il l'attacha derrière la nuque de Lydia, et le métal dessina une ligne froide, comme un anneau de glace, autour de sa gorge. « Comment tu le trouves ? Il te plaît ? »

Lydia comprenait : ce collier était censé lui rappeler tout ce qu'il voulait pour elle. Comme une ficelle attachée à son doigt, seulement celle-ci était autour de son cou.

« Il est magnifique », murmura-t-elle.

James prit à tort sa voix rauque pour une marque de profonde gratitude.

« Promets-moi que tu t'entendras avec tout le monde. On n'a jamais trop d'amis. »

Lydia ferma les yeux et acquiesça.

Le lendemain, pour célébrer son anniversaire, elle porta le collier, comme l'avait suggéré son père.

« Juste après l'école, lui avait-il dit, je t'emmènerai chercher ton permis et nous aurons notre première leçon de conduite avant le dîner.

— Et après le dîner, annonça sa mère, nous aurons un gâteau. J'ai quelques cadeaux spéciaux pour la reine de la fête. »

Ce qui signifiait des livres, songea Lydia. Ce soir-là, Nath ferait sa valise. Toute la journée, elle se consola : *dans six heures, j'aurai mon permis. Dans deux semaines, je pourrai partir.*

À trois heures, son père se gara devant l'école, mais quand Lydia souleva son cartable et se dirigea vers la berline, elle eut la surprise de voir quelqu'un déjà assis à la place du passager : une Chinoise – une jeune fille, vraiment – aux longs cheveux noirs.

« Ça me fait tellement plaisir de te rencontrer enfin, dit celle-ci lorsque Lydia grimpa sur la banquette arrière. Je suis Louisa, l'assistante de ton père. »

James immobilisa la voiture pour laisser traverser un groupe d'élèves de première.

« Louisa a un rendez-vous, et puisque je venais par ici de toute manière, j'ai offert de la déposer.

— Je n'aurais pas dû accepter, dit Louisa. J'aurais simplement dû l'annuler. Je *hais* le dentiste. »

En traversant devant la voiture, l'un des garçons leur fit un grand sourire à travers le pare-brise et se brida les yeux avec les doigts. Les autres s'esclaffèrent, et Lydia se recroquevilla sur la banquette. Elle comprenait : les garçons pensaient probablement que Louisa était sa mère. Tout en se tortillant sur place, elle se demanda si son père était également embarrassé, mais, à l'avant, James et Louisa n'avaient rien remarqué.

« Dix billets que vous n'avez même pas une carie, lança James.

— Cinq, répliqua Louisa. Je ne suis qu'une pauvre étudiante, pas un riche professeur. »

Elle lui tapota le bras d'un air enjoué, et la tendresse sur son visage stupéfia Lydia. Sa mère regardait son père ainsi, tard le soir, quand il était plongé dans ses lectures et qu'elle s'appuyait affectueusement contre son fauteuil avant de lui demander de venir se coucher. La main de Louisa s'attarda sur son bras, et Lydia les observa, son père et cette fille, confortablement installés à l'avant tel un couple marié, un tableau encadré par l'écran lumineux du pare-brise. Elle songea soudain : *Cette fille couche avec mon père.*

Elle n'avait jamais jusqu'alors envisagé son père comme un homme avec des désirs. Comme tous les adolescents, elle préférait – malgré son existence même – s'imaginer ses parents comme des êtres éternellement chastes. Mais il y avait quelque chose dans la manière qu'avaient son père et Louisa de se toucher, dans leur badinage décontracté, qui froissait sa sensibilité innocente. Ce qui les reliait était si brûlant que les joues de Lydia s'empourprèrent. Ils étaient amants. Elle en était certaine. La main de Louisa était toujours sur le bras de son père, et celui-ci ne bougeait pas, comme si cette caresse n'avait rien d'inhabituel. De fait, James ne s'était rendu compte de rien : Marilyn posait souvent la main sur lui de la sorte, et la sensation était trop familière pour qu'il la remarque. Pour Lydia, cependant, la façon qu'il avait de regarder droit devant lui, scrutant la rue des yeux, était toute la confirmation dont elle avait besoin.

« Comme ça, j'ai appris que c'était ton anniversaire aujourd'hui, dit Louisa en se tournant de nouveau vers la banquette arrière. Seize ans. Je suis sûre que ce sera une très belle année pour toi. » Lydia ne répondit rien, et Louisa tenta de nouveau sa chance. « Ton collier te plaît ? J'ai aidé ton père à le choisir. Il m'a demandé ce que tu pourrais aimer. »

Lydia coinça deux doigts sous la chaîne, résistant à l'envie de l'arracher de son cou.

« Comment pourriez-vous savoir ce que j'aime ? Vous ne me connaissez même pas. »

Louisa cligna des paupières.

« J'ai une idée. Tu sais, ton père m'a tellement parlé de toi. »

Lydia la regarda droit dans les yeux.

« Vraiment ? Papa ne vous a jamais mentionnée.

— Allons, Lyddie, intervint James, tu m'as entendu parler de Louisa. Dire qu'elle était intelligente. Qu'elle ne laissait jamais les jeunes étudiants s'en tirer à bon compte. »

Il sourit à Louisa, et la vue de Lydia se troubla.

« Papa, tu allais où en voiture après avoir eu ton permis ? » demanda-t-elle brusquement.

Dans le rétroviseur, les yeux de James s'ouvrirent soudain de surprise.

« Au lycée, aux entraînements et aux compétitions de natation. Et faire des courses, parfois.

— Mais pas voir des filles.

— Non », répondit-il. Sa voix se brisa légèrement, comme celle d'un adolescent. « Non, pas voir des filles. »

Lydia se sentait petite, et acérée, et mauvaise, comme une punaise.

« Parce que tu ne sortais pas avec des filles. Exact ? Pourquoi est-ce que personne ne voulait sortir avec toi ? »

Cette fois, James garda les yeux fixés sur la route devant eux, et ses mains se raidirent sur le volant, ses coudes se bloquèrent.

« Oh, allons, fit Louisa. Je n'en crois pas un mot. »

Elle posa de nouveau la main sur le coude de James, et cette fois elle la laissa jusqu'à ce qu'ils atteignent le cabinet du dentiste, jusqu'à ce que James immobilise la voiture et dise, à la grande indignation de Lydia : « À demain. »

Malgré sa fille qui lui lançait des regards noirs depuis la banquette arrière, James ne se rendait pas compte que quelque chose ne tournait pas rond. Au département des permis de conduire, il l'embrassa sur la joue et prit une chaise.

« Ça va bien se passer, lui assura-t-il. Je serai ici quand tu en auras fini. »

Songeant à l'excitation qu'éprouverait Lydia avec son permis à la main, il avait complètement oublié ce qui venait de se passer dans la voiture. Lydia, pour sa part, continuait de ruminer le secret qu'elle était certaine d'avoir découvert, et elle se retourna sans un mot.

Dans la salle d'examens, une femme lui tendit un cahier de test et un crayon et lui dit de prendre n'importe quel siège vide. Lydia se dirigea vers le coin au fond de la pièce, enjambant des cartables, des sacs à main et les jambes du garçon assis à l'avant-dernier rang. Tout ce que son père lui avait rabâché lui revenait désormais avec une tonalité nouvelle : *On n'a jamais trop d'amis.* Elle songea à sa mère, enfermée à la maison, faisant la lessive, remplissant une grille de mots croisés, pendant que son père… Elle était furieuse contre lui, furieuse contre sa mère d'avoir laissé ça arriver. Furieuse contre tout le monde.

À cet instant, Lydia s'aperçut que la pièce était devenue silencieuse. Tout le monde avait la tête penchée sur le test. Elle leva les yeux vers l'horloge, mais celle-ci ne lui dit rien : ni quand ils avaient commencé, ni quand le test s'achèverait, juste l'heure, trois heures quarante et une. L'aiguille des secondes avança petit à petit de onze à douze, et celle des minutes, telle une longue pointe d'acier, bondit d'un cran supplémentaire. Trois heures quarante-deux. Elle ouvrit le cahier. *De quelle couleur est le panneau stop ?* Elle remplit le cercle correspondant à la réponse B : *Rouge. Que devez-vous faire si vous voyez ou entendez un véhicule d'urgence approcher de quelque direction que ce soit ?* Dans sa hâte, le crayon glissa hors de la bulle en formant une courbe irrégulière. Plusieurs rangées devant elle, une fille avec des nattes se leva, et la femme à l'avant lui fit signe de passer dans la pièce d'à côté. Quelques instants plus tard, le garçon assis à côté d'elle fit de même. Lydia regarda de nouveau son cahier. Vingt questions. Encore dix-huit.

Si votre voiture se met à déraper, vous devez... Nombre des réponses semblaient plausibles. *Quand les routes et les autoroutes sont-elles le plus glissantes ? Quelle distance devez-vous laisser entre vous-même et le véhicule qui vous précède lorsque les conditions sont bonnes ?* Sur sa droite, un homme à moustache ferma son cahier et posa son crayon. C, supposa Lydia. A. D. Sur la page suivante, elle trouva une série de phrases qu'elle fut incapable de compléter. *Quand vous roulez derrière un gros camion sur l'autoroute, vous devez... Pour négocier un virage en sécurité, vous devez... Quand vous reculez, vous devez...* Elle se répétait chaque question et séchait sur les derniers mots, comme un disque rayé : *vous devez, vous devez, vous devez*. Quelqu'un lui toucha alors l'épaule, doucement, et la femme qui s'était trouvée à l'avant de la pièce déclara : « Je suis désolée, ma chère, c'est l'heure. »

Lydia garda la tête penchée au-dessus du bureau, comme si ces paroles n'étaient pas vraies tant qu'elle ne voyait pas le visage de la femme. Une tache sombre apparut au milieu de la feuille, et elle mit un moment à s'apercevoir que c'était une trace de larme, une larme à elle. Elle essuya le papier avec sa main, puis s'essuya la joue. Tous les autres étaient partis.

« C'est bon, dit la femme. Tu as seulement besoin de quatorze bonnes réponses. »

Mais Lydia savait qu'elle n'avait rempli que cinq cercles.

Dans la pièce d'à côté, où un homme insérait les réponses dans la liseuse de résultats, elle se piqua le doigt avec la pointe de son crayon.

« Dix-huit bonnes réponses, annonça-t-il à la fille devant elle. Portez ceci au guichet, on va vous prendre en photo et imprimer votre permis. Félicitations. »

La fille sautilla joyeusement en franchissant la porte, et Lydia aurait voulu la gifler. Il y eut un bref moment de silence lorsque l'homme regarda le formulaire de Lydia, et elle se concentra sur la tache de boue sur sa botte.

« Bon, la rassura-t-il. Ne t'en fais pas. De nombreuses personnes échouent la première fois. »

Il retourna la feuille, et elle vit de nouveau les cinq cercles, comme des grains de beauté, et le reste de la page parfaitement vierge. Lydia n'attendit pas de connaître son score. Tandis que la machine aspirait sa feuille de réponses, elle passa droit devant lui et regagna la salle d'attente.

Il y avait désormais une longue file au guichet des photos ; l'homme à la moustache comptait les billets dans son portefeuille, la fille qui avait sautillé arrachait le vernis de ses ongles. Celle aux nattes et le garçon étaient déjà partis. Sur le banc, James attendait.

« Alors, dit-il en regardant les mains vides de sa fille. Il est où ?

— J'ai échoué », répondit-elle.

Les deux femmes assises à côté de lui levèrent les yeux vers elle, puis les détournèrent vivement. Son père battit des paupières, une fois, deux fois, comme s'il avait mal entendu.

« Ce n'est pas grave, ma chérie, dit-il. Tu pourras retenter ta chance ce week-end. »

Dans la brume de sa déception et de son humiliation, Lydia ne s'était pas souvenue, ou pas souciée, du fait qu'elle pouvait repasser l'examen. Le lendemain matin, Nath partirait pour Boston. Et tout ce qu'elle se disait, c'était : *Je vais rester ici pour toujours. Je ne pourrai jamais partir.*

James passa un bras autour de sa fille, mais il pesa sur ses épaules comme une couverture de plomb, et elle le repoussa.

« On peut rentrer, maintenant ? » demanda-t-elle.

« Dès que Lydia rentrera, annonça Marilyn, on dira : *Surprise*. Et alors on dînera, puis on fera les cadeaux. »

Nath était dans sa chambre en train de se préparer pour son voyage, et, seule avec sa plus jeune fille, elle planifiait à voix haute, se parlant à moitié à elle-même. Hannah, ravie d'avoir son attention, même si c'était par défaut, acquiesça sagement. À voix basse, elle s'entraîna – *Surprise ! Surprise !* – et regarda sa mère écrire le nom de Lydia en bleu sur le gâteau. Il était censé ressembler à un permis de conduire, un rectangle glacé blanc avec un portrait de Lydia dans un coin, où aurait dû se trouver sa véritable photo. À l'intérieur, le gâteau était au chocolat. Comme c'était un anniversaire doublement spécial, Marilyn l'avait elle-même préparé – à partir d'une préparation en boîte, certes, mais mélangée par ses soins, remuant d'une main le mixeur dans la pâte, et maintenant de l'autre le bol en aluminium cabossé tandis que les fouets tournoyaient. Elle avait laissé Hannah choisir le pot de nappage, et elle vida le tube de glaçage décoratif, écrivant L-Y-D, puis en attrapa un autre dans le sac de courses.

Un dessert si particulier, songea Hannah, serait particulièrement bon. Meilleur qu'un simple gâteau à la vanille ou au chocolat. Sur la boîte était représentée une femme souriante penchée au-dessus d'une tranche de gâteau, avec les mots : *À vous d'y mélanger l'amour.* L'amour, se dit Hannah, devait être sucré, comme le parfum de sa mère, et aussi doux que de la guimauve. Doucement, elle tendit un doigt, creusant un petit trou dans la surface parfaitement lisse du gâteau.

« Hannah ! » s'écria sèchement Marilyn, et elle lui donna une tape sur la main pour l'écarter.

Pendant que sa mère rebouchait le trou avec une spatule, Hannah porta à sa bouche le nappage qui se trouvait sur son doigt. Il était si sucré que ses yeux s'embuèrent, et pendant que Marilyn ne regardait pas, elle essuya le reste au dos du torchon. Elle devinait au petit pli entre les sourcils de sa mère qu'elle était toujours contrariée, et elle aurait voulu appuyer sa tête contre le tablier qui recouvrait la cuisse de Marilyn. Elle aurait alors compris qu'elle n'avait pas voulu abîmer le gâteau. Mais comme elle s'approchait, celle-ci reposa le tube de glaçage au beau milieu d'une lettre et leva la tête, tendant l'oreille.

« Ça ne peut pas déjà être eux. »

Sous ses pieds, Hannah sentit le sol vibrer tandis que la porte du garage s'ouvrait en grinçant.

« Je vais chercher Nath. »

Lorsque Hannah et Nath redescendirent, cependant, Lydia et son père étaient déjà dans le couloir, et le moment du *Surprise* était passé. À la place, Marilyn prit le visage de sa fille entre ses mains et l'embrassa sur la joue, fort, y laissant une trace de rouge à lèvres, comme une zébrure.

« Vous rentrez tôt, remarqua-t-elle. Joyeux anniversaire. Et félicitations. »

Elle tendit la main.

« Alors ? Voyons voir ça.

— J'ai échoué », annonça Lydia.

Elle lança un regard noir à Nath, puis à sa mère, comme si elle les mettait au défi d'être contrariés.

Marilyn la dévisagea.

« Comment ça, tu as échoué ? » demanda-t-elle avec une surprise sincère dans la voix, comme si elle n'avait jamais entendu ce mot.

Lydia répéta, plus fort : « J'ai *échoué.* »

On aurait dit, songea Hannah, qu'elle en voulait à sa mère, qu'elle leur en voulait à tous. Il ne pouvait pas simplement s'agir de l'examen. Son visage était glacial et figé, mais Hannah perçut de minuscules tremblements – dans ses épaules voûtées, dans sa mâchoire serrée. Comme si elle était sur le point de se décomposer. Elle aurait voulu serrer fermement sa sœur entre ses bras, la maintenir en un seul morceau, mais elle savait que Lydia se contenterait de la repousser. Personne d'autre ne s'en rendit compte. Nath, Marilyn et James se regardaient, ne sachant que dire.

« Bon, déclara finalement Marilyn. Tu vas étudier le code et tu réessaieras quand tu seras prête. Ce n'est pas la fin du monde. » Elle coinça une mèche de cheveux rebelles derrière l'oreille de Lydia. « C'est bon. Ce n'est pas comme si tu avais raté une matière au lycée, pas vrai ? »

N'importe quel autre jour, cette réflexion aurait fait bouillonner intérieurement Lydia. Mais aujourd'hui – après le collier, après les garçons devant la voiture, après l'examen, après Louisa –, il n'y avait plus de place dans son cœur pour la colère. Quelque chose en elle bascula et se fissura.

« Je sais, maman », dit-elle.

Elle leva les yeux vers sa mère, vers toute sa famille, et sourit, et Hannah faillit se tapir derrière Nath. Le sourire était trop large, trop lumineux – joyeux, tout en dents blanches, factice. Sur le visage de sa sœur, il était terrifiant ; il transformait Lydia en une autre personne, une inconnue. Encore une fois, personne ne s'en rendit compte. Nath redressa les épaules ; James relâcha sa respiration ; Marilyn essuya ses mains, qui étaient devenues moites, sur son tablier.

« Le dîner n'est pas tout à fait prêt. Pourquoi tu ne montes pas prendre une douche et te détendre ? Nous mangerons de bonne heure, dès que ce sera prêt.

— Génial », répondit Lydia.

Cette fois, Hannah détourna réellement la tête jusqu'à entendre les pas de sa sœur dans l'escalier.

« Qu'est-ce qui s'est passé ? » murmura Marilyn

à James, qui secoua la tête pour indiquer qu'il n'en savait rien.

Mais Hannah savait. Lydia n'avait pas travaillé. Deux semaines auparavant, avant qu'elle rentre de cours, Hannah avait exploré sa chambre à la recherche de trésors. Elle avait ramassé le livre de Lydia sur le sol de la penderie et l'avait mis dans sa poche et, en dessous, avait trouvé le manuel de code. Quand Lydia commencerait à réviser, avait pensé Hannah, elle remarquerait l'absence de son livre. Elle viendrait le chercher. De temps à autre, elle était allée vérifier, mais le manuel de code ne bougeait pas. La veille, il avait à moitié été recouvert par une paire de chaussures beiges à semelles compensées et par le pantalon à pattes d'éléphant préféré de Lydia. Et le livre était toujours au grenier sous l'oreiller de Hannah.

À l'étage, dans sa chambre, Lydia tira sur le collier, qui refusa de se briser. Elle le détacha et le replaça violemment dans sa boîte, comme si c'était une bête sauvage, puis elle la poussa loin sous son lit. Si son père lui demandait où il était, elle dirait qu'elle le gardait pour les occasions spéciales. Elle dirait qu'elle ne voulait pas le perdre, ne t'en fais pas, elle le porterait la prochaine fois, papa. Dans le miroir, une fine ligne rouge faisait le tour de son cou.

Lorsque Lydia descendit manger une heure plus tard, la marque s'était dissipée, même si la sensation qui l'avait accompagnée était toujours là. Elle s'était bien habillée, pour l'occasion, avait séché et lissé ses cheveux brillants à l'aide d'un fer à lisser, et ses lèvres étaient couvertes de gloss couleur confiture. James, en la regardant, eut une vision soudaine de Marilyn le jour où ils s'étaient rencontrés. « Comme tu es jolie », dit-il, et Lydia s'efforça de sourire. Elle s'assit raide comme un *i* avec ce même sourire factice à la table du dîner, telle une poupée exhibée, mais seule Hannah voyait que c'était un simulacre. Son dos la faisait souffrir tandis qu'elle observait Lydia, tout son corps lui faisait mal, et elle s'avachit sur sa chaise jusqu'à presque en glisser. Dès que le repas fut achevé, Lydia se tapota la bouche avec sa serviette et se leva.

« Attends, dit Marilyn. Il y a un dessert. »

Elle se rendit à la cuisine et réapparut un instant plus tard, portant un gâteau sur un plateau avec des bougies allumées. Le portrait de Lydia avait disparu, et le haut du gâteau avait été recouvert d'un simple nappage blanc, avec juste son nom. Cachés sous le blanc lisse, songea Hannah, il y avait le faux permis de conduire, le *Félicitations* et le L-Y-D en lettres bleues. Même si on ne les voyait pas, ils étaient là, en dessous, recouverts mais étalés, illisibles, horribles. Et on en sentirait le goût. Leur père prenait photo sur photo, mais Hannah ne souriait pas. Contrairement à Lydia, elle n'avait pas encore appris à faire semblant. À la place, elle fermait à demi les yeux, comme elle le faisait pendant les passages effrayants des émissions de télé, de sorte à ne voir qu'à moitié ce qui se passerait ensuite.

Et voici ce qui arriva : Lydia attendit qu'ils aient fini de chanter. Comme ils atteignaient le dernier vers de la chanson, James leva l'appareil photo et elle se pencha au-dessus du gâteau, pinçant les lèvres comme pour donner un baiser. Son visage parfaitement maquillé sourit à toute la tablée, balayant tour à tour chacun d'eux. Leur mère. Leur père. Nath. Hannah ne savait pas tout ce que Lydia croyait comprendre – le collier, Louisa, *c'est tout ce que je veux que tu te rappelles* –, mais elle savait que quelque chose était changé en elle, qu'elle se tenait en équilibre sur un promontoire élevé et dangereux. Elle resta parfaitement immobile, comme si un faux mouvement risquait de faire basculer sa sœur dans le vide, et Lydia éteignit les flammes d'un souffle rapide.

10

Lydia s'est trompée pour Louisa, évidemment. À l'époque, le jour de l'anniversaire de sa fille, James aurait ri à cette idée même ; l'idée de quelqu'un d'autre que Marilyn dans son lit, dans sa vie, était absurde. Mais à l'époque, envisager une vie sans Lydia était également absurde. Maintenant, ces deux choses absurdes sont devenues réalité.

Quand Louisa referme la porte de l'appartement et regagne la chambre, James est déjà en train de boutonner sa chemise.

« Tu pars ? » demande-t-elle.

Intérieurement, elle continue d'espérer que la visite de Marilyn n'a été qu'une coïncidence, mais elle se berce d'illusions, et elle le sait.

James enfonce sa chemise dans son pantalon et attache sa ceinture.

« Je suis obligé », répond-il. Ils savent l'un comme l'autre que c'est vrai. « Autant le faire maintenant. » Il ne sait pas trop à quoi s'attendre quand il arrivera à la maison. Des sanglots ? De la rage ? Une poêle sur la tête ? Il ne sait pas encore non plus ce qu'il racontera à Marilyn. « À plus tard », dit-il à Louisa, qui l'embrasse sur la joue, et ça, c'est la seule chose dont il est sûr.

Lorsqu'il pénètre dans la maison, juste après midi, il n'y a pas de sanglots, pas de rage – juste du silence. Nath et Hannah sont assis côte à côte sur le canapé du salon, le lorgnant avec méfiance tandis qu'il traverse la pièce. C'est comme s'ils voyaient un condamné marchant vers la potence, et c'est ainsi que se sent James quand il gravit les marches jusqu'à la chambre de sa fille, où Marilyn est assise au bureau de Lydia, étrangement calme. Pendant un long moment, elle ne dit rien, et il s'efforce de rester immobile, de maîtriser les tremblements de ses mains, jusqu'à ce qu'elle parle finalement.

« Combien de temps ? »

À l'extérieur de la chambre, Nath et Hannah sont accroupis sur la marche supérieure, dans une harmonie silencieuse, retenant leur souffle, écoutant les voix qui résonnent dans le couloir.

« Depuis… l'enterrement.

— L'enterrement. »

Marilyn, tout en continuant d'observer la moquette, pince les lèvres.

« Elle est très jeune. Quel âge elle a ? Vingt-deux ? Vingt-trois ?

— Marilyn. Arrête. »

Mais Marilyn n'arrête pas.

« Elle a l'air douce. Très docile – c'est un changement agréable, je suppose. Je ne sais pas pourquoi je suis surprise. J'imagine que ça fait longtemps que tu aurais dû changer. Elle fera une très gentille petite épouse. »

James, à sa grande surprise, rougit.

« Personne ne parle de…

— Pas encore. Mais je sais ce qu'elle veut. Le mariage. Un mari. Je connais les filles de ce genre. » Marilyn marque une pause, repensant à elle-même plus jeune, au murmure fier de sa mère : *de nombreux merveilleux hommes de Harvard.* « Ma mère a passé sa vie à essayer de faire de moi quelqu'un comme ça. »

À la mention de la mère de Marilyn, James se raidit, comme s'il s'était transformé en glace.

« Oh, oui. Ta pauvre mère. Et alors tu es allée m'épouser. » Il réprime un éclat de rire. « Quelle déception !

— C'est moi qui suis déçue. » Marilyn relève sèchement la tête. « Je te croyais différent. »

Ce qu'elle veut dire, c'est : *Je te croyais meilleur que les autres hommes. Je croyais que tu voulais mieux que ça.* Mais James, qui pense toujours à la mère de Marilyn, entend autre chose.

« Tu t'es lassée de la différence, pas vrai ? dit-il. Je suis trop différent. Ta mère l'a immédiatement su. Tu crois que c'est une chose tellement positive, de sortir de la masse. Mais regarde-toi. Regarde-toi. » Il observe les cheveux couleur miel de Marilyn ; sa peau, encore plus pâle que d'habitude après un mois passé à l'intérieur. Ces yeux couleur de ciel qu'il a si longtemps adorés, d'abord sur le visage de sa femme, puis sur celui de sa fille. Des choses qu'il n'a jamais dites, jamais laissé entendre à Marilyn se déversent de sa bouche. « Tu ne t'es jamais retrouvée dans une pièce où personne ne te ressemblait.

Personne ne s'est jamais ouvertement moqué de toi. Tu n'as jamais été traitée comme une étrangère. » Il a l'impression d'avoir vomi, violemment, et il s'essuie les lèvres du revers de la main. « Tu n'as aucune idée de ce que c'est qu'être différent. »

Pendant un moment, James paraît jeune, seul et vulnérable, comme le garçon timide qu'elle a rencontré il y a si longtemps, et dans un sens, Marilyn voudrait le prendre dans ses bras. Mais elle aimerait également le frapper avec ses poings. Elle se mordille la lèvre, en proie à un combat intérieur.

« En deuxième année, au labo, les hommes se glissaient discrètement derrière moi et essayaient de soulever ma jupe, déclare-t-elle finalement. Un jour, ils sont arrivés de bonne heure et ont uriné dans tous mes vases à bec. Quand je me suis plainte, le professeur a passé son bras autour de moi, et il a dit… » Le souvenir se coince dans sa gorge, comme une boule. « *Ne vous en faites pas, ma petite. La vie est trop courte et vous êtes trop belle.* Mais tu sais quoi ? Je m'en fichais. Je savais ce que je voulais. J'allais être médecin. » Elle foudroie James du regard, comme s'il l'avait contredite. « Puis – par chance – j'ai repris mes esprits. J'ai cessé d'essayer d'être différente. J'ai fait exactement comme les autres filles. Je me suis mariée. J'ai laissé tomber tout ça. » Une épaisse amertume tapisse sa langue. « Fais comme les autres. C'est tout ce que tu as jamais dit à Lydia. Fais-toi des amis. Intègre-toi. Mais je ne voulais pas qu'elle soit comme les autres. » Le bord de ses yeux s'enflamme. « Je voulais qu'elle soit exceptionnelle. »

Sur les marches, Hannah retient son souffle. Elle a peur de bouger quoi que ce soit, ne serait-ce que le bout d'un doigt. Peut-être que si elle reste parfaitement immobile, ses parents cesseront de parler. Si elle peut figer le monde, tout ira bien.

« Eh bien, maintenant tu peux l'épouser, celle-là, poursuit Marilyn. Elle a l'air du genre sérieux. Tu sais ce que ça veut dire. » Elle lève la main, où son alliance émet un éclat terne. « Une fille comme ça, ça veut la totale. Petite maison. Deux virgule trois enfants. » Elle lâche un éclat de rire dur, âpre, terrifiant, et, sur le palier, Hannah dissimule son visage contre le bras de Nath. « Je suppose qu'elle sera plus qu'heureuse d'échanger sa vie d'étudiante contre tout ça. J'espère simplement qu'elle n'aura pas de regrets. »

À ce mot – *regrets* –, quelque chose s'allume en James. Une odeur brûlante et mordante, comme des câbles en surchauffe, lui pique les narines.

« Contrairement à toi ? »

Un silence soudain, stupéfait. Bien que Hannah ait toujours le visage appuyé contre l'épaule de Nath, elle se représente exactement sa mère : son visage figé, le bord de ses yeux d'un rouge profond. Si elle pleure, songe Hannah, ce ne seront pas des larmes. Ce seront des petites gouttes de sang.

« Va-t'en, ordonne finalement Marilyn. Sors de cette maison. »

James touche sa poche à la recherche de ses clés, puis s'aperçoit qu'elles sont toujours dans sa main : il ne les a même pas posées. Peut-être qu'il avait su au fond de lui, depuis le début, qu'il ne resterait pas.

« Faisons comme si tu ne m'avais jamais rencontré, dit-il. Comme si elle n'était jamais née. Comme si rien de tout ça n'était arrivé. »

Puis il part.

Sur le palier, ils n'ont pas le temps de décamper : Hannah et Nath ne sont même pas levés quand leur père apparaît dans le couloir. À la vue de ses enfants, James s'arrête net. Il est clair qu'ils ont tout entendu. Depuis deux mois, chaque fois qu'il voit l'un d'eux, il voit un fragment de leur fille disparue – dans l'inclinaison de la tête de Nath, dans la longue mèche de cheveux qui voile à demi le visage de Hannah –, et il quitte soudainement la pièce, sans vraiment savoir pourquoi. Maintenant qu'ils l'observent, il passe auprès d'eux sans oser croiser leur regard. Hannah se plaque contre le mur, laissant aller leur père, mais Nath le fixe directement, silencieusement, avec une expression que James ne parvient pas vraiment à décrypter. Le bruit de sa voiture quittant l'allée en gémissant puis s'éloignant en accélérant a quelque chose d'irrévocable ; ils l'entendent tous. Le silence s'abat sur la maison comme de la cendre.

Alors Nath bondit sur ses pieds. *Arrête*, voudrait dire Hannah, mais elle sait qu'il n'en fera rien. Nath la pousse sur le côté. Les clés de sa mère sont accrochées à leur place dans la cuisine, il les prend et se dirige vers le garage.

« Attends ! » lance Hannah, à voix haute cette fois. Elle ne sait pas s'il poursuit leur père ou s'il s'enfuit à son tour, mais elle sait que ce qu'il a prévu est terrible. « Nath. Attends. Ne fais pas ça ! »

Il n'attend pas. Il sort du garage en marche arrière, écornant le lilas près de l'entrée, puis disparaît également.

À l'étage, Marilyn n'entend rien de tout ça. Elle ferme la porte de la chambre de Lydia, et un silence épais et lourd l'enveloppe comme une couverture étouffante. D'un doigt, elle caresse les livres de sa fille, les classeurs soigneusement alignés, chacun étiqueté au marqueur avec la classe et la date. Une grossière pellicule de poussière tapisse désormais tout – la rangée de journaux intimes vierges, les vieux prix de concours de sciences, la carte postale punaisée d'Einstein, la couverture de chaque classeur, la tranche de chaque livre. Elle s'imagine vidant petit à petit la chambre de Lydia. Les trous minuscules et les rectangles plus sombres sur le mur quand les posters et les photos seront ôtés ; la moquette, écrasée sous le mobilier, qui ne redeviendra jamais moelleuse. Comme la maison de sa propre mère après que tout eut été enlevé.

Elle se représente sa mère rentrant seule pendant toutes ces années et retrouvant une maison vide, la chambre exactement telle qu'elle était, avec des draps propres, pour la fille qui ne reviendrait jamais, son mari depuis longtemps parti, désormais dans le lit d'une autre femme. Vous aimiez si fort et espériez tant, et vous finissiez sans rien. Des enfants qui n'avaient plus besoin de vous. Un mari qui ne voulait plus de vous. Rien que vous, seule, et du vide.

D'une main, elle arrache Einstein du mur et le déchire en deux. Puis le tableau périodique, désormais inutile. Elle arrache les oreillettes du stéthoscope de Lydia ; elle transforme les rubans de concours de sciences en lambeaux de satin. Un à un, elle fait basculer les livres de l'étagère. *L'Atlas en couleurs de l'anatomie humaine. Les Pionnières de la science.* À chaque livre, Marilyn est de plus en plus féroce. *Comment fonctionne votre corps. Expériences de chimie pour les enfants. Histoire de la médecine.* Elle se rappelle chacun. C'est comme remonter le temps, repasser à l'envers toute la vie de Lydia. Une avalanche tombe à ses pieds. Au rez-de-chaussée, recroquevillée sous la table du couloir, Hannah entend les bruits sourds et lourds, comme une succession de pierres tombant sur le sol.

Finalement, perché tout au bout de la bibliothèque : le premier livre que Marilyn ait acheté à Lydia. Aussi fin qu'une brochure, il chancèle sur l'étagère, puis bascule. *L'air flotte tout autour de vous*, dit la page étalée. *Même si vous ne le voyez pas, il est toujours là.* Marilyn voudrait brûler tous ceux qui jonchent la moquette, arracher le papier peint des murs. Tout ce qui lui rappelle Lydia et ce qu'elle aurait pu être. Elle voudrait réduire l'étagère en morceaux. Sans les livres, elle penche dans un équilibre précaire, comme si elle était fatiguée, et d'un geste Marilyn l'envoie au sol.

Et là, dans le vide sous l'étagère : un livre. Épais. Rouge. Une tranche réparée au moyen de scotch. Avant même que Marilyn voie la photo, elle sait de quoi il s'agit. Mais elle le retourne tout de même entre ses mains soudain tremblantes, toujours étonnée de découvrir le visage de Betty Crocker qui lui lance un regard improbable, impossible.

Ton livre de recettes, avait dit Lydia. *Je l'ai perdu.* Marilyn avait été ravie, considérant ça comme un présage : sa fille avait lu dans son esprit. Sa fille ne serait jamais confinée dans une cuisine. Sa fille voulait plus. Mais c'était un mensonge. Elle feuillette les pages qu'elle n'a pas vues depuis des années, passant le bout de son doigt sur les marques au crayon de sa mère, lissant les pages mouchetées sur lesquelles elle a pleuré toutes ces nuits, dans la cuisine, seule. Bizarrement, Lydia a su : que ce livre avait entravé sa mère comme une lourde, lourde pierre. Elle ne l'a pas détruit. Elle l'a caché, pendant toutes ces années ; elle en a empilé d'autres au-dessus, l'écrasant, de sorte que sa mère n'ait jamais à le revoir.

Lydia, cinq ans, debout sur la pointe des pieds, regardant le vinaigre et le bicarbonate de soude en train de mousser dans l'évier. Lydia tirant un lourd livre de l'étagère, disant : *Montre-moi encore, montre-m'en un autre.* Lydia posant le stéthoscope, tout doucement, contre le cœur de sa mère. Les larmes troublent la vue de Marilyn. Ce n'était pas la science qu'avait aimée Lydia.

Et alors, comme si les larmes étaient des télescopes, elle commence à voir plus clairement : les affiches et les photos en lambeaux, le tas de livres, l'étagère gisant à ses pieds. Tout ce qu'elle a voulu pour Lydia, que Lydia n'a jamais voulu mais a accepté tout de même. Un frisson sourd la parcourt. Peut-être – et cette idée la fait suffoquer – était-ce ce qui avait finalement entraîné Lydia sous l'eau.

La porte s'ouvre en grinçant, et Marilyn lève lentement la tête, comme si Lydia pouvait d'une manière ou d'une autre, contre toute logique, apparaître. Pendant une seconde, l'impossible se produit :

le petit fantôme flou de Lydia enfant, avec ses cheveux sombres, ses grands yeux. Hésitant dans l'entrebâillement, s'accrochant au montant. S'il te plaît, songe Marilyn. Dans ces quelques mots se trouve tout ce qu'elle ne peut formuler, même à elle-même. S'il te plaît reviens, s'il te plaît laisse-moi recommencer depuis le début, s'il te plaît reste. S'il te plaît.

Puis elle cligne des yeux, et la silhouette devient plus nette : Hannah, pâle et tremblante, son visage brillant de larmes.

« Maman », murmure-t-elle.

Sans réfléchir, Marilyn ouvre les bras, et Hannah s'y précipite en titubant.

De l'autre côté de la ville, dans la boutique d'alcool, Nath pose une bouteille de whiskey sur le comptoir. Il a bu très exactement une fois de l'alcool dans sa vie : à Harvard, l'étudiant qui l'accueillait lui a offert une bière. Il en a descendu quatre, plus excité par l'idée que par la bière elle-même – il lui trouvait un goût d'urine pétillante –, et, pendant le restant de la soirée, la pièce a légèrement vacillé sur son axe. Maintenant, il veut que le monde tournoie et se défile sous ses pieds.

L'homme derrière le comptoir examine le visage de Nath, puis plisse les yeux en direction de la bouteille de whiskey. Les doigts de Nath se contractent. À dix-huit ans, il n'a le droit d'acheter que de la bière à 3,2 pour cent d'alcool, ce liquide insipide que ses camarades de classe boivent pendant les fêtes. Mais 3,2 pour cent n'est pas assez fort pour ce dont il a besoin maintenant. L'employé le lorgne une fois de plus, et Nath se prépare : *Rentre chez toi, fiston, tu es trop jeune pour ça.*

Mais à la place, il lui demande : « Ta sœur est cette fille qui est morte ? »

La gorge de Nath devient âpre, comme une plaie. Il acquiesce, se concentrant sur l'étagère derrière le comptoir, où les cigarettes s'élèvent en soigneuses piles rouges et blanches.

L'employé saisit alors une seconde bouteille de whiskey et la place dans un sac avec la première. Il glisse le sac vers Nath, de même que le billet de dix dollars que Nath a posé sur le comptoir.

« Bonne chance à toi », dit-il, et il se retourne.

Le coin le plus tranquille que Nath connaisse se trouve à la limite de la ville, près de la frontière du comté. Il se gare au bord de la route et tire l'une des bouteilles. Une gorgée de whiskey, puis une autre lui brûlent le gosier, et il s'imagine l'alcool mettant le feu à tout son être. Il est presque une heure, et quand la première bouteille est vide, il n'est passé qu'une seule voiture, une Studebaker vert foncé avec une vieille femme au volant. Le whiskey ne produit pas l'effet escompté. Il croyait que ça effacerait son esprit, comme une éponge sur un tableau noir, mais à la place le monde devient plus net à chaque gorgée, l'étourdissant avec ses détails : l'éclaboussure de boue sur le rétro du côté conducteur ; le dernier chiffre du compteur kilométrique, figé entre cinq et six ; la couture de la banquette qui commence à s'effilocher. Une feuille morte, coincée entre le pare-brise et l'essuie-glace, frémit dans la brise. Tout en descendant la seconde bouteille, il songe, soudain, au visage de son père lorsqu'il est sorti : au fait qu'il ne les a même pas regardés, comme s'il se concentrait sur quelque chose loin à l'horizon ou profondément enfoui dans le passé. Quelque chose que ni lui ni Hannah ne pouvaient voir, quelque chose qu'ils n'auraient même pas pu toucher s'ils l'avaient voulu. L'air dans l'habitacle s'épaissit, emplissant ses poumons comme du coton. Nath baisse la vitre. Puis – tandis que la brise fraîche s'engouffre à l'intérieur – il chancelle sur le côté et vomit les deux bouteilles de whiskey au bord du trottoir.

Dans sa voiture, James rumine également ce moment dans l'escalier. Après avoir quitté l'allée, il a roulé sans réfléchir, calant son pied sur la pédale d'accélérateur, se dirigeant vers un endroit où il pourrait l'enfoncer à fond. C'est ainsi qu'il se retrouve à se rendre non pas à l'appartement de Louisa, mais de l'autre côté de la ville, après le campus, sur l'autoroute, poussant l'aiguille jusqu'à quatre-vingt-dix, cent, cent dix. Ce n'est que quand un panneau – *Toledo 25 kilomètres* – file, large et vert, au-dessus de sa tête, qu'il s'aperçoit de la distance qu'il a parcourue.

Comme c'est approprié, songe-t-il. Toledo. Il est frappé de constater qu'il y a une magnifique symétrie dans la vie. Il y a dix ans, Marilyn s'est enfuie ici, laissant tout derrière elle. Maintenant, c'est son tour. Il prend une profonde inspiration et enfonce plus fort la pédale. Il l'a finalement dit, ce qu'il avait le plus peur d'avouer, ce qu'elle brûlait le plus d'entendre :

Faisons comme si tu ne m'avais jamais rencontré. Comme si rien de tout ça n'était arrivé. Il a réparé la grande erreur de la vie de Marilyn.

Sauf que – et il ne peut le nier, même s'il essaie – Marilyn n'a pas semblé reconnaissante. Elle a tressailli, comme s'il lui avait craché au visage. Elle s'est mordu la lèvre une fois, deux fois, comme si elle avalait une graine dure et douloureuse. La voiture dévie vers le bas-côté, le gravier frémissant sous ses roues.

Elle est partie la première, se rappelle James, ramenant le véhicule vers le milieu de la route. C'est ce qu'elle veut depuis le début. Pourtant, alors même qu'il se dit ça, il sait que ce n'est pas vrai. La ligne jaune tremblote et zigzague. Pour James, après avoir des années durant subi les regards éhontés dans son dos, c'est comme s'il était un animal dans un zoo, des années de marmonnements – *Chinetoque, face de citron, rentre chez toi* – lui perçant les oreilles dans la rue. *Différent* a toujours été la marque sur son front, blasonnée entre ses yeux. Ce mot a coloré toute sa vie ; il a laissé son empreinte poisseuse sur tout. Mais *différent* était autre chose pour Marilyn.

Marilyn : jeune et sans crainte dans une classe d'hommes. Vidant l'urine de ses vases, se bouchant les oreilles en emplissant sa tête de rêves. Une maison blanche dans un océan de blazers bleu marine. À quel point elle avait désiré ce *différent* : dans sa vie, en elle. C'est comme si quelqu'un avait soulevé le monde de James et l'avait tourné de biais puis reposé. Marilyn, enveloppant ces rêves dans de la lavande pour sa fille, la déception dissimulée derrière son sourire. Triplement séquestrée par la maison, le cul-de-sac, la petite ville universitaire, ses mains douces et délicates mais désœuvrées. Les vitesses complexes de son esprit cliquetant silencieusement dans le vide, ses pensées heurtant les fenêtres fermées comme une abeille prise au piège. Et maintenant, seule dans la chambre de sa fille, entourée des reliques de sa vie, plus de lavande, juste de la poussière dans l'air. Ça fait tellement longtemps qu'il n'a pas considéré sa femme comme une créature douée d'envies.

Plus tard – et pour le restant de sa vie –, James peinera à mettre des mots sur ce sentiment, et il ne parviendra jamais totalement à formuler, ne serait-ce qu'à lui-même, ce qu'il entend vraiment. Mais pour le moment, il ne pense qu'à une chose : comment a-t-il été possible, se demande-t-il, de se tromper autant ?

À Middlewood, Nath ne sait pas combien de temps il reste étendu là, étalé sur la banquette avant. Tout ce qu'il sait, c'est ceci : quelqu'un ouvre la portière de la voiture. Quelqu'un l'appelle par son nom. Puis une main lui agrippe l'épaule, chaude, douce, puissante, et ne le lâche pas.

Pour Nath, qui se débat contre une hébétude profonde, la voix ressemble à celle de son père, même si celui-ci n'a jamais prononcé son nom aussi doucement, ni ne l'a touché avec tant de tendresse. Juste avant qu'il ouvre les yeux, c'*est* son père, et même quand le monde redevient net et lui révèle une lumière vague, une voiture de police, l'agent Fiske accroupi à côté de lui et de la portière ouverte, c'est toujours le cas. L'agent Fiske lui retire la bouteille de whiskey vide des mains et l'aide à relever la tête, mais dans son cœur, c'est son père qui dit, avec une telle gentillesse que Nath se met à pleurer : « Fils, il est temps de rentrer à la maison. »

11

En avril, la maison était le dernier endroit où Nath voulait être. Durant tout le mois – des semaines avant d'aller visiter le campus –, il a empilé livres et vêtements en un tas de plus en plus haut. Chaque soir avant d'aller se coucher, il a tiré la lettre de sous son oreiller et l'a relue, en savourant les détails : un étudiant d'Albany, Andrew Bynner, *spécialisé en astrophysique*, l'escorterait à travers le campus, aurait avec lui des discussions intellectuelles et pratiques durant les repas dans le réfectoire, et l'accueillerait pour le long week-end. De vendredi à lundi, pensait-il en regardant ses billets d'avion ; quatre-vingt-seize heures. Quand il a descendu sa valise, après le dîner d'anniversaire de Lydia, il avait déjà trié les choses qu'il emporterait avec lui et celles qu'il laisserait.

Même avec la porte close, Lydia avait entendu : le clic des fermoirs de la valise s'ouvrant, puis un bruit sourd quand le rabat avait heurté le sol. Leur famille ne voyageait jamais. Un jour, quand Hannah était encore bébé, ils avaient visité Gettysburg et Philadelphie. Leur père avait préparé leur périple à partir de l'atlas routier, une succession d'endroits si imprégnés de culture américaine qu'elle suintait partout : dans le nom des stations-service – Diesel de Valley Forge – et dans les plats du jour quand ils s'arrêtaient pour déjeuner – *crevettes de Gettystown, filet de porc à la William Penn*. Et alors, dans chaque restaurant, les serveuses avaient observé son père, puis sa mère, puis Lydia et Nath et Hannah, et Lydia avait su, même enfant, qu'ils ne reviendraient jamais. Depuis, il a donné des cours chaque été, comme pour – soupçonnait-elle à juste titre – éviter de soulever la question des vacances en famille.

Dans la chambre de Nath, un tiroir se referma violemment. Lydia se pencha en arrière sur son lit et posa ses talons sur la carte postale d'Einstein. Elle avait toujours dans la bouche le goût écœurant du glaçage ; dans son ventre, le gâteau d'anniversaire remuait. À la fin de l'été, songea-t-elle, Nath préparerait non pas une seule valise, mais une malle et une pile de cartons, tous ses livres et tous ses vêtements, toutes ses affaires. Le télescope disparaîtrait du coin de la pièce ; la pile de magazines sur l'aéronautique dans le placard se volatiliserait. Une bande de poussière borderait les étagères nues, révélant le bois propre à l'endroit où s'étaient trouvés les livres. Chaque tiroir, quand elle les ouvrirait, serait vide. Même les draps sur le lit auraient disparu.

Nath ouvrit la porte.

« Laquelle est la mieux ? »

Il levait deux chemises, un cintre dans chaque main, de sorte qu'elles flanquaient son visage comme des rideaux. À gauche, une bleue unie, sa chemise la plus habillée, celle qu'il avait portée à sa cérémonie de première année au printemps précédent. À droite, une chemise à motif cachemire qu'elle n'avait jamais vue, une étiquette de prix toujours accrochée à la manchette.

« Où t'as eu ça ?

— Je l'ai achetée », répondit Nath avec un grand sourire.

Toute sa vie, chaque fois qu'il avait eu besoin de vêtements neufs, leur mère l'avait traîné au grand magasin Decker's, et il avait été d'accord avec tout ce qu'elle avait choisi afin de rentrer à la maison au plus vite. La semaine précédente, en songeant à ses quatre-vingt-seize heures, il avait pour la première fois roulé jusqu'au centre commercial et acheté cette chemise, sélectionnant le motif bariolé sur le présentoir. Ç'avait été comme s'offrir une nouvelle peau, et maintenant sa sœur le sentait également.

« Un peu chic pour aller en cours. » Lydia ne se redressa pas. « Ou est-ce qu'on est censé s'habiller comme ça à Harvard ? »

Nath abaissa les cintres.

« Il y a une réception pour les étudiants. Et le type qui m'accueille m'a écrit – ses colocataires et lui organisent une fête ce week-end-là. Pour célébrer la fin du semestre. » Il colla la chemise colorée contre son torse, coinçant le col sous son menton. « Je ferais peut-être bien de l'essayer. »

Il disparut dans la salle de bains, et Lydia entendit le raclement du cintre sur la barre de douche. Une réception : musique, danse, bière. Flirts. Des numéros de téléphone et des adresses griffonnés sur des bouts de papier. *Écris-moi. Appelle-moi. On va se revoir.* Lentement, ses pieds glissèrent pour venir se poser sur son oreiller. Une réception. Où les nouveaux étudiants étaient rassemblés, mêlés, et transformés en quelque chose d'autre.

Nath réapparut à la porte, boutonnant le haut de sa chemise à motif cachemire.

« T'en penses quoi ? »

Lydia se mordit la lèvre. Le dessin bleu sur fond blanc lui allait bien ; il le faisait paraître plus mince, plus grand, plus bronzé. Bien qu'en plastique, les boutons brillaient comme des perles. Nath ressemblait déjà à quelqu'un d'autre, quelqu'un qu'elle avait connu il y avait longtemps. Déjà, il lui manquait.

« L'autre est mieux, dit-elle. Tu vas à la fac, pas au Studio 54. »

Mais elle savait que Nath avait déjà pris sa décision.

Tard ce soir-là, juste avant minuit, elle pénétra sur la pointe des pieds dans la chambre de Nath. Toute la soirée elle avait voulu lui parler de leur père et de Louisa, de ce qu'elle avait vu dans la voiture cet après-midi, de ce qui, elle le *savait*, était en train de se passer. Nath avait été trop préoccupé, et retenir son attention avait été comme attraper de la fumée entre ses mains. C'était sa dernière chance. Il partait le lendemain matin.

Dans la pièce obscure, seule la petite lampe de bureau était allumée, et Nath était dans son vieux pyjama rayé, agenouillé devant le rebord de fenêtre. Pendant une seconde, Lydia crut qu'il priait, et, gênée de le surprendre à un moment si intime – c'était comme le voir nu –, elle commença à refermer la porte. À cet instant, en entendant le bruit de ses pas, Nath se retourna, avec un sourire aussi incandescent que la lune qui commençait à grossir au-dessus de l'horizon, et elle s'aperçut qu'elle s'était trompée. La fenêtre était ouverte. Il ne priait pas, il rêvait – ce qui, comprendrait-elle plus tard, revenait presque au même.

« Nath », commença-t-elle.

Tout ce qu'elle voulait dire bouillonnait dans sa tête : *J'ai vu. Je crois. J'ai besoin.* Des pensées si considérables à séparer en minuscules granules de mots. Nath ne sembla rien remarquer.

« Regarde ça », murmura-t-il, avec un émerveillement tel que Lydia tomba à genoux à côté de lui et regarda dehors.

Au-dessus d'eux, le ciel était d'un noir profond, comme une mer d'encre parsemée d'étoiles. Elles ne ressemblaient pas aux étoiles dans ses livres de science, floues et visqueuses comme des gouttes de salive. Elles étaient affutées comme des rasoirs, chacune aussi précise qu'une virgule, ponctuant le ciel de lumière. En basculant la tête en arrière, elle ne voyait ni les maisons, ni le lac, ni les réverbères dans la rue. Tout ce qu'elle voyait, c'était le ciel, si énorme et sombre qu'il aurait pu l'écraser. C'était comme être sur une autre planète. Non – comme flotter dans l'espace, seule. Elle chercha les constellations qu'elle avait vues sur les posters de Nath : Orion, Cassiopée, la Grande Ourse. Les diagrammes semblaient désormais enfantins, avec leurs lignes droites, leurs couleurs primaires et leurs formes angulaires. Ici, les étoiles l'éblouissaient comme des paillettes. *Voilà à quoi ressemble l'infini*, songea-t-elle. Leur clarté la submergeait, comme des épingles enfoncées dans son cœur.

« N'est-ce pas extraordinaire ? » prononça doucement la voix de Nath dans l'obscurité.

Il semblait déjà à des années-lumière.

« Si, s'entendit répondre Lydia, d'une voix qui était à peine un murmure. Extraordinaire. »

Le lendemain matin, tandis que Nath rangeait sa brosse à dents dans sa trousse de toilette, Lydia s'attarda à la porte. Dans dix minutes, leur père le conduirait à l'aéroport de Cleveland, d'où la TWA l'emmènerait à New York, puis à Boston. Il était quatre heures et demie du matin.

« Promets-moi que tu m'appelleras et que tu me diras comment ça se passe.

— Bien sûr », répondit Nath.

Il tira les sangles élastiques par-dessus ses vêtements pliés, formant un X soigneux, et referma la valise.

« Tu promets ?

— Je promets. » Nath actionna les fermoirs d'un doigt, puis souleva la valise par la poignée. « Papa attend. On se revoit lundi. »

Et comme ça, il disparut.

Bien plus tard, lorsque Lydia descendit pour le petit déjeuner, elle aurait presque pu faire comme si rien n'avait changé. Ses devoirs étaient posés à côté de son bol avec quatre petites marques dans la marge ; de l'autre côté de la table, Hannah picorait ses céréales. Leur mère sirotait du thé Oolong et feuilletait le journal. Seule une chose était différente : la place de Nath était vide. Comme s'il n'avait jamais été là.

« Tiens, dit Marilyn. Tu ferais bien de te dépêcher de corriger ça, sinon tu n'auras pas le temps de manger avant de prendre le bus. »

Lydia, qui avait l'impression de flotter, s'approcha de la table. Pendant ce temps, Marilyn parcourut le journal – soixante-cinq pour cent d'opinions favorables pour Carter, Mondale endossait son rôle de « conseiller sénior », interdiction de l'amiante, nouvelle fusillade à New York – avant que ses yeux se posent sur un article de société dans le coin de la page. *Un médecin de Los Angeles réveille un homme dans le coma depuis six ans.* Incroyable, pensa-t-elle. Elle regarda en souriant sa fille, qui se tenait là, s'accrochant au dossier de la chaise comme si elle risquait de tomber.

Nath n'appela pas ce soir-là, tandis que Lydia se ratatinait sous l'attention implacable de ses parents. *J'ai un programme des cours de l'université – tu veux faire des statistiques cet été ? Quelqu'un t'a déjà proposé de t'emmener au bal ? Bon, je suis sûr que ça va bientôt arriver.* Il n'appela pas samedi, quand Lydia s'endormit en pleurant, ni dimanche, lorsqu'elle se réveilla avec les yeux toujours brûlants. Donc, ça va être comme ça, se dit-elle. Comme si je n'avais jamais eu de frère.

Maintenant que Nath était parti, Hannah suivait Lydia comme un petit chien, trottinant jusqu'à sa porte chaque matin avant même que le radio-réveil de Lydia se soit mis en route, demandant d'une voix essoufflée, presque un halètement : *Devine quoi ? Lydia, devine quoi ?* Ce n'était jamais une chose qu'on pouvait deviner, ni une chose importante : il pleuvait ; il y avait des pancakes pour le petit déjeuner ; il y avait un geai bleu dans l'épicéa. Chaque jour, toute la journée, elle talonnait Lydia, suggérant des activités – *On pourrait jouer à Life, on pourrait regarder le film du vendredi soir, on pourrait faire du pop-corn.*

Toute sa vie, Hannah s'était maintenue à distance de son frère et de sa sœur, et Lydia et Nath avaient tacitement toléré cette petite lune maladroite. Désormais, Lydia remarquait mille petites choses chez sa sœur : sa façon de plisser le nez rapidement, à la manière d'un lapin, quand elle parlait ; l'habitude qu'elle avait de se dresser sur la pointe des pieds, comme si elle portait des talons hauts invisibles. Le dimanche après-midi, tandis que Hannah enfilait les chaussures à semelles compensées que Lydia venait d'ôter, elle suggéra sa dernière idée – *On pourrait jouer au bord du lac. Lydia, si on allait jouer au bord du lac ?* –, et Lydia remarqua quelque chose, un objet brillant et argenté sous la chemise de Hannah.

« Qu'est-ce que c'est ? »

Hannah tenta de se détourner, mais Lydia abaissa sèchement son col pour révéler ce qu'elle avait déjà entraperçu : une chaîne en argent souple, un mince cœur du même métal. Son médaillon. Elle l'attrapa d'un doigt, et Hannah chancela, ses pieds retombant des chaussures de Lydia avec un bruit sourd.

« Qu'est-ce que tu fais avec ça ? »

Hannah jeta un coup d'œil en direction de la porte, comme si la bonne réponse pouvait être peinte sur le mur. Six jours plus tôt, elle avait trouvé la petite boîte en velours sous le lit de Lydia.

« Je croyais que tu le voulais pas », murmura-t-elle.

Mais Lydia n'écoutait pas. *Chaque fois que tu le regarderas*, avait-elle entendu son père dire, *souviens-toi juste de ce qui compte vraiment*. Être sociable. Être populaire. S'intégrer. *Vous n'avez pas envie de sourire ? Et alors ? Forcez-vous. Ne critiquez pas, ne condamnez pas, ne vous plaignez pas*. Hannah, si ravie de tomber dans ce piège scintillant, ressemblait à elle en plus jeune – timide, gauche, les épaules commençant tout juste à se voûter sous le poids d'une chose qui semblait si fine, si argentée, si légère.

Avec un claquement sonore, sa main frappa la joue de Hannah, la repoussant en arrière et faisant pivoter sa tête sur le côté. Puis elle prit la chaîne à pleine main et la tordit, violemment, attirant Hannah en avant tel un chien affublé d'un collier étrangleur. *Je suis désolée*, voulut dire Hannah, mais rien ne sortit qu'un petit halètement. Lydia tordit plus fort. Et alors le collier se brisa et les deux sœurs purent reprendre leur souffle.

« Tu ne le veux pas », déclara Lydia. La douceur dans sa voix surprit Hannah et l'étonna elle-même. « Écoute-moi. Tu crois le vouloir. Mais c'est faux. » Elle enroula le collier dans son poing. « Promets-moi que tu ne le remettras plus. Plus jamais. »

Hannah secoua la tête, écarquillant de grands yeux. Lydia toucha la gorge de sa sœur, étalant du pouce le minuscule trait de sang à l'endroit où la chaîne avait coupé la peau.

« Ne souris jamais si tu n'en as pas envie », ajouta-t-elle. Hannah, à demi aveuglée par le projecteur de l'attention de Lydia, acquiesça. « Souviens-toi de ça. »

Hannah tint parole : plus tard, ce soir-là, et pendant des années par la suite, elle repenserait à ce moment, touchant chaque fois sa gorge, où la marque rouge de la chaîne aurait depuis longtemps disparu. Lydia avait semblé plus anxieuse qu'en colère avec le collier pendouillant au bout de ses doigts tel un serpent mort ; elle avait paru presque triste, comme si c'était elle qui avait fait quelque chose de mal, et non Hannah.

Le collier fut, de fait, la dernière chose que Hannah vola. Mais cet instant, cette dernière conversation avec sa sœur, la déconcerterait longtemps.

Ce soir-là, dans le refuge de sa chambre, Lydia tira le bout de papier sur lequel Nath avait griffonné le numéro de l'étudiant qui l'accueillait. Après le dîner – alors que son père s'était retiré dans son bureau et que sa mère s'était installée dans le salon –, elle le déplia et décrocha le combiné sur le palier. Le téléphone sonna six fois avant que quelqu'un réponde, et, en bruit de fond, elle entendit le tapage d'une fête.

« Qui ? » demanda la voix au bout du fil à deux reprises.

Finalement, Lydia cessa de murmurer et dit sèchement : « Nathan Lee. L'étudiant en visite. *Nathan Lee.* »

Des minutes s'écoulèrent, chacune faisant monter un peu plus le prix de l'appel longue distance – même si, quand la facture arriverait, James serait trop dévasté pour s'en rendre compte. En bas, Marilyn n'arrêtait pas de passer les chaînes de la télévision en revue. *Rhoda. L'Homme qui valait trois milliards. Quincy.* Encore *Rhoda*. Puis, finalement, Nath fut au bout du fil.

« Nath, dit Lydia. C'est moi. »

À sa grande surprise, elle sentit les larmes lui monter aux yeux juste au son de la voix de son frère – même si celle-ci était plus profonde et plus abrupte que d'ordinaire, comme s'il avait un rhume. De fait, Nath en était aux trois quarts de la première bière de sa vie, et la pièce commençait à prendre des teintes chaleureuses. Maintenant, la voix de sa sœur – aplatie par la distance – transperçait cette chaleur comme un couteau émoussé.

« Qu'est-ce qui se passe ?

— Tu n'as pas appelé.

— Quoi ?

— Tu avais promis de téléphoner. »

Lydia s'essuya les yeux du revers du poignet.

« C'est pour ça que tu appelles ?

— Non, écoute, Nath. J'ai quelque chose à te dire. »

Lydia marqua une pause, se demandant comment expliquer. En fond sonore, un éclat de rire déferla comme une vague s'abattant sur le rivage.

Nath soupira.

« Qu'est-ce qui s'est passé ? Est-ce que maman t'a harcelée avec tes devoirs ? » Il porta la bouteille à ses lèvres, s'aperçut que la bière était devenue tiède, et le liquide sans bulles lui dessécha la langue. « Attends, laisse-moi deviner. Maman t'a offert un cadeau spécial, mais c'était juste un *livre*. Papa t'a acheté une nouvelle robe – non, un collier de diamants –, et il s'attend à ce que tu le *portes*. Hier soir, pendant le dîner, tu as dû parler et parler et *parler*, et toute leur attention était portée sur toi. Est-ce que je chauffe ? »

Stupéfaite, Lydia resta silencieuse. Toute leur vie, Nath avait compris, mieux que personne, le lexique de leur famille, les choses qu'ils ne pouvaient jamais vraiment expliquer aux gens de l'extérieur : qu'un livre ou une robe n'étaient pas simplement quelque chose à lire ou à porter ; que l'attention était accompagnée d'attentes qui – comme la neige – s'abattaient et s'accumulaient et vous broyaient sous leur poids. Tous les mots qu'avait dits Nath étaient exacts, mais prononcés avec cette nouvelle voix, ils semblaient banals, cassants et creux. Comme n'importe qui aurait pu les entendre. Son frère était déjà devenu un étranger.

« Faut que j'y aille, dit-il.

— Attends. Attends, Nath. Écoute.

— Bon sang, j'ai pas le temps pour ça. » Dans un éclair d'amertume, il ajouta : « Pourquoi tu ne vas pas raconter tes *problèmes* à Jack ? »

Il ne savait pas alors combien ces mots le hanteraient. Lorsqu'il eut sèchement raccroché le combiné, une pointe de culpabilité, comme une petite bulle tranchante, lui transperça la poitrine. Mais à cette distance, avec la chaleur et le bruit de la fête qui l'enveloppaient comme un cocon, sa perspective s'était modifiée. Tout ce qui avait semblé si énorme de près – l'école, leurs parents, leur vie –, il suffisait de s'en éloigner pour que ça ne soit plus rien. Vous pouviez cesser de répondre à leurs appels téléphoniques, déchirer leurs lettres, faire comme s'ils n'avaient jamais existé. Recommencer comme une personne neuve avec une nouvelle vie. Juste un problème de géographie, songeait-il avec la confiance de celui qui n'a jamais encore essayé de se libérer de sa famille. Bientôt, Lydia aussi irait à l'université. Bientôt, elle aussi se libèrerait. Il vida d'un trait le reste de sa bière et alla en chercher une autre.

À la maison, seule sur le palier, Lydia serra le combiné entre ses mains pendant un long moment après que Nath eut raccroché. Les larmes qui l'avaient empêchée de parler se tarirent. Une colère lente et brûlante envers Nath commença à couver en elle, ses derniers mots résonnant dans ses oreilles. *J'ai pas le temps pour ça.* Il était devenu une personne différente, une personne qui se moquait qu'elle ait besoin de lui. Une personne qui disait des choses pour la blesser. Elle aussi se sentait devenir quelqu'un d'autre : quelqu'un qui giflait sa sœur. Qui ferait souffrir Nath autant qu'il l'avait fait souffrir. *Va raconter tes problèmes à Jack.*

Le lundi matin, elle mit sa plus jolie robe, celle à dos nu avec les minuscules fleurs rouges que son père lui avait offerte à l'automne. *Quelque chose de nouveau pour la nouvelle année scolaire*, avait-il dit. Ils venaient d'acheter des fournitures pour l'école, et il l'avait repérée sur un mannequin dans la vitrine de la boutique. James aimait acheter à Lydia celles qui se trouvaient sur un mannequin ; il était sûr que ça voulait dire que tout le monde porterait les mêmes. *La dernière tendance, pas vrai ? Chaque fille a besoin d'une robe pour les occasions spéciales.* Lydia, qui aspirait à l'effacement – sweat-shirt à capuche et pantalon en velours ; chemisier uni et pattes d'éléphant –, savait que c'était une robe pour sortir avec des garçons, et elle ne sortait pas avec des garçons. Elle l'avait gardée au fond de sa penderie pendant des mois, mais ce jour-là elle la décrocha du cintre. Elle se sépara soigneusement les cheveux, pile au centre, et attacha un côté avec une barrette. Avec la pointe de son rouge à lèvres, elle dessina la courbure de sa bouche.

« Comme tu es jolie ! s'exclama James au petit déjeuner. Aussi mignonne que Susan Dey ! »

Lydia sourit et ne répondit rien, ni quand Marilyn ajouta : « Lydia, ne rentre pas trop tard après les cours, Nath sera à la maison pour dîner », ni quand James porta un doigt à sa fossette – encore cette vieille plaisanterie – et dit : « Tous les garçons vont te courir après, maintenant. » De l'autre côté de la table, Hannah observait la robe et le sourire tout en rouge à lèvres de sa sœur, frottant du doigt la croûte couleur rouille, aussi fine qu'une toile d'araignée, qui encerclait son cou. *Ne fais pas ça*, aurait-elle voulu dire, même si elle ne savait pas quoi. Elle savait seulement que quelque chose était sur le point de se produire, et que rien de ce qu'elle pourrait dire ou faire ne l'empêcherait. Lorsque Lydia fut partie, elle saisit sa cuiller et broya les céréales détrempées dans son bol, les réduisant en bouillie.

Hannah avait raison. Cet après-midi-là, sur la suggestion de Lydia, Jack roula jusqu'à la Pointe qui surplombait la ville et ils se garèrent à l'ombre. Le vendredi soir, une demi-douzaine de véhicules se rassemblaient ici, leurs vitres s'embuant lentement jusqu'à ce qu'une voiture de police les disperse. Mais maintenant – dans la lumière éclatante d'un lundi après-midi –, il n'y avait personne d'autre dans les parages.

« Alors, quand rentre Nath ?

— Ce soir, je crois. »

De fait, Lydia savait que Nath atterrissait à l'aéroport Hopkins de Cleveland à cinq heures dix-neuf. Leur père et lui seraient à la maison à six heures et demie. Elle jeta un coup d'œil à travers la vitre en direction de l'endroit où se dressait l'horloge First Federal, tout juste visible au centre de la ville. Cinq heures quatre.

« Ça doit te faire bizarre qu'il ne soit pas là. »

Lydia lâcha un petit éclat de rire amer.

« Quatre jours, ça n'a pas été assez long pour lui, je parie. Il a hâte de partir pour de bon.

— Ce n'est pas comme si tu n'allais jamais le revoir. Enfin quoi, il va revenir. À Noël. Et pendant l'été. Pas vrai ? »

Jack arqua un sourcil.

« Peut-être. Ou peut-être qu'il restera là-bas pour toujours. Qu'est-ce que ça peut faire ? » Lydia ravala sa salive, raffermissant sa voix. « J'ai ma vie à moi. »

À travers la vitre ouverte, les nouvelles feuilles des érables bruissaient. Une disamare, vestige de l'automne, se libéra et tomba en spirale jusqu'au sol. Chaque cellule du corps de Lydia tremblait, mais quand elle baissa les yeux vers ses mains, elles étaient calmes et paisibles sur ses cuisses.

Elle ouvrit la boîte à gants et en tira la boîte de préservatifs. Il en restait deux à l'intérieur, comme des mois auparavant.

Jack sembla surpris.

« Qu'est-ce que tu fais ?

— C'est bon. Ne t'en fais pas. Je ne regretterai rien. » Il était si proche qu'elle sentait la douce odeur salée de sa peau. « Tu sais, tu n'es pas comme les gens le pensent, dit-elle en lui touchant la cuisse de la main. Tout le monde croit, avec toutes ces filles, que tu te fous de tout. Mais c'est faux. Tu n'es pas vraiment comme ça, n'est-ce pas ? » Ses yeux croisèrent ceux de Jack, bleu sur bleu. « Je te connais. »

Et tandis que Jack la dévisageait, Lydia prit une profonde inspiration, comme si elle plongeait sous l'eau, et l'embrassa.

Elle n'avait jamais embrassé qui que ce soit, et ce fut – même si elle ne le savait pas – un baiser doux, un baiser chaste, un baiser de petite fille. Sous ses lèvres, celles de Jack étaient chaudes, sèches, immobiles. Derrière l'odeur de cigarette, Jack sentait comme s'il sortait tout juste d'un bois, végétal et vert. Il était comme du velours, quelque chose sur lequel on voulait passer la main puis qu'on voulait appuyer contre son visage. À cet instant, l'esprit de Lydia avança en accéléré, comme dans un film, se projetant au-delà du moment où ils passeraient sur la banquette arrière, chacun retombant sur l'autre, leurs mains trop lentes pour leur désir. Au-delà du moment où le nœud sur sa nuque serait défait, où leurs vêtements seraient ôtés, où le corps de Jack flotterait au-dessus du sien. Autant de choses qu'elle n'avait jamais vécues et, en vérité, pouvait à peine imaginer. Quand Nath rentrerait à la maison, songeait-elle, elle serait transformée. Ce soir-là, quand Nath lui raconterait tout ce qu'il avait vu à Harvard, tout ce qui constituerait la nouvelle vie fabuleuse qu'il entamait déjà, elle aussi aurait quelque chose de nouveau à lui raconter.

Et alors, très doucement, Jack s'écarta.

« Tu es gentille », dit-il.

Il la regardait, mais – même Lydia le comprit instinctivement – pas comme un amant : tendrement, de la même manière que les adultes regardent les enfants qui sont tombés et se sont fait mal. Elle se ratatina intérieurement. Elle baissa les yeux vers ses cuisses, laissant ses cheveux voiler son visage brûlant, et un goût amer lui emplit la bouche.

« Ne me dis pas que tu as une morale tout à coup ! lança-t-elle sèchement. Ou alors c'est moi qui ne suis pas assez bien pour toi ?

— Lydia, soupira Jack, d'une voix douce comme de la flanelle. Ça n'a rien à voir avec toi.

— Alors quoi ? »

Une pause, si longue qu'elle crut que Jack avait oublié de répondre. Quand il parla enfin, il se tourna vers la vitre, comme si ce dont il parlait était dehors, au-delà des érables, au-delà du lac et de tout ce qui se trouvait en contrebas.

« Nath.

— Nath ? » Lydia roula les yeux. « N'aie pas peur de Nath. Nath ne compte pas.

— Si, répondit Jack tout en continuant de regarder à l'extérieur. Il compte pour moi. »

Lydia mit une minute à comprendre ce qu'elle venait d'entendre, et elle le dévisagea, comme si le visage de Jack avait changé de forme, ou ses cheveux de couleur. Il se frottait le pouce contre la base de l'annulaire, et elle sut qu'il ne mentait pas, qu'il en était depuis très, très longtemps ainsi.

« Mais... » Lydia marqua une pause. *Nath ?* « Tu as toujours... enfin, tout le monde sait... »

Sans le vouloir, elle jeta un coup d'œil à la banquette arrière, à la couverture navajo délavée qui était chiffonnée dessus.

Jack esquissa un sourire empreint d'ironie.

« Comment tu as dit ? *Tout le monde croit, avec toutes ces filles... mais tu n'es pas vraiment comme ça.* » Il lui lança un regard de biais. À travers la vitre baissée, une brise agitait ses boucles blond-roux. « Personne ne se doute de rien. »

Des bribes de conversation revinrent alors à Lydia, dans une tonalité différente. *Où est ton frère ? Que va dire Nath ?* Et : *Tu vas dire à ton frère qu'on se voit, et que je ne suis pas un si sale type que ça ?* Qu'avait-elle répondu ? *Il ne me croirait jamais.* La boîte de préservatifs à moitié vide était béante devant elle, et elle l'écrasa dans son poing. *Je te connais*, s'entendit-elle dire encore, et elle fit la grimace. Comment ai-je pu être si stupide ? se demandait-elle. Me tromper autant à son sujet ? Me tromper autant au sujet de tout ?

« Faut que j'y aille. »

Lydia attrapa son cartable sur le sol de la voiture.

« Je suis désolé.

— Désolé ? Pourquoi ? Tu n'as aucune raison d'être désolé. » Elle passa son cartable en bandoulière. « À vrai dire, je te plains. Être amoureux de quelqu'un qui te déteste. »

Elle fusilla Jack du regard : un tressaillement soudain, de la même manière que si elle lui avait aspergé les yeux d'eau. Puis le visage de Jack devint méfiant, il se pinça et se referma, comme il était avec les autres, comme il avait été la première fois qu'ils s'étaient rencontrés. Il fit un sourire, mais ça ressemblait plus à une grimace.

« Au moins, je ne laisse pas les autres me dire ce que je veux », déclara-t-il, et le ton méprisant de sa voix fit tressaillir Lydia. Elle ne l'avait pas entendu depuis des mois. « Au moins, je sais qui je suis. Ce que je veux. » Il plissa les yeux. « Et vous, miss Lee ? Qu'est-ce que *vous* voulez ? »

Bien sûr que je sais ce que je veux, pensa-t-elle, mais quand elle ouvrit la bouche pour parler, rien ne sortit. Dans sa tête, les mots ricochèrent comme des billes de verre – *médecin, populaire, heureuse* – et s'éparpillèrent dans le silence.

Jack poussa un grognement moqueur.

« Au moins je ne laisse pas les autres me dire tout

le temps ce que je dois faire. Au moins je n'ai pas peur. »

Lydia ravala sa salive. Sous le regard de Jack, elle se sentait écorchée. Elle aurait voulu le frapper, mais ça ne lui aurait pas fait assez mal. Et elle sut alors ce qui le ferait le plus souffrir.

« Je parie que Nath adorerait entendre tout ça. Je parie que tout le monde à l'école adorerait. Tu crois pas ? »

Sous ses yeux, Jack se dégonfla comme un ballon percé.

« Écoute… Lydia… », commença-t-il, mais elle était déjà sortie et avait claqué la portière derrière elle. À chaque pas, son cartable cognait contre son dos, mais elle continua de courir jusqu'à la route principale en direction de sa maison, ne s'arrêtant même pas quand un point de côté lui transperça le flanc. Au son de chaque voiture, elle pivotait sur elle-même, s'attendant à voir Jack, mais la Volkswagen demeura invisible. Elle se demanda s'il était toujours garé là-haut sur la Pointe, avec ce regard d'homme traqué dans les yeux.

Quand elle passa devant le lac et atteignit sa rue, ralentissant enfin pour reprendre son souffle, tout sembla changé : étrangement contrasté, avec des couleurs trop vives, comme une télé mal réglée. Les pelouses vertes étaient un peu trop bleues, les pignons blancs de Mme Allen un peu trop éblouissants, la peau de ses propres bras un peu trop jaune. Tout semblait juste un peu distordu, et Lydia plissa les yeux, tentant de rendre aux choses leur forme familière. Lorsqu'elle atteignit sa maison, elle mit un moment à prendre conscience que la femme qui balayait le porche était sa mère.

Marilyn, en voyant sa fille, écarta les bras pour l'embrasser. Ce ne fut qu'alors que Lydia s'aperçut qu'elle tenait toujours la boîte de préservatifs écrasée dans sa main, et elle l'enfonça dans son cartable, à l'intérieur de la doublure.

« Tu es toute chaude », dit Marilyn. Elle ramassa son balai. « J'ai presque fini. Après on pourra commencer à réviser pour tes examens. »

De minuscules bourgeons verts, tombés des arbres, étaient écrasés par les poils du balai.

Pendant un moment, la voix de Lydia se coinça dans sa gorge, et lorsqu'elle parvint enfin à parler, elle était si âpre que ni elle ni sa mère ne la reconnurent.

« Je te l'ai déjà dit ! rétorqua-t-elle sèchement. Je n'ai pas besoin de ton aide ! »

Le lendemain, Marilyn oublierait ce moment : le cri de Lydia, le ton brisé de sa voix. Il disparaîtrait à jamais de son souvenir de Lydia, car les souvenirs d'un être aimé se lissent et se simplifient toujours, et on se débarrasse des complexités comme d'écailles. Mais sur le coup, surprise, elle attribua le ton inhabituel de sa fille à la fatigue, au fait que c'était la fin de l'après-midi.

« Il ne reste plus beaucoup de temps, lança-t-elle tandis que Lydia ouvrait la porte de la maison. Tu sais, on est déjà en mai. »

Plus tard, lorsqu'ils repenseront à ce dernier soir, les membres de la famille ne se rappelleront presque rien. Tant de choses seront rognées par la tristesse à venir. Nath, rouge d'excitation, parla pendant tout le repas, mais aucun d'entre eux – pas même lui – ne se rappellera cette volubilité inhabituelle, ni même un seul mot de ce qu'il aura dit. Ils ne se rappelleront pas la lumière du début de soirée éclaboussant la nappe comme du beurre fondu, ni Marilyn disant : *Le lilas commence à fleurir.* Ils ne se rappelleront pas James souriant à l'évocation du restaurant Charlie's Kitchen, repensant aux déjeuners d'autrefois avec Marilyn, ni Hannah demandant : *Est-ce qu'il y a les mêmes étoiles à Boston ?* et Nath répondant : *Oui, évidemment.* Tout ça disparaîtra le matin. À la place, ils disséqueront cette dernière soirée pendant des années. Qu'avaient-ils manqué qu'ils auraient dû voir ? Quel petit geste oublié aurait pu tout changer ? Ils racleront tout jusqu'à l'os, se demandant comment les choses avaient pu si mal tourner, et ils ne le sauront jamais avec certitude.

Quant à Lydia : toute la soirée, elle se posa la même question. Elle ne remarqua pas la nostalgie de son père, ni le visage illuminé de son frère. Pendant tout le dîner, et après le dîner, après qu'elle eut dit au revoir, cette question résonna dans sa tête. Comment tout était-il autant allé de travers ? Seule, l'électrophone fredonnant à la lueur de la lampe, elle creusa ses souvenirs : avant le visage de Jack cet après-midi-là, à la fois défiant, tendre et traqué. Avant Jack. Avant l'examen de physique raté, avant la biologie, avant les prix aux concours de sciences et les livres et le stéthoscope. Où les choses avaient-elles mal tourné ?

Tandis que son réveil passait de 1:59 à 2:00 en produisant un clic doux, elle comprit soudain, tout trouvant sa place avec le même son minuscule. Le disque s'était depuis longtemps arrêté, et l'obscurité au-dehors rendait l'absence de bruit encore plus profonde, comme le silence étouffé d'une bibliothèque.

Elle savait enfin où tout était allé de travers. Et elle savait où elle devait aller.

Le bois du ponton était aussi lisse que dans son souvenir. Lydia s'assit au bout, comme elle l'avait fait si longtemps auparavant, les pieds dans le vide, à l'endroit où la barque cognait doucement contre l'embarcadère. Pendant tout ce temps, elle n'avait plus osé revenir. Cette nuit, dans l'obscurité, elle n'éprouvait nulle angoisse, et elle le nota avec un paisible étonnement.

Jack avait raison : elle avait eu si longtemps peur qu'elle avait oublié comment c'était de ne pas être effrayée – peur qu'un jour sa mère ne disparaisse de nouveau, que son père ne s'effondre, que toute sa famille ne s'écroule une fois de plus. Depuis cet été sans sa mère, l'équilibre familial avait semblé précaire, comme s'ils oscillaient en haut d'une falaise. Avant ça, elle ne s'était jamais aperçue que le bonheur était fragile, que, si vous étiez imprudent, vous pouviez le renverser et le fracasser. Tout ce que sa mère voulait, s'était-elle promis. Tant qu'elle resterait. Elle avait eu si peur.

Alors, chaque fois que sa mère avait demandé : *Est-ce que tu veux... ?* elle avait répondu oui. Elle savait ce que désiraient ses parents, sans qu'ils aient à prononcer un mot, et elle avait voulu les rendre heureux. Et sa mère était restée. Lis ce livre. *Oui.* Veux ceci. Aime ceci. *Oui.* Un jour, au musée de l'université, pendant que Nath boudait parce qu'il ratait le spectacle des étoiles, elle avait repéré une pépite d'ambre avec une mouche piégée à l'intérieur. « Ça a quatre millions d'années », avait murmuré Marilyn en entourant sa fille de ses bras par-derrière. Lydia avait observé jusqu'à ce que Nath, finalement, les entraîne ailleurs. Maintenant, elle songeait à la mouche se posant délicatement sur la flaque de résine. Peut-être qu'elle avait pris ça pour du miel. Et quand elle s'était rendu compte de son erreur, il était trop tard. Elle s'était débattue, puis avait sombré, puis s'était noyée.

Depuis cet été, elle avait eu si peur – de perdre sa mère, de perdre son père. Et, après un moment, la plus grande crainte de toutes : celle de perdre Nath, le seul qui comprenait l'équilibre étrange et instable de leur famille. Qui savait tout ce qui s'était passé. Qui l'avait toujours maintenue à flot.

Un jour, il y avait si longtemps, assise exactement à cet endroit sur le ponton, elle avait déjà commencé à sentir à quel point il serait difficile d'hériter des rêves de leurs parents. À quel point leur amour serait étouffant. Elle avait senti les mains de Nath sur ses épaules et avait été presque reconnaissante de tomber en avant, de se laisser couler. Puis, quand sa tête avait plongé sous la surface, l'eau lui avait fait l'effet d'une gifle. Elle avait tenté de hurler, et le froid avait glissé dans sa gorge, la faisant suffoquer. Elle avait tendu les orteils à la recherche du sol et ne l'avait pas trouvé. Rien quand elle tendait les bras. Juste l'humidité et le froid.

Puis : la chaleur. Les doigts de Nath, la main de Nath, le bras de Nath, Nath la ramenant vers la surface et sa tête émergeant du lac, de l'eau dégoulinant de ses cheveux dans ses yeux, et ses yeux qui la piquaient. Bats des jambes, avait dit Nath. Ses mains la soutenaient, la surprenant par leur force, leur assurance, et elle avait senti une chaleur l'envelopper. Les doigts de Nath avaient agrippé les siens, et à cet instant elle avait cessé d'avoir peur.

Bats des jambes. Je te tiens. Bats des jambes !

Il en avait toujours été ainsi depuis. Ne me laisse pas couler, avait-elle pensé en tendant sa main vers lui, et il avait promis de ne pas le faire en la saisissant. À cet instant, songea Lydia. C'était à cet instant que tout était allé de travers.

Mais il n'était pas trop tard. Là, sur le ponton, Lydia fit une nouvelle série de promesses, cette fois à elle-même. Elle recommencera. Elle dira à sa mère : assez. Elle arrachera les posters et rangera les livres. Si elle échoue en physique, si elle ne devient jamais médecin, ce sera très bien. Elle le dira à sa mère. Et elle lui dira aussi qu'il n'est pas trop tard. Pour quoi que ce soit. Elle rendra à son père son collier et son livre. Elle cessera de tenir le téléphone silencieux contre son oreille ; elle cessera de faire semblant d'être une personne qu'elle n'est pas. À partir de maintenant, elle fera ce qu'*elle* voudra. Les pieds fermement campés sur rien, Lydia – depuis si longtemps asservie par les rêves des autres – ne pouvait pas encore imaginer ce qui arriverait, mais soudain l'univers brillait de possibilités. Elle va tout changer. Elle dira à Jack qu'elle est désolée, qu'elle ne révélera jamais son secret. S'il peut être courageux, si certain de ce qu'il est et de ce qu'il veut, sans doute le peut-elle aussi. Elle lui dira qu'elle comprend.

Et Nath. Elle lui dira qu'il fait bien de s'en aller. Qu'elle s'en sortira. Qu'il n'est plus responsable d'elle, qu'il n'a pas à s'en faire. Et alors elle le laissera partir.

Et tandis qu'elle faisait cette dernière promesse,

Lydia comprit quoi faire. Comment tout recommencer, depuis le début, pour qu'elle n'ait plus jamais peur d'être seule. Ce qu'elle devait faire pour sceller ses promesses et les rendre réelles. Doucement, elle se laissa descendre dans la barque et détacha la corde. En s'éloignant du ponton, elle s'attendit à un accès de panique. Mais il n'arriva pas. Même lorsqu'elle eut commencé à ramer, coup maladroit après coup maladroit, sur le lac – assez loin pour que le réverbère ne soit plus qu'un point trop petit pour contaminer les ténèbres autour d'elle –, elle se sentit étrangement calme et confiante. Au-dessus, la lune était ronde comme une pièce de monnaie, nette et parfaite. Au-dessous, l'embarcation tanguait si doucement qu'elle en sentait à peine le mouvement. En levant les yeux vers le ciel, elle avait l'impression de flotter dans l'espace, complètement libérée de ses entraves. Elle ne pouvait pas croire que quoi que ce soit fût impossible.

Au loin, la lumière du ponton brillait comme une étoile. Si elle plissait les yeux, elle pouvait tout juste distinguer la forme du ponton lui-même, la pâle ligne de planches se détachant sur la nuit noire. En se rapprochant, pensa-t-elle, elle le verrait parfaitement : les planches lissées par des générations de pieds nus, les pilotis qui les maintenaient juste au-dessus de la surface de l'eau. Prudemment, elle se leva, écartant les bras tandis que l'embarcation tanguait. Ce n'était pas loin. Elle pouvait le faire, elle en était sûre. Il suffisait simplement de battre des jambes. Elle battrait des jambes jusqu'au ponton et agripperait les planches et se hisserait hors de l'eau. Demain matin, elle questionnerait Nath sur Harvard. Comment c'était là-bas. Elle l'interrogerait sur les personnes qu'il avait rencontrées, les cours qu'il suivrait. Elle lui dirait qu'il s'apprêtait à vivre une expérience merveilleuse.

Elle baissa les yeux vers le lac qui, dans la nuit, ne ressemblait à rien, juste des ténèbres, un grand vide s'étirant sous ses pieds. Ça va aller, se dit-elle, et elle fit un pas hors de l'embarcation et s'enfonça dans l'eau.

12

Pendant tout le trajet du retour, James se dit : *Il n'est pas trop tard. Il n'est pas trop tard.* À chaque kilomètre, il se le répète jusqu'à être de nouveau à Middlewood, l'université puis le lac défilant derrière sa vitre. Quand il s'engage enfin dans l'allée, la porte du garage est ouverte, et la voiture de Marilyn est invisible. Chaque respiration le fait chanceler, même s'il essaie de rester droit. Pendant toutes ces années, il ne s'est souvenu que d'une chose : *Elle est partie.* Et il a pris ceci pour acquis : *Elle est revenue.* Ainsi que : *Elle est restée.* Lorsqu'il tend la main vers la poignée de la porte, ses jambes vacillent. Il n'est pas trop tard, se rassure-t-il, mais, intérieurement, il tremble. Il ne peut pas lui en vouloir si elle est repartie, cette fois pour de bon.

Dans l'entrée, un silence lourd l'accueille, comme celui d'un enterrement. Il pénètre alors dans le salon et voit une petite silhouette recroquevillée par terre. Hannah. Roulée en boule, les bras autour du torse. Les yeux d'un rouge aqueux. Il se rappelle soudain un après-midi lointain, deux enfants sans mère sur le seuil froid d'une maison.

« Hannah ? » murmure-t-il, alors que lui-même sent qu'il s'écroule, comme un vieux bâtiment trop vieux pour tenir debout. Son sac glisse de ses doigts et tombe par terre. Il a l'impression de respirer par une paille. « Où est ta mère ? »

Hannah lève les yeux.

« À l'étage. Elle dort. » Puis – et c'est ce qui rend son souffle à James : « Je lui ai dit que tu rentrerais. »

Elle ne dit pas ça d'un ton suffisant, ni triomphant. Juste un fait, aussi rond et simple qu'une perle.

James se laisse tomber sur la moquette à côté de sa fille, rendu muet par la gratitude, et Hannah se demande si elle doit en dire plus. Car il y en a plus, beaucoup plus : le fait qu'elle et sa mère se sont blotties l'une contre l'autre sur le lit de Lydia et ont pleuré et pleuré pendant tout l'après-midi, se serrant si fort que leurs larmes se mêlaient, jusqu'à ce que sa mère s'endorme. Le fait qu'il y a une demi-heure son frère est rentré à la maison dans une voiture de police, ébouriffé et groggy, empestant comme pas possible mais étrangement serein, et qu'il est monté directement dans sa chambre et s'est couché. En regardant à travers le rideau, Hannah a vu l'agent Fiske au volant, et, tard ce soir, la voiture de Marilyn réapparaîtra paisiblement dans l'allée, lavée, les clés gentiment posées sur le siège du conducteur. Ça peut attendre, décide-t-elle. Elle a l'habitude de garder le secret des gens, et elle a quelque chose de plus urgent à dire à son père.

Elle lui tire sur le bras, pointant le doigt vers le plafond, et James est surpris de constater que ses mains sont si petites, et si puissantes.

« Regarde. »

Au début, il est si plein de soulagement, si habitué à ignorer sa plus jeune fille, qu'il ne voit rien. Il n'est pas trop tard, songe-t-il en levant les yeux vers le plafond, aussi propre et lumineux qu'une feuille de papier vierge dans le soleil de la fin d'après-midi. Tout n'est pas encore perdu.

« *Regarde* », insiste de nouveau Hannah en lui inclinant la tête d'une main péremptoire. Elle n'a jamais osé être aussi autoritaire, et James, surpris, regarde attentivement et voit enfin : une empreinte de pied blanche sur le blanc cassé, comme si quelqu'un avait marché dans de la peinture puis sur le plafond, laissant une trace légère mais parfaite. Il ne l'a jamais remarquée. Hannah croise son regard, et elle a une expression sérieuse et fière, comme si elle avait découvert une nouvelle planète. C'est ridicule, vraiment, une trace de pas au plafond. Inexplicable, inutile et magique.

Hannah glousse, et James trouve que ça ressemble au tintement d'une cloche. Un son agréable. Lui aussi rit, pour la première fois depuis des semaines, et Hannah, soudain enhardie, se niche contre son père. La façon dont elle se blottit contre lui a quelque chose de familier. Ça lui rappelle une anecdote qu'il a oubliée.

« Tu sais ce que je faisais parfois avec ta sœur ? demande-t-il doucement. Quand elle était petite, toute petite, encore plus petite que toi. Tu sais ce que je faisais ? » Il laisse Hannah lui grimper sur le dos. Puis il se lève et se tourne d'un côté et de l'autre, sentant le poids de sa fille remuer sur lui. « Où est Lydia ? dit-il. Où est Lydia ? »

Il disait ça, encore et encore, pendant qu'elle enfonçait son visage dans ses cheveux et gloussait. Il sentait son petit souffle chaud sur son cuir chevelu, derrière ses oreilles. Il se rendait dans le salon, regardant derrière les meubles et les portes. « Je l'entends, disait-il. Je vois son pied. » Il serrait sa cheville fermement dans sa main. « Où est-elle ? Où est Lydia ? Où peut-elle bien être ? » Il tournait la tête et elle se baissait, hurlant de rire, tandis qu'il faisait mine de ne pas remarquer ses cheveux qui tombaient sur son épaule. « La voilà ! Voilà Lydia ! » Il pivotait de plus en plus vite, Lydia s'accrochant de plus en plus fort, jusqu'à ce qu'il s'effondre sur la moquette, la laissant rouler, hilare, de son dos. Elle ne s'en lassait jamais. Trouvée, perdue, retrouvée, perdue pile devant ses yeux, appuyée contre son dos, ses pieds serrés dans les mains de James. Qu'est-ce qui rendait une chose précieuse ? La perdre et la retrouver. Toutes ces fois où il avait fait semblant de la perdre. Il se laisse tomber sur la moquette, étourdi de chagrin.

Puis il sent des petits bras s'enrouler autour de son cou, la chaleur d'un petit corps appuyé contre lui.

« Papa ? murmure Hannah. Tu veux bien recommencer ? »

Et il se sent qui se lève, se hisse de nouveau sur ses genoux.

Il reste tellement à faire, tant d'erreurs à réparer. Mais pour le moment, il ne pense qu'à une chose : sa fille, ici, dans ses bras. Il avait oublié ce que ça faisait de tenir un enfant – de tenir qui que ce soit – de la sorte. La façon dont le poids de l'autre vous pénètre, la façon dont il s'accroche instinctivement. La confiance qu'il vous accorde. Un long moment s'écoule avant qu'il soit prêt à la lâcher.

Et quand Marilyn se réveille et descend, alors que la lumière diminue, voici ce qu'elle trouve : son mari serrant leur plus jeune enfant dans le halo du lampadaire, avec sur le visage une expression tendre et calme.

« Tu es rentré », dit Marilyn.

Ils savent tous deux que c'est une question.

« Je suis rentré », répond James, et Hannah se dresse sur la pointe des pieds, se glissant vers la porte.

Elle sent que la pièce est au bord de… au bord de quoi, elle ne sait pas, mais elle ne veut pas détruire ce bel équilibre délicat. Habituée à être ignorée, elle se dirige furtivement vers sa mère, prête à s'éclipser sans se faire remarquer. Mais Marilyn lui touche alors doucement l'épaule, et les talons de Hannah, surprise, heurtent le sol avec un bruit sourd.

« C'est bon, déclare Marilyn. Ton père et moi avons juste besoin de parler. » Puis – et Hannah rougit de ravissement – elle l'embrasse sur la tête, à l'endroit où ses cheveux se séparent, et ajoute : « À demain matin. »

Au milieu de l'escalier, Hannah s'arrête. Du rez-de-chaussée lui provient un murmure de voix, mais pour une fois elle ne redescend pas pour écouter. *À demain matin*, a dit sa mère, et elle prend ça comme une promesse. Elle traverse le palier à pas de loup – passe devant la chambre de Nath, où, derrière la porte fermée, son frère dort d'un sommeil sans rêves, les vestiges de whiskey s'évaporant lentement par ses pores ; devant la chambre de Lydia, où, dans l'obscurité, rien ne semble changé, même si rien ne pourrait être plus éloigné de la vérité ; jusqu'à sa propre chambre, où, à travers les fenêtres, la pelouse au-dehors commence juste à virer du bleu foncé au noir. Son réveil fluorescent indique huit heures tout juste passées, mais on dirait qu'il est plus tard, le milieu de la nuit, et l'obscurité silencieuse et épaisse est comme un édredon. Elle s'enveloppe dans cette sensation. D'ici, elle n'entend pas ses parents parler. Mais ça lui suffit de savoir qu'ils sont là.

En bas, Marilyn s'attarde à la porte, une main sur le montant. James tente de ravaler sa salive, mais quelque chose de dur et d'acéré se loge dans sa gorge, comme une arête. Autrefois, il parvenait à lire l'humeur de sa femme, même quand elle lui tournait le dos. À l'inclinaison de ses épaules, à sa façon de déporter son poids de son pied gauche à son pied droit, il savait ce qu'elle pensait. Mais ça fait longtemps qu'il ne l'a plus observée attentivement, et maintenant, même de face, tout ce qu'il voit, ce sont les rides légères au coin de ses yeux, les rides légères à l'endroit où son chemisier a été écrasé, puis rajusté.

« Je croyais que tu étais parti », dit-elle finalement.

Quand la voix de James contourne la chose acérée dans sa gorge, elle sonne frêle et rauque.

« Moi aussi, je croyais que tu étais partie. »

Et pour le moment, c'est tout ce qu'ils ont besoin de dire.

Il est des sujets dont ils ne discuteront jamais : James ne parlera plus à Louisa, et il aura honte aussi longtemps qu'il vivra. Plus tard, lentement, ils mettront bout à bout d'autres choses qui n'ont jamais été dites. Il lui montrera le rapport du légiste ; elle lui placera le livre de recettes entre les mains. Il faudra longtemps avant que James parle à son fils sans dureté dans sa voix ; il faudra longtemps avant que Nath ne tressaille plus quand son père parlera. Pendant le restant de l'été, et pendant des années après ça, ils chercheront les mots qui exprimeront ce qu'ils veulent vraiment dire : à Nath, à Hannah, l'un à l'autre. Ils ont tant de choses à se dire.

Pendant ce moment de silence, quelque chose touche la main de James, une chose si légère qu'il la sent à peine. Un papillon de nuit, songe-t-il. La manche de sa chemise. Mais quand il baisse les yeux, il voit les doigts de Marilyn légèrement recourbés sur les siens. Il a presque oublié ce que ça fait de la toucher. D'être un tant soit peu pardonné. Il baisse la tête et la pose sur le dos de la main de Marilyn, submergé de gratitude à l'idée qu'il dispose d'un jour de plus.

Au lit, ils se touchent doucement, comme s'ils étaient ensemble pour la première fois : la main de James glissant prudemment dans le creux de son dos, les doigts de Marilyn hésitants et délicats tandis qu'elle lui déboutonne sa chemise. Leurs corps sont plus vieux, maintenant ; il sent ses épaules qui s'affaissent, il voit les cicatrices argentées des grossesses qui sillonnent le ventre de Marilyn juste sous la taille. Dans l'obscurité, ils sont attentionnés l'un envers l'autre, comme s'ils savaient qu'ils sont fragiles, comme s'ils savaient qu'ils peuvent se briser.

Pendant la nuit, Marilyn se réveille et sent la chaleur de son mari auprès d'elle, elle perçoit son odeur douce, comme du bon pain grillé, moelleux et douxamer. Qu'il serait agréable de rester lovée ici contre lui, de sentir la poitrine de James s'élever et retomber contre la sienne, comme si c'était son souffle à elle. Pour le moment, cependant, elle a autre chose à faire.

À la porte de la chambre de Lydia, elle marque une pause, main sur la poignée, et appuie sa tête contre le montant, se rappelant leur dernière soirée ensemble : l'éclat de lumière qui s'est reflété sur le verre d'eau de Lydia, et elle l'a regardée par-dessus la table en souriant. Déroulant l'avenir de sa fille, débordante de confiance, elle ne s'est pas imaginé une seconde que ça pourrait ne pas arriver. Qu'elle avait pu se tromper.

Ce soir, cette assurance semble ancienne, comme quelque chose qui serait devenu minuscule avec les années. Quelque chose qu'elle aurait connu avant ses enfants, avant de se marier, quand elle était encore elle-même toute petite. Il n'y a nulle part où aller, il faut simplement continuer. Pourtant, une partie d'elle aspire à revenir un instant en arrière – pas pour changer quoi que ce soit, pas même pour parler à Lydia. Juste pour ouvrir la porte et la voir endormie, une fois de plus, et savoir que tout va bien.

Et quand elle ouvre enfin la porte, voici ce qu'elle aperçoit. La silhouette de sa fille dans le lit, une longue mèche de cheveux étirée en travers de l'oreiller. Si elle regarde attentivement, elle peut même distinguer l'édredon à fleurs se soulever et retomber à chacune de ses respirations. Elle sait que c'est un mirage, et elle essaie de ne pas cligner des yeux, d'absorber ce moment, cette dernière belle image de sa fille endormie.

Un jour, quand elle sera prête, elle tirera les rideaux, sortira les vêtements de la commode, empilera les livres par terre et les emportera. Elle lavera les draps, ouvrira les tiroirs du bureau, videra les poches du jean de Lydia. Ce faisant, elle ne trouvera que des fragments de la vie de sa fille : des pièces de monnaie, des cartes postales jamais envoyées, des pages déchirées dans des magazines. Elle se figera au-dessus d'un bonbon à la menthe, toujours enveloppé de Cellophane, et se demandera s'il est important, s'il signifiait quelque chose pour Lydia, ou s'il a juste été oublié. Elle sait qu'elle ne trouvera pas de réponses. Pour le moment, elle regarde la silhouette dans le lit, et ses yeux s'emplissent de larmes. C'est assez.

Quand Hannah descend, juste alors que le soleil se lève, elle compte prudemment : deux voitures dans l'allée. Deux jeux de clés sur la table de l'entrée. Cinq paires de chaussures – l'une appartenant à Lydia – près de la porte. Même si ce dernier détail provoque une douleur, juste entre les clavicules, ces sommes la réconfortent. Maintenant, en regardant par la fenêtre de devant, elle voit la porte des Wolff s'ouvrir, et Jack et son chien apparaissent. Les choses ne seront plus jamais comme avant. Mais la vue de Jack et de son chien en train de se diriger vers le lac la réconforte aussi. Comme si l'univers revenait lentement à la normale.

Pour Nath, cependant, à sa fenêtre à l'étage, c'est

le contraire qui se produit. Quand il se réveille de son profond sommeil alcoolisé, le whiskey purgé de son corps, tout semble nouveau : le contour des meubles, les rais de lumière qui fendent la moquette, ses mains devant son visage. Même la douleur dans son ventre – il n'a pas mangé depuis le petit déjeuner de la veille, ce qui, comme le whiskey, remonte à loin – semble lumineuse, propre, vive. Et maintenant, de l'autre côté de la pelouse, il voit ce qu'il a cherché chaque jour pendant si longtemps. Jack.

Il ne prend pas la peine de se changer, ni d'attraper ses clés, ni de réfléchir. Il enfile simplement ses tennis et descend l'escalier à toute allure. L'univers lui donne cette chance, et il refuse de la laisser passer. Quand il ouvre violemment la porte, Hannah n'est qu'une tache surprise dans l'entrée. Pour sa part, elle ne prend même pas la peine de mettre des chaussures et s'élance derrière lui, l'asphalte encore frais et humide sous ses pieds.

« Nath ! appelle-t-elle. Nath, ce n'est pas sa faute. »

Nath ne s'arrête pas. Il ne court pas, mais marche simplement d'une foulée féroce et furieuse vers l'angle où Jack vient de disparaître. Il ressemble aux cow-boys dans les films de leur père, déterminé, la mâchoire crispée, inébranlable au milieu de la rue déserte.

« Nath ! »

Hannah lui agrippe le bras, mais il continue d'avancer, indifférent, et elle court pour rester à sa hauteur. Ils sont désormais à l'angle et voient tous les deux Jack au même moment, assis sur le ponton, les bras enroulés autour des genoux, le chien étendu à ses côtés. Nath s'arrête pour laisser passer une voiture, et Hannah le tire par la main, fort.

« S'il te plaît, supplie-t-elle. S'il te plaît. »

La voiture passe et Nath hésite. Mais il attend des réponses depuis si longtemps. C'est maintenant ou jamais, songe-t-il, et il se libère et traverse la rue.

Si Jack les entend approcher, il ne le montre pas. Il reste là, regardant par-dessus l'eau, jusqu'à ce que Nath se tienne au-dessus de lui.

« Tu croyais que je ne te verrais pas ? » dit Nath. Jack ne répond pas. Lentement, il se lève en lui faisant face, les mains enfoncées dans les poches arrière de son jean. Comme si, pense Nath, il ne valait même pas la peine qu'on se batte contre lui. « Tu ne peux pas te cacher éternellement.

— Je le sais », réplique Jack.

À ses pieds, le chien pousse un gémissement sourd et plaintif.

« Nath, murmure Hannah. Rentrons à la maison. S'il te plaît. »

Il l'ignore.

« J'espère que tu te disais que tu étais désolé.

— Je suis désolé, répond Jack. Pour ce qui est arrivé à Lydia. » Un léger tremblement agite sa voix. « Pour tout. »

Le chien de Jack recule, se recroquevillant contre les jambes de Hannah, qui est désormais sûre que Nath va desserrer les poings, se retourner, laisser Jack tranquille et s'en aller. Sauf qu'il ne le fait pas. Pendant une seconde, il semble confus – puis sa confusion le met en colère.

« Tu crois que ça change quoi que ce soit ? Eh bien,

non. » Les jointures de ses doigts ont viré au blanc. « Dis-moi la vérité. Maintenant. Je veux savoir. Qu'est-ce qui s'est passé entre vous ? Qu'est-ce qui l'a poussée à sortir sur le lac cette nuit-là ? »

Jack secoue à demi la tête, d'un air interrogatif.

« Je croyais que Lydia t'avait dit… » Son bras se contracte, comme s'il était sur le point de saisir Nath par l'épaule, ou par la main. « J'aurais dû te le dire moi-même, poursuit-il. J'aurais dû le dire, il y a longtemps… »

Nath s'approche d'un demi-pas. Il est désormais si près, si près de comprendre, que ça l'étourdit.

« Quoi ? demande-t-il, chuchotant presque, d'une voix si basse que Hannah l'entend à peine. Que c'est ta faute ? »

Juste avant que la tête de Jack bouge, elle comprend ce qui va se passer : Nath a besoin d'une cible, d'un objet vers lequel braquer sa colère et sa culpabilité, ou alors il s'effondrera. Jack le sait ; elle le voit sur son visage, à sa façon de redresser les épaules dans l'attente d'être frappé. Nath se penche plus près, et, pour la première fois depuis longtemps, il regarde Jack droit dans les yeux, marron sur bleu. Il demande. Il supplie. *Dis-moi. Je t'en prie.* Et Jack acquiesce. *Oui.*

Puis son poing atteint violemment Jack et celui-ci se plie en deux. Nath n'a jamais frappé personne, et il s'attendait à une sensation agréable – une sensation de puissance – lorsque son bras se détendrait comme un piston. Mais non. C'est comme frapper un morceau de viande, quelque chose de dense et lourd, quelque chose qui ne résiste pas. Ça lui donne un peu la nausée. Et il s'attendait à un *bam*, comme dans les films, mais il y a à peine un bruit. Juste un son sourd, comme un lourd sac tombant par terre, un léger halètement, et ça aussi ça l'écœure. Nath se prépare, attendant une riposte, mais Jack ne le frappe pas. Il se redresse, lentement, une main sur le ventre, les yeux rivés sur lui. Il ne serre même pas le poing, ce qui donne plus que tout envie de vomir à Nath.

Il avait cru que lorsqu'il trouverait Jack, quand son poing heurterait le visage suffisant de Jack, il se sentirait mieux. Que tout changerait, que la dure boule de colère qui avait grandi en lui se dissoudrait comme du sable. Mais rien ne se produit. Il la sent toujours, une boule de béton en lui, l'écorchant de l'intérieur. Et le visage de Jack n'est pas suffisant. Il s'attendait au moins à une attitude de défense, peut-être de peur, mais dans ses yeux il ne voit rien de tout ça. À la place, Jack le regarde presque tendrement, comme s'il le plaignait. Comme s'il voulait tendre la main et le prendre dans ses bras.

« Allez ! hurle Nath. Tu as trop honte pour te battre ? »

Il agrippe Jack par l'épaule et frappe de nouveau. Hannah détourne les yeux juste avant que son poing atteigne le visage de Jack. Cette fois, un filet rouge goutte de son nez. Il ne l'essuie pas, le laisse simplement couler, de sa narine à sa lèvre puis à son menton.

« Arrête ! » crie-t-elle, et ce n'est qu'en entendant sa propre voix qu'elle s'aperçoit qu'elle pleure, que ses joues, sa gorge et même le col de son tee-shirt sont rendus collants par les larmes.

Nath et Jack l'entendent également. Ils la fixent tous les deux, Nath brandissant toujours son poing, Jack tournant désormais son visage et son expression tendre vers elle.

« Arrête ! » hurle-t-elle de nouveau, l'estomac noué, et elle se précipite entre eux, tentant de protéger Jack, frappant son frère avec ses paumes, le repoussant.

Et Nath ne résiste pas. Il se laisse pousser, se sent basculer, ses pieds glissant sur le bois lisse, et se laisse tomber du ponton dans l'eau.

Donc c'est comme ça, songe-t-il tandis que l'eau se referme autour de sa tête. Il ne résiste pas. Il retient son souffle, ne bouge ni les bras ni les jambes, garde les yeux ouverts tandis qu'il s'enfonce dans le lac. Voilà à quoi ça ressemble. Il s'imagine Lydia sombrant, la lumière du soleil au-dessus de l'eau s'assombrissant à mesure que lui aussi coule. Bientôt, il touchera le fond, ses jambes, ses bras, le creux de son dos seront écrasés contre le sol sablonneux du lac. Il y restera jusqu'à ne plus pouvoir retenir son souffle, jusqu'à ce que l'eau déferle sur lui et éteigne son esprit comme une bougie. Ses yeux brûlent, mais il s'efforce de les garder ouverts. Voilà comment c'est, se dit-il. Observe ça. Observe tout. Souviens-toi.

Mais il connaît trop cet élément. Son corps sait déjà quoi faire, de la même manière qu'il sait qu'il doit se baisser dans l'angle de l'escalier à la maison, à l'endroit où le plafond est plus bas. Ses muscles s'étirent et s'agitent. Son corps se redresse, ses bras griffent l'eau. Ses jambes battent jusqu'à ce que sa tête brise la surface, et il tousse de la vase, inspire l'air frais dans ses poumons. C'est trop tard. Il a déjà appris à ne pas se noyer.

Il flotte, visage vers le ciel, yeux clos, laissant l'eau porter ses membres las. Il ne peut pas savoir comment c'était, ni la première fois, ni la dernière. Il peut deviner, mais il ne saura jamais, pas vraiment. Comment c'était, ce qu'elle a pensé, tout ce qu'elle ne lui a jamais dit. Si elle estimait qu'il l'avait laissée tomber, ou si elle voulait qu'il la laisse partir. C'est ça, plus que tout, qui lui fait sentir qu'elle n'est plus là.

« Nath ? » appelle Hannah.

Elle regarde par-dessus le bord du ponton, son visage petit et pâle. Puis une autre tête apparaît – celle de Jack – et une main se tend vers lui. Il sait que c'est celle de Jack, et que quand il arrivera à sa hauteur, il la saisira.

Et après qu'il l'aura prise, qu'est-ce qui se passera ? Il rentrera péniblement à la maison, dégoulinant, boueux, les jointures de ses doigts abîmées par les dents de Jack. À côté de lui, Jack sera couvert d'ecchymoses et gonflé, l'avant de sa chemise sera une tache marron foncé. Hannah aura de toute évidence pleuré ; ça se verra aux traînées sous ses yeux, aux cils humides collés sur sa joue. Malgré ça, ils seront étrangement rayonnants, chacun d'entre eux, comme s'ils avaient été nettoyés. Ils mettront longtemps à tout régler. Aujourd'hui, ils devront affronter leurs parents, et aussi la mère de Jack, toutes les questions : *Pourquoi vous êtes-vous battus ? Qu'est-ce qui s'est passé ?* Il faudra longtemps, car ils seront incapables d'expliquer, et les parents, ils le savent, ont besoin d'explications. Ils passeront des vêtements secs, Jack enfilant un des vieux tee-shirts de Nath.

Ils appliqueront du Mercurochrome sur la joue de Jack, sur les doigts de Nath, les faisant paraître encore plus sanglants, comme si leurs blessures s'étaient rouvertes, alors qu'en réalité elles commencent à se fermer.

Et demain, le mois prochain, l'année prochaine ? Il faudra longtemps. Dans des années, ils continueront d'arranger les pièces qu'ils connaissent, ils s'étonneront des traits de Lydia, redessinant son contour dans leur tête. Sûrs de l'avoir saisie, cette fois, certains à cet instant de la comprendre enfin complètement. Ils penseront souvent à elle : quand Marilyn tirera les rideaux de la chambre de Lydia, ouvrira la penderie, et commencera à ôter les vêtements des étagères. Quand leur père, un jour, arrivera à une fête et, pour la première fois, ne passera pas rapidement en revue toutes les têtes blondes dans la pièce. Quand Hannah commencera à se tenir un peu plus droite, quand elle commencera à parler un peu plus clairement, quand un jour elle coincera ses cheveux derrière son oreille d'un geste familier et se demandera, brièvement, de qui elle le tient. Et Nath. Quand à l'école les gens demanderont s'il a des frères et sœurs : *deux sœurs, mais une est morte* ; quand, un jour, il verra la petite bosse que Jack gardera toujours sur le nez et voudra, doucement, passer le doigt dessus. Quand, bien, bien plus tard, il regardera depuis l'espace la bille bleue et silencieuse de la Terre et pensera à sa sœur, comme il le fera à chaque moment important de sa vie. Il ne le sait pas encore, mais il le sent au plus profond de lui. Tant de choses se produiront, songe-t-il, que je voudrais te dire.

Pour le moment, quand il ouvre enfin les yeux, il se concentre sur le ponton, sur la main de Jack, sur Hannah. Depuis l'endroit où il flotte, le visage à l'envers de Hannah est à l'endroit, et il nage comme un petit chien vers elle. Il ne veut pas plonger sous l'eau et perdre son visage de vue.

NOTE DE L'AUTEUR

J'ai pris quelques libertés historiques minimes : la couverture de *Comment se faire des amis et influencer les gens* que je décris dans le roman est un amalgame de plusieurs éditions différentes, même si le texte est exact. De la même manière, les citations du *Livre de recettes de Betty Crocker* proviennent de l'édition de 1968 qui appartenait à ma mère, alors que Marilyn aurait possédé une édition antérieure.

REMERCIEMENTS

Un énorme merci à mon agent, Julie Barer, qui a patiemment attendu ce roman pendant six ans et qui a toujours eu plus foi en lui (et en moi) que moi-même. Je remercie ma bonne étoile de l'avoir rencontrée. Travailler avec William Boggess, Anna Wiener, Gemma Purdy et Anna Knutson Geller de Barer Literary a été un régal, et je n'aurais pu être entre de meilleures mains.

Mes éditeurs chez Penguin Press, Andrea Walker et Ginny Smith Younce, ont contribué à rendre ce livre incommensurablement meilleur et m'ont aidée à chaque étape. Sofia Groopman a littéralement illuminé ma journée chaque fois que nous avons échangé des e-mails. Jane Cavolina, mon assistante d'édition, Lisa Thornbloom, ma relectrice, Barbara Campo et l'équipe de production ont réparé ma myriade d'incohérences et ont été exceptionnellement patients avec mon utilisation des italiques. Mon attachée de presse, Juliana Kiyan, a été une avocate dynamique et infatigable, et je suis profondément reconnaissante à Ann Godoff, Scott Moyers, Tracy Locke, Sarah Hutson, Brittany Bougher et tout le monde chez Penguin Press et Penguin Random House d'avoir permis à ce livre de voir le jour avec autant d'enthousiasme et d'amour.

Les gens insistent souvent sur le fait qu'on ne peut pas enseigner l'écriture, mais j'ai énormément appris – sur l'écriture et la vie d'écrivaine – auprès de mes enseignants. Patricia Powell m'a aidée à prendre mon travail au sérieux lors de mon premier véritable atelier d'écriture. Wendy Hyman a la première suggéré l'idée d'un master en littérature, et je lui en serai éternellement redevable. Eliezra Schaffzin a dès le début offert des encouragements et un soutien cruciaux, et mes professeurs incroyablement généreux de l'université du Michigan – Peter Ho Davies, Nicholas Delbanco, Matthew Klam, Eileen Pollack et Nancy Reisman – continuent d'être une source de sagesse et d'inspiration.

J'ai également une énorme dette envers mes enseignants informels – mes amis écrivains. Je suis particulièrement reconnaissante à mes collègues du master de littérature de l'université du Michigan, notamment Uwem Akpan, Jasper Caarls, Ariel Djanikian, Jenni Ferrari-Adler, Joe Kilduff, Danielle Lazarin, Taemi Lim, Peter Mayshle, Phoebe Nobles, Marissa Perry, Preeta Samarasan, Brittani Sonnenberg et Jesmyn Ward. Ayelet Amittay, Christina McCarroll, Anne Stameshkin et Elizabeth Staudt méritent un double – triple, quadruple – remerciement pour avoir lu les premières versions de ce roman au fil des années et pour m'avoir motivée. Jes Haberli est non seulement une oreille fiable, mais également une voix indispensable et pleine de bon sens.

Écrire est une activité solitaire, et je suis immensément reconnaissante aux communautés qui m'ont offert leur assistance en chemin. Le personnel de la *Fiction Writers Review* m'a toujours rappelé que *la fiction compte*, et la Bread Loaf Writers' Conference m'a présentée à de nombreux amis et idoles littéraires, parmi lesquels les Voltrons. À Boston, Grub Street m'a adoptée dans sa chaleureuse et accueillante famille d'écriture – une dose de remerciements supplémentaires à Christopher Castellani pour m'avoir ouvert la porte. Mon groupe d'écriture, les Chunky Monkeys (Chip Cheek, Jennifer De Leon, Calvin Hennick, Sonya Larson, Alexandria Marzano-Lesnevich, Whitney Sharer, Adam Stumacher, Grace Talusan et Becky Tuch), est une source d'encouragements infinis et de critiques impitoyables. Et chaque fois que je suis coincée, Darwin's Ltd. à Cambridge me remet en route comme par magie grâce à son thé chaud, aux meilleurs sandwichs de la ville, et à (curieusement) la musique toujours parfaite sur la chaîne.

Finalement, mes sincères remerciements à mes amis et à ma famille, qui m'ont modelée d'innombrables manières. Katie Campbell, Samantha Chin et Annie Xu ont été à la fois des supportrices et des confidentes pendant plus de deux décennies. D'autres amis ont été là pour moi en chemin, mais je ne peux les citer tous ; vous savez qui vous êtes – merci. Carol, Steve et Melissa Fox m'ont gracieusement accueillie il y a plus d'une décennie dans leur maison dédiée à l'amour des mots. Et les membres de ma famille ont été une continuelle source de soutien, même quand ils ne savaient pas *totalement* que faire de cette histoire d'écriture ; merci à mes parents, Daniel et Lily Ng, et à ma sœur, Yvonne Ng, de m'avoir laissée (et aidée à) trouver ma voie. Mon mari, Matthew Fox, non seulement m'a encouragée à chaque étape, mais il a également endossé d'infinies responsabilités pour me permettre d'écrire. Sans lui, ce livre n'aurait pas été possible. Et, enfin, merci à mon fils, qui supporte gracieusement sa rêveuse de mère, qui me fait constamment rire, et qui m'aide à mettre les choses en perspective ; tu seras toujours la réussite dont je serai la plus fière.

Ouvrage composé par
PCA 44400 Rezé

Imprimé en France par

MAURY IMPRIMEUR
à Malesherbes (Loiret)
en février 2017

POCKET – 12, avenue d'Italie – 75627 Paris Cedex 13

N° d'impression : 215631
Dépôt légal : mars 2017
S26730/01